MINHA VIDA
DE MENINA

HELENA MORLEY

MINHA VIDA DE MENINA

14ª reimpressão

Copyright © 1979, 1998 by Sara Caldeira Brant
e Ignez Caldeira Brant Renault

Grafia atualizada segundo o Acordo Ortográfico da Língua Portuguesa de 1990, que entrou em vigor no Brasil em 2009.

Capa
Jeff Fisher

Preparação
Rosemary Cataldi Machado

Revisão
Renato Potenza Rodrigues
Larissa Lino Barbosa

Dados Internacionais de Catalogação na Publicação (CIP)
(Câmara Brasileira do Livro, SP, Brasil)

Morley, Helena
  Minha vida de menina / Helena Morley. — 1ª ed. — São Paulo : Companhia de Bolso, 2016.

  ISBN 978-85-359-2745-0

  1. Adolescentes — Diários 2. Morley, Helena I. Título.

16-03337 CDD-920

Índice para catálogo sistemático:
1. Adolescentes : Diários : Biografia 920

Todos os direitos desta edição reservados à
EDITORA SCHWARCZ S.A.
Rua Bandeira Paulista, 702, cj. 32
04532-002 — São Paulo — SP
Telefone: (11) 3707-3500
www.companhiadasletras.com.br
www.blogdacompanhia.com.br

SUMÁRIO

INTRODUÇÃO
"Livro que nasceu clássico" — *Alexandre Eulálio* 7

NOTA À 1ª EDIÇÃO *13*

MINHA VIDA DE MENINA — *Diário de Helena Morley*
1893 *17*
1894 *115*
1895 *211*

Sobre a autora *325*

LIVRO QUE NASCEU CLÁSSICO

Alexandre Eulálio

Minha vida de menina ocupa uma posição especial entre os livros escritos no Brasil. Diário de uma adolescente, composto sem intenção de arte, em fenômeno por todos os títulos curioso, amanheceu clássico, vindo a conquistar imediatamente, sem alarde, um lugar de destaque em nossas estantes.

A meio caminho do documento e da ficção, caderno de anotações escrito à margem da literatura, num calmo dia a dia que a adolescência e a província iluminam de modo peculiar, essa história natural de uma menina do interior impôs-se pelas suas claras qualidades. A sensação de frescor que nos comunica cada página do livro, a franqueza imperturbável dos catorze anos da autora, cujo inconformismo sem rótulo resulta do mais autêntico humorismo — displicente, impiedoso, sem cerimônia —, colocam estas memórias nos antípodas do tom acadêmico e do beletrismo e vêm-nas antes aparentar com a literatura picaresca.

Mas não nos apressemos. Se, na verdade, província e meninice são aqui apresentadas sem idealização, e é sublinhado, com muita nitidez, o seu lado anti-heroico, é bom lembrar que os olhos de Helena Morley (que são os olhos da mocidade) resgatam com insuperável afeto a mediocridade cheia de sol da aldeia — natural consequência de estarem nesse mesmo momento descobrindo a vida em torno de si. O esforço contínuo de compreender com a ternura o mundo à sua volta faz realizar-se, não sem algum paradoxo, uma espécie de reconquista lírica do cotidiano, que transforma o livro numa meia bucólica entre risonha e comovida. No dizer de Bernanos, um dos seus melhores ledores, ele nos faz ver e amar tudo aquilo que a sua autora viu e amou, precisamente por ser soprado pelo puro gênio da adolescência, o mais próximo da "misteriosa e encantada fonte da vida e da arte". A apreensão do mundo fechado da juventude efetua-se aí com uma veemência a que não se pode furtar o leitor, tendo como sinal da sua autenticidade a profunda simpatia que logo se estabelece entre este e a autora.

Livro para ser lido sem pressa, produto de horas de lazer, feito para se pegar e deixar sem mais aquela, no mesmo à vontade em que foi composto, é impressionante a fluência da narradora. Com a calma de sempre ela nos tenta explicar o seu dom, que para si nada mais é do que a transcrição literal da prosa falada que ouve: "Vovó é muito inteligente mas mal aprendeu a ler e a escrever e por isso fica pensando que é uma coisa do outro mundo contar as coisas com a pena. Engraçado é que ela não se admira de eu contar com a boca. É que ela pensa que escrever é mais custoso". É mesmo raro o sabor desta prosa coloquial, cheia de chiste e tão próxima, em pitoresco, desatavio e naturalidade, da sua fonte popular. A enorme significação desse texto a que o domínio íntimo e sem recalque da língua dá uma substância — uma forma — especial ainda há de fornecer matéria para um dos mais interessantes estudos de afetividade estilística do português do Brasil.*

Embora alcance o largo sentido universal que lhe conquista cada vez maior público e já fez lembrar, a seu respeito, Chaucer e Tchecov, Anne Frank e Madame Ségur, algum poema de Wordsworth, trechos do *Tom Sawyer* e do *Cuore* de Amicis — *Minha vida de menina* tem por cenário um meio definido e culturalmente muito determinado. A cidadezinha do Brasil em que viveu a Helena do livro, com a mesma vida pacata de qualquer pequena cidade do mundo, possuía, no entanto, características deveras marcadas. Em terra de mineração, entre urbana e rural,

* Imaginemos, entretanto, que o livro se tratasse de uma impostura literária, e tivesse sido escrito, digamos, pela autora adulta — hipótese que qualquer leitor tem o direito de fazer, pago o preço de capa. Neste caso — dizia em conversa um grande escritor brasileiro, Guimarães Rosa — estaríamos diante de um "caso" ainda mais extraordinário, pois, que soubesse, não existia em nenhuma outra literatura mais pujante exemplo de tão literal *reconstrução* da infância.

a Diamantina do fim do século começava a atravessar um período de decadência econômica bastante grave. Se isso não lhe impossibilitava participar da euforia da *belle époque*, da mesma forma que havia contribuído, com algumas figuras de segunda grandeza, para a poesia, a prosa e a política do Romantismo, longe estava de fazê-la reviver o fausto absurdo daquele Arraial do Tijuco que tanto enriquecera a Metrópole no século XVIII.

A mais de mil metros de altura, nas serras da Capitania das Minas, léguas para o interior, Helena Morley aprendia no colégio que o Distrito Diamantino constituíra um caso sem precedentes dentro da América Portuguesa. O diamante, encontrado em quantidades fabulosas por todo o Serro do Frio, a despeito da severa fiscalização da Coroa, pudera facultar, naquele surto incrível de riquezas, as fantasias setecentistas dos Contratadores das pedras preciosas. Dois deles celebrizaram-se em extravagâncias que vieram a preocupar o próprio Pombal: Felisberto Caldeira, acusado de sonhos de inconfidência em meio ao seu pequeno arremedo de corte afrancesada; João Fernandes, sob o fascínio da amante fusca que não conhecia o mar e os navios, fazendo construir, bem ali na Palha, um lago para a Chica da Silva navegar no seu brigue dourado... Para a "inglesinha", a ouvir tudo aquilo com olhos muito abertos, esse lado maravilhoso da tradição devia interessar bem mais do que as modestas histórias do mestre de capela mulato do Carmo, aquele Emérico Lobo de Mesquita de que já então se perdera a memória do nome e a lembrança de missas e te-déuns, mas representava a melhor afirmativa de que não fora de todo efêmera a doida riqueza do Tijuco no 1700.

Herdeira de tudo isso, a Diamantina de 1890 sonhava com o caminho de ferro que ainda não lhe subira a serra, e se pensava viria revolucionar-lhe o futuro. Ainda viva, a recordação romanesca do Arraial velho parecia então pertencer a uma remota idade de ouro, muito e muito distante. A descoberta do diamante na África do Sul e cem anos de uma exploração primária, contínua e caótica haviam esgotado as jazidas nativas e afetado seriamente os recursos da cidade, quase toda ela dirigida para as lavras.

Nesse grupo, que atravessava um momento difícil de transição política, econômica e social, transcorrem os verdes anos da autora, agudamente sensível ao quadro humano circunstante. A sua próxima ascendência inglesa torná-la-ia mais vibrátil ainda ao meio que apreciava e (se assim se pode dizer) conhecia em profundidade pelo costado materno, de cepa portuguesa e antigo na região. Voltada para o encanto da vida livre do pequeno núcleo aberto para o campo, a jovem Helena, familiar a todas as classes sociais daquele âmbito, estava colocada num invejável ponto de observação. Assim o seu depoimento transcende o plano apenas biográfico ou geográfico para valorizar-se de um ponto de vista tanto psicológico quanto social.

Sem querer forçar um conflito que, a bem dizer, apenas se esboça, podemos atribuir parte desta grande versatilidade psicológica da protagonista aos ecos de uma formação britânica, protestante, liberal, ressoando num ambiente de corte ibérico e católico, mal saído do regime de trabalho escravo. Colorindo a apaixonada esfera de independência da juventude, reveste-se de acentuado sabor sociológico este caso da menina ruiva que, embora inteiramente identificada com o meio de gente morena que é o seu, o único que conhece e ama, não vacila em o criticar com precisão e finura notáveis, se essa lucidez não traduzisse a coexistência íntima de dois mundos culturais divergentes, que se contemplam e se julgam no interior de um *eu* tornado harmonioso pelo equilíbrio mesmo das suas contradições.

Penetrante nos juízos, exata e espirituosa nas análises, o isolamento dessa rapariga que ainda não descobriu a solidão satisfaz-se, na ausência de melhor interlocutora, em conversa consigo mesma. O círculo em que vive é limitado; dentro dessa fronteira dispõe a sua rara liberdade. Os pais, os irmãos, a avó (talvez a única a perceber e a amar a riqueza interior da neta insofrida), as tias da Chácara, os primos do centro da cidade, as colegas da Escola Normal, o Palácio de Senhor Bispo, a Igreja do Rosário, a Palha e a Boa Vista, além da curiosíssima fauna humana da cidade — ex-escravos, vizinhos pobres, tipos de rua, soldados, mendigos, lavadeiras e lenheiras, garimpeiros e tropeiros — povoam os dias simples de menina sem posses, moradora da periferia da cidadezinha. E se nela é muito consciente um nítido sentimento de casta, isto não lhe impede a franca e leal camaradagem que a mesma vida sem facilidades impõe a todos.

Assim, sob o signo da província, e da infância que já adolesce, *Minha vida de menina* vale também, de um ponto de vista particular, como a evocação do pequeno mundo antigo, no momento em que a velha sociedade patriarcal ainda não se desintegrou e parece manter intactas todas as suas coordenadas. Essa saudosa dimensão do tempo perdido, de uma ordem de valores coerente, não obstante equívoca, que se expressava de maneira acorde, novamente reconstrói, fora da corrente do irrecuperável, o avoengo sentimento de solidez

*Tudo lá parecia impregnado de eternidade**

que não existindo no "mundo quebrado" da madureza, acentua ainda mais a ideia de perecimento de todas as coisas. E, sem pieguice, atinge-se de manso o clima encantatório do *temps jadis*, quando se volta a invocar sítios, trastes, amigos e brinquedos da puerícia.

Colocados diante do vasto país da própria meninice por este relato sem afetação, não há como deixarmos de *simpatizar* com a autora. A mocinha que, junto à vela acesa no castiçal de cobre, enchia a pouco e pouco as folhas quadriculadas do caderno comprado no Mota, ao mesmo tempo que preservava o seu universo individual, resumia um pouco de todas as infâncias. Seu diário é o modesto e admirável resultado desse trabalho realizado com desfastio. E assim deve ser encarado: uma espécie de amplo painel primitivo que minuciosamente reproduzia o límpido território humano da menina Helena Morley.

Diamantina, novembro de 1959.

---

* Manuel Bandeira, "Evocação do Recife".

NOTA À 1ª EDIÇÃO

Em pequena meu pai me fez tomar o hábito de escrever o que sucedia comigo. Na Escola Normal o Professor de Português exigia das alunas uma composição quase diária, que chamávamos "redação" e que podia ser, à nossa escolha, uma descrição, ou carta ou narração do que se dava com cada uma. Eu achava mais fácil escrever o que se passava em torno de mim e entre a nossa família, muito numerosa. Esses escritos, que enchem muitos cadernos e folhas avulsas, andaram anos e anos guardados, esquecidos. Ultimamente pus-me a revê-los e ordená-los para os meus, principalmente para minhas netas. Nasceu daí a ideia, com que me conformei, de um livro que mostrasse às meninas de hoje a diferença entre a vida atual e a existência simples que levávamos naquela época.

Não sei se poderá interessar ao leitor de hoje a vida corrente de uma cidade do interior, no fim do século passado, através das impressões de uma menina, de uma cidade sem luz elétrica, água canalizada, telefone, nem mesmo padaria, quando se vivia contente com pouco, sem as preocupações de hoje. E como a vida era boa naquele tempo! Quanto desabafo, quantas queixas, quantos casos sobre os tios, as primas, os professores, as colegas e as amigas, coisas de que não poderia mais me lembrar, depois de tantos anos, encontrei agora nos meus cadernos antigos!

Relendo esses escritos, esquecidos por tanto tempo, vieram-me lágrimas de saudades de meus bons pais, minha boa avó e minha admirável tia Madge, a mulher mais extraordinária que já conheci até hoje e que mais influência exerceu sobre mim, pelos seus conselhos e pelo seu exemplo.

Nesses escritos nenhuma alteração foi feita, além de pequenas correções e substituições de alguns nomes, poucos, por motivos fáceis de compreender.

Agora uma palavra às minhas netas. — Vocês que já nasceram na abastança e ficaram tão comovidas quando leram alguns episódios de minha infância, não precisam ter pena das meninas pobres, pelo fato de serem pobres. Nós éramos tão felizes! A felicidade não consiste em bens materiais mas na harmonia do lar, na afeição entre a família, na vida simples, sem ambições — coisas que a fortuna não traz, e muitas vezes leva.

Rio, setembro de 1942
HELENA MORLEY

MINHA VIDA DE MENINA
DIÁRIO DE
HELENA MORLEY

1893

Quinta-feira, 5 de janeiro

Hoje foi nosso bom dia da semana.

Nas quintas-feiras mamãe nos acorda de madrugada, para arrumarmos a casa e irmos cedo para o Beco do Moinho. A gente desce pelo beco, que é muito estreito, e sai logo na ponte. É o melhor recanto de Diamantina e está sempre deserto. Nunca encontramos lá uma pessoa, e por isso mamãe escolheu o lugar.

Mamãe chama Emídio, da Chácara, e põe na cabeça dele a bacia de roupa e um pão de sabão. Renato leva no carrinho as panelas e as coisas de comer, e vamos cedo. Mamãe e nós duas, eu e Luisinha, entramos debaixo da ponte para lavar a roupa. Emídio, o crioulo, vai procurar lenha. Renato vai pescar lambaris; nunca vi tanto como ali. Ele só tem tempo de pôr a isca, jogar o anzol e puxa logo um lambari ou bagre. Nhonhô põe o visgo e fica de longe à espera de passarinhos. Cai um, ele corre, limpa o pé do pobrezinho com azeite e mete na gaiola. Unta a vara de novo e daí a pouco já vem outro, um pintassilgo ou um curió.

Nós ficamos lavando a roupa e botando pra corar, enquanto mamãe faz o almoço de tutu de feijão com torresmos e arroz.

Depois de lavarmos a roupa e passar algum tempo do almoço, mamãe fica vigiando o caminho pra ver se vem alguém, e nós entramos no rio para tomar banho e lavar os cabelos.

Depois disso batemos as roupas na pedra, enxaguamos e pomos nos galhos para secar. Agora é só procurar frutas no campo, ninhos de passarinho, casulos de borboletas e pedrinhas redondas para o jogo.

Na volta, Renato enche o carrinho de lenha, por cima das panelas, e Emídio também ainda traz um feixe de lenha em cima da bacia; a roupa fica dobradinha embaixo.

Que economia seria para mamãe, agora que a lavra não tem dado nem um diamantinho olho de mosquito, se pudéssemos ir à ponte todos os dias, pois Renato e Nhonhô vendem tudo que trazem, no mesmo dia. Ainda se pudéssemos ficar na lavra com meu pai, ela não precisava trabalhar tanto. Mas os nossos estudos atrapalham tanto a vida de mamãe, que eu morro de pena dela. O que vale é que Renato acaba os exames dele depois de amanhã e nós vamos para a Boa Vista, passar as férias.

Terça-feira, 10 de janeiro

Hoje Benvinda veio, com a irmã, participar a mamãe e meu pai o casamento dela com um rapaz do Serro, que foi soldado e deu baixa porque teve de cortar a perna. Nós achamos graça no jeito dela contar a história do noivo sem perna. Ela disse: "Dona Carolina, eu venho participar à senhora e Seu Alexandre que vou me casar". Mamãe disse: "Estimo muito. É bom rapaz? Você o conhece bem?". Ela respondeu: "Bom ele é, mas muito, muito conhecimento eu não tenho, porque ele veio do Serro, não é daqui". Mamãe perguntou: "Qual é o ofício dele?". Ela disse: "Eu mesma não sei. Só sei que ele era soldado e deu baixa". Mamãe: "Baixa por quê?". Benvinda: "Porque tomou um defeito". Mamãe perguntou onde era o defeito. Ela respondeu: "No pé, isto é, não é mesmo no pé, é na perna". A irmã disse: "Fala de uma vez, Benvinda! O moço não tem perna". Mamãe: "Coitado! Então ele não anda?". Ela disse: "Anda, sim senhora. Anda de muleta". Mamãe disse: "Mas você não sabe ainda o que ele vai fazer, sem perna, para vocês viverem?". Ela respondeu: "Não pensei ainda não, mas viver a gente veve de qualquer jeito. Deus é que ajuda".

Quarta-feira, 18 de janeiro

Estamos na Boa Vista e fomos hoje à casa de uns amigos que eram tão bons para nós, todas as vezes que aqui vínhamos. Obsequiavam sempre a mamãe com frutas, ovos, frangos e verduras.

Esta amizade ficou forte com a parecença de Luisinha, minha irmã, com a sobrinha deles que estava fora. A mulher, Dona Mariquinha, dizia sempre que nos via: "Que saudades da Quitinha! Vendo a sua menina, parece que estou vendo a outra, Dona Carolina. É cara duma, cara doutra, sem tirar nem pôr. Ainda hei de juntar as duas para a senhora ver". Mamãe dizia: "É pena mesmo a sua não estar aqui". Ela dizia: "O dia chegará, Dona Carolina".

E íamos ganhando os presentes e comendo de todas as frutas que havia no quintal, ela sempre dizendo: "Deixe as meninas à vontade, Dona Carolina. Parece que estou vendo a Quitinha fazendo arte. A senhora não avalia quanto eu quero àquela menina. Eu e Juca não tivemos filhos e ela é mesmo que filha para nós. Está sempre aqui, mas foi passar o Natal com os pais no Mendanha e ainda não voltou. Mas duma hora pra outra ela está de volta e eu mando Juca chamar sua menina para a gente comparar".

Nós íamos aproveitando a parecença e comendo as frutas. Chegou o dia. Seu Juca passou, a cavalo, e mesmo sem apear disse a mamãe: "Mariquinha manda dizer que a Quitinha chegou e que ela espera a senhora lá hoje, com as suas meninas". Mamãe respondeu que esperava só meu pai para lhe dar almoço e depois irmos.

Nós ficamos logo alvoroçadas. O único lugar de toda a redondeza que tem frutas é a chácara de Seu Juca. Frutas e verduras. Nem sei como eles plantam assim. Aqui na Boa Vista só querem minerar. É só diamante e ouro; não cuidam de outra coisa. Para plantar, eles todos dizem que a terra não presta. Mas agora nem sombra de fruta a gente verá mais, nestas férias, por culpa de Cesarina. A demônia da negrinha entortou o caldo todo.

Meu pai veio almoçar e disse a mamãe que ia passar no serviço, para ver o que estavam fazendo, e depois íamos juntos. Engolimos a comida depressa. Passamos no serviço, estavam desbarrancando. Meu pai deu umas ordens e seguimos felizes, pelo campo afora, sem imaginar nem de longe o que ia acontecer.

Chegamos à casa de Seu Juca: "Entrem todos. Que prazer!", disse Dona Mariquinha. "Hoje é que vamos comparar as duas. Sentem aqui que eu vou buscá-la." Tomamos assento na sala e Cesarina no chão, perto de nós. Vem de lá de dentro Dona Mariquinha com uma menina sardenta pela mão, e Cesarina diz baixinho para Luisinha: "Olha só, Zinha, a menina que parece com você", e foi estourando de riso e nós com ela, num acesso tão forte que mamãe, com medo também de estourar, deixou meu pai sozinho ficar dando explicações. Meu pai dizia: "Coitadinhas, que idiotas! É assim o dia inteiro, Dona Mariquinha. Eu tenho até pena. Sem motivo nenhum caem nesse frouxo de riso". Mamãe, meio engasgada, disse: "É mesmo, Dona Mariquinha. Às vezes fico pensando que tivemos algum doido ou bobo na família, a quem elas saíram. Esta negrinha é a mesma coisa. E a senhora pensa que isto acaba? Quando começam pode-se esperar, que é um tempão". Meu pai: "Imbecis! Idiotas! Acabem com isso!". E nós sem darmos acordo de nós.

Dona Mariquinha disse à sobrinha: "Vá lá pra dentro, minha filha". A menina entrou e nós saímos correndo para a porta, sem parar de rir. Dona Mariquinha ficou com uma cara tão fechada, que meu pai e mamãe tiveram de sair e vieram nos ralhar cá fora. Isto é, meu pai; porque mamãe é como nós. É dela que puxamos esse riso solto.

Sábado, 21 de janeiro

Quando eu tenho inveja da sorte dos outros, mamãe e vovó dizem: "Deus sabe a quem dá sorte". Na Boa Vista agora é que eu acabei de crer. Já disse a vovó que ela quase nunca erra, quando fala as coisas.

Nós todos, os meninos e meninas da Boa Vista, depois que acabamos de jantar e que meu pai e tio Joãozinho despacham os trabalhadores, a coisa que mais gostamos é ficar descalços, com o pé no molhado, subindo e descendo o desbarranque da lavra, procurando diamantinhos e folhetas de ouro, pois tudo meu tio compra. Diamante é raro achar, mas folhetas de ouro a gente encontra sempre.

Estávamos, todos os meninos, andando de um lado para outro, cada um com os olhos arregalados nos corridos. Estava conosco Arinda. De repente ela abaixou com um grito e apanhou um diamante bem grande. Corremos todos para o rancho, atrás de meu pai e meu tio. Ele olhou e disse a meu pai: "Veja, Alexandre, que beleza!" e deu para Arinda cinco notas de cem mil-réis, novinhas. Ela saiu correndo para o rancho do pai dela e nós atrás. O pai, a mãe e todos ficaram doidos de alegria. O pai dela dobrava as notas, metia no bolso, tornava a tirar, olhava, tornava a guardar.

Fiquei até com pena do pobre e achei que foi melhor Arinda ter achado o diamante. O rancho dela não tem senão um couro para todos dormirem, coitados.

O pai dela disse que vai aumentar o dinheiro, que vai fazer um serviço num lugar que ele sabe que vai dar diamante. Fiquei triste quando cheguei em casa e contei, e que meu pai disse a meu tio: "Que idiota! Eu sei onde ele vai enterrar o dinheiro; é naquela gupiara do Bom Sucesso que nós já lavramos".

Arinda não ganhou nem cem réis e não se importou.

Segunda-feira, 23 de janeiro

Ontem eu tomei um susto muito grande. Está correndo na Boa Vista que anda por aí um ladrão muito malvado, que passou em Diamantina e os soldados não puderam pegar. Ele mata para roubar e quando os soldados chegam, se é em casa, ele vira vassoura, cadeira ou outra coisa; se é no mato ele vira cupim. Todos vivem apavorados. Ontem de noite meu pai estava no rancho de tio Joãozinho, do outro lado do córrego, e nós já dormindo, quando um cachorro latiu. Mamãe correu para a porta do nosso rancho e começou a gritar: "Joãozinho! Capitão Gasparino! Seu João Roberto!". Nós acordamos e corremos para a porta, para ver o que era. Ela gritou para Renato: "Corre ali ao rancho de Joãozinho e chama o delegado e os soldados que estão lá!". Disse isso gritando. Nós abrimos a boca, pensando que ela tivesse ficado doida. Aí ela disse baixo: "Calem a boca que eu explico". E nos disse que o homem que vira cupim estava ali perto, porque o cachorro latiu e ela teve medo que ele fosse atrás de meu pai procurar diamantes. Ela gritava alto aqueles nomes para o ladrão pensar que eles estavam no rancho de tio Joãozinho e fugir.

Meu pai chegou daí a pouco e achou graça na ideia de mamãe.

Domingo, 29 de janeiro

Hoje todos nós ficamos pasmos com uma coisa que aconteceu e eu achei que foi uma adivinhação. Como é que se pode esperar ter um bilhete de rifa e tirar na certa, como Renato e Nhonhô? Quando vínhamos para as férias, Totônio apareceu na Chácara com uma rifa de um cavalo pampa e meus irmãos ficaram com tanta vontade de ganhar um bilhete, que Dindinha comprou um e lhes deu. Eles, desde essa hora, ficaram donos do cavalo e só pensavam nisso. Começaram a fazer trato de buscar capim, passear no cavalo e acabavam sempre brigando. Eu, como nunca esperei o cavalo, via as brigas e achava até graça na bobice dos dois. Mamãe é que suspirava e dizia: "Se já brigam sem o cavalo, o que fariam se o tivessem mesmo?". Eu dizia: "Isto, Deus é grande, e não deixará acontecer. Ninguém precisa aqui de cavalo para dar trabalho e briga". Eles continuavam na mesma conversa. No almoço, no jantar, era só discussão por causa do cavalo. Hoje mamãe nos chamou para irmos ao Bom Sucesso. No caminho, avistamos Emídio que vinha na estrada, montado no cavalo, e os dois gritaram ao mesmo tempo: "O cavalo!". E saíram na disparada. Não é mesmo uma adivinhação?

Quarta-feira, 15 de fevereiro

Graças a Deus o carnaval passou. Não posso dizer que passou bem porque apanhei de vovó, coisa que ela nunca fez.

É sina minha todo o mundo que gosta de mim me infernar a vida. Todas as minhas primas são governadas só pelos pais. Ah, se eu também fosse assim! Meus pais é que menos me amolam. Não tivesse eu o governo de vovó e tia Madge, teria ido ao baile de máscaras do Teatro. Desde os sete anos eu sonhava fazer doze para ir ao baile. Agora estou com treze e apanhando para não ir!

Quem me fez vontade de ir ao baile foi tia Quequeta, contando o que elas faziam no tempo delas. Uma amiga dela pôs máscara, disfarçou a voz e buliu com o pai a noite inteira, a ponto de ele ficar apaixonado e no dia seguinte, em vez de ir para o almoço, ficou passeando no jardim, de cabeça baixa, pensando na mascarada. Outra amiga deixou o marido ir para o baile e foi atrás, de máscara, brincou com ele, deixando-o apaixonado, a ponto de ele ficar suspirando a noite inteira.

Minhas tias ainda têm as saias-balão que se usavam. Que vontade de ter sido desse tempo! Hoje não há nada disso, mas eu queria ir assim mesmo.

Glorinha ficou só me inchando a cabeça desde cedo. Pedi licença a mamãe e ela disse: "Se sua avó deixar, eu deixo". Pedi a vovó: "Vovó, mamãe deixou. A senhora me deixa ir ao baile com a Glorinha?". Ela disse: "Não deixo não!". Saí batendo o pé com força e caí na cama dela, chorando. Ela vem, tira a chinela do pé e me dá duas chineladas, dizendo: "Então chore com razão!". Bati com as pernas mas não me levantei.

Mas valeu, porque hoje ganhei um vestido e uma pratinha de dois mil-réis.

Sábado, 18 de fevereiro

Faz hoje três dias que eu entrei para a Escola Normal. Comprei meus livros e vou começar vida nova. O professor de Português aconselhou todas as meninas a irem se acostumando a escrever, todo dia, uma carta ou qualquer coisa que lhes acontecer.

Passei na casa de minhas tias inglesas e encontrei lá Mariana. Ela foi a aluna mais afamada da Escola e sempre ouvi minhas tias falarem dela com admiração. Ela esteve me animando e disse que o segredo de ser boa aluna é prestar atenção, tomando notas de tudo.

Tia Madge disse que Mestra Joaquininha lhe falou que eu fui a aluna mais inteligente da escola dela, mas era vadia e falhava dias seguidos. Isto é verdade, porque o ano passado fomos, muitas vezes, passar dias com meu pai na Boa Vista. Não sei se sou inteligente. Vovó, meu pai e tia Madge acham; mas só sei que não gosto de estudar, nem de ficar parada prestando atenção. Em todo caso eu gosto que digam que sou inteligente. É melhor do que dizerem que sou burra, como vai acontecer na certa, quando virem que não vou ser, na Escola Normal, o que eles esperam. Hoje já vi o jeito. Achei tudo difícil e complicado. O que me vale é que eu tenho facilidade de decorar. Quando eu não puder compreender, decoro tudo. Mas no Português como é que eu vou decorar? Análise, eu nem sei onde se pode estudar. Só daqui a dias poderei saber como as coisas vão sair. Escrever não me vai ser difícil, pelo costume em que meu pai me pôs de escrever quase todo dia. Duas coisas eu gosto de fazer, escrever e ler histórias, quando encontro. Meu pai já consumiu tudo quanto é livro de histórias e romance. Diz ele que agora só nas férias.

Ainda não comecei a estudar e já estou pensando nas férias. Que bom vai ser quando eu estiver na Boa Vista, livre da Escola, sem ter que estudar. Mas um ano custa tanto a passar!

Vou deitar-me e pedir a Nossa Senhora que me ajude a estudar e abra mesmo minha inteligência, para não desapontar meu pai, vovó e tia Madge.

Domingo, 19 de fevereiro

Eu acho que a pior invenção da vida é mingau de fubá. Não compreendo para que ele serve. Se a gente está com fome, toma mingau e a fome aperta mais. Se não está com fome, bebe mingau e a fome abre. Há tanta coisa boa para se fazer com fubá: cuscuz, broas, sonhos, bolos, e ninguém quer sair do mingau de fubá.

Siá Ritinha, a ladrona de galinhas da Cavalhada, levou ontem a noite inteira aqui em casa, contando casos de pessoas que adoeceram de comer pepino, e acabou dizendo: "Dona Carolina, tome nota do que eu vou lhe dizer: pepino é tão venenoso, que só a gente passar a barra da saia no pepineiro faz mal".

Veio essa conversa toda por mamãe lhe contar que eu não tomo mingau de fubá e que como dois pepinos com sal, de manhã. Mamãe me dizia: "Está ouvindo o que ela está dizendo? Está escutando?". Eu tinha vontade de perguntar a Siá Ritinha: "E furtar galinha dos vizinhos também não fará mal?".

Terça-feira, 21 de fevereiro

Ontem jantei com minhas tias inglesas.

Vou lá sempre depois da Escola, tomo café e demoro um pouco, às vezes meia hora no máximo. Não me demoro mais porque lá não se tem com quem brincar, e eu não sou capaz de ficar muito tempo sentada na sala, só ouvindo conversa de gente grande.

Passei lá depois da Escola, e estava um amigo de minhas tias, que gosta também de mim, Seu Benfica. Ele me perguntou se eu gostava de fantoches. Eu respondi que muito. Ele disse então que eu fosse avisar a mamãe e voltasse para jantar com minhas tias, que ele e Dona Teresinha passariam lá, para nos pegar e levar aos fantoches.

Que noite boa! Nunca vi coisa mais engraçada que a dança daqueles bonecos. Parecem gente. Então os dois, Briguela e

Maricota, são impagáveis. A gente fica até duvidando que sejam bonecos. Seu Benfica nos levou, no meio do espetáculo, um pacotão de luminárias e canudos, que fomos comendo enquanto assistíamos aos fantoches.

Oh, noitezinha boa! Era bem bom se eu pudesse ir todos os dias. Seu Benfica me perguntou se eu gostei e eu respondi: "Demais!". Ele então prometeu que vai me levar mais algumas noites.

Gostei de ele dizer "algumas". Podia ter dito "mais uma". Mas minhas tias me disseram que não contasse muito com isso, porque a mulher dele não é tão franca como ele. Às vezes ele promete e ela não deixa cumprir.

Também que me importa? Eu já fui duas vezes.

Quinta-feira, 23 de fevereiro

Leontino veio nos convidar para irmos assistir à inauguração do telégrafo, que eles fizeram em casa, e que tia Aurélia esperava mamãe e a família toda com muito carajé, chocolate e sequilhos. Fomos todos e Dindinha também. Ficamos, a metade das pessoas, na sala de visitas e a outra metade na sala de jantar, no fim do corredor, que é muito comprido. Os da sala passavam telegrama para os de lá de dentro e a resposta era escrita com uns risquinhos, que a pena ia fazendo numa tira de papel, que Sérgio lia, e estava certinho. Dindinha, mamãe e as tias ficavam de boca aberta, de ver como eles passavam direito, como se fosse no telégrafo. Comemos muito carajé. Tivemos uma boa mesa de chocolate, café e sequilhos, e as tias saíram falando da inteligência dos meninos de lá. Tia Aurélia faz tanta coisa boa, porque sabe que todos vão admirar os filhos dela e ficar com inveja. Mamãe é uma que daria a vida para nós sermos como os filhos de tia Aurélia, que só vivem estudando. Mas ela mesma já se convenceu de que tudo que os filhos de tia Aurélia fazem, mais do que nós, é porque o pai deles é comerciante e pode olhar os filhos. Nós, com meu pai vivendo fora, na lavra, e mamãe querendo ir sempre atrás dele, teremos mesmo de ser como somos.

Sábado, 25 de fevereiro

Hoje tive o maior espanto de minha vida. Vovó, todos os sábados, manda um de meus irmãos ao Palácio, que é perto da Chácara, trocar uma nota em borrusquês* do Bispo. Põe tudo numa caixa de papelão e fica sentada na sala de jantar, à espera das pobres dela. A cada uma dá um borrusquê novo de duzentos réis. São elas Chichi Bombom, Frutuosa Pau de Sebo, Teresa Doida, Aninha Tico-Tico, Carlota Pistola, Carlota Bostadanta, Teresa Busca-Pé, Eufrásia Boaventura, Maria Pipoca e Siá Fortunata. Estas são as que entram, sentam com vovó na sala de jantar e contam suas misérias. Ainda há os pobres que ficam no corredor e na porta da rua. Vovó diz que quem dá aos pobres empresta a Deus. Ela já deve ter no céu um dinheirão guardado, pois empresta tanto!

Eu sempre fico por perto ouvindo as queixas, disfarçando com um exercício em cima da mesa, porque acho graça na briga delas, quando querem ganhar dois borrusquês em vez de um. Hoje, depois que vovó deu às outras o seu borrusquê, tirou dois e deu a Siá Fortunata, mãe de Bertolino. "Dê às outras, Dona Teodora; eu hoje vim só visitar a senhora. Não preciso mais, graças a Deus. Daqui a pouco eu também poderei dar esmolas." Vovó lhe perguntou: "Tirou a sorte, Fortunata?". Ela respondeu: "É o mesmo que ter tirado, Dona Teodora. Meu filho, graças a Deus, achou um protetor". Vovó não disse nada e deu os borrusquês dela às outras.

---

* Vales que os comerciantes, industriais e instituições de beneficência emitiam para suprir, diziam, a falta de trocos, e circulavam como dinheiro. Os borrusquês do Bispo eram emitidos pela Caixa Pia da Diocese e assinados por ele. O nome desses vales vem do negociante francês Barrusque, que foi o seu introdutor em Diamantina.

Quando elas saíram, vovó exclamou: "Forte coisa!" e chamou Dindinha: "Ó Chiquinha, chega aqui! Eu estou tão pasma que nem posso me levantar". Eu, vendo que havia novidade, fiquei de ouvido alerta, escutando disfarçada, por que vovó não gosta de falar as coisas na nossa vista. Ela disse: "É verdade mesmo, Chiquinha, o que andam falando por aí?". E contou a Dindinha a resposta de Siá Fortunata, acrescentando: "Que louca de falar assim! Também aqui não há polícia para estas coisas". Nesse momento eu pedi: "Vovó, me conte por que é que a senhora está tão espantada. Eu estou tão curiosa!". Ela disse: "Não é assunto para meninas. Vá estudar". Eu, ardendo de curiosidade, pedi de novo, pelo amor de Deus, que me contasse. Ela então contou: "Você não ouviu falar nessa história de três moços que andaram por aí, com notas falsas, e quando veio a ordem de prisão, dois fugiram alta noite e um deles, chamado Floriano, matou-se? Estão dizendo que os que fugiram foram levados para uma fazenda na Mata do Rio pelo Bertolino, que recebeu muita nota falsa. Dizem que ele andou passando as notas pelo caminho e ainda trouxe para passar aqui no barracão* aos tropeiros, coitados. Eu não estava acreditando, porque aqui se fala muito da vida alheia. Mas agora a mãe dele mesmo está dizendo, e assim a gente tem de acreditar. E virando para a Dindinha disse: "Agora é preciso você tomar cuidado e não aceitar nota nova".

Domingo, 26 de fevereiro

Hoje andou pela cidade a passeata de Bambães. Ele põe no andor um sino todo enfeitado e sai pelas ruas repicando e pedindo esmolas para a igrejinha que ele está fazendo no Rio Grande. É muito engraçado. Os meninos vão atrás acompanhando, e eu acho que alegra muito as ruas.

Bambães é baixinho, gorducho, muito alegre e só trata a todo

---

* Mercado da cidade.

o mundo de "Meu Belo". Todos gostam dele. Mas ninguém lhe dá esmola, porque dizem que ele tira é para ele. Eu não creio.

Meu pai diz que só vendo esta igreja pronta, com cem réis de cada um, é que ele acredita. Eu penso mesmo que eu não era nascida, quando Bambães começou esta capela, e, desde que me entendo, ela está na mesma.

Vovó é das poucas pessoas que dão esmola maior, e acha que é preciso igreja no Rio Grande. Todos dizem que não se precisa de mais igreja na cidade, que já tem muitas.

Terça-feira, 28 de fevereiro

Hoje foi a primeira vez que eu vi o Santíssimo entrar na Chácara.

Em toda casa é uma tristeza entrar o Santíssimo. Na Chácara, foi mesmo que uma festa; eu até fiquei com pena de Andresa.

Todos recebem o Santíssimo sem arrumação, como já vi noutras casas; vovó fez como procissão. Mandou pôr pela rua afora montinhos de areia e folhas de café. Preparou o altar, acendeu as velas e ficou radiante de ver o Santíssimo entrar em casa.

Eu fiquei com pena de Andresa, que estava tão comovida de receber Nosso Senhor na cama. Ela queria esperar que melhorasse, para ir comungar na igreja, mas vovó não quis.

Renato e Nestor pegaram na opa; o cirial Seu Broa não quis dar; foi ele mesmo que levou.

O padre sempre traz comunhão para vovó na Chácara sem ela estar doente, mas sai da Igreja do Rosário. Desta vez foi o Santíssimo que veio e saiu da Sé.

Quinta-feira, 2 de março

Nós fizemos, no fundo da horta, uma casinha de capim para servir de teatrinho de bonecos. Cada um fez um boneco e saíram tão malfeitos que nós rimos a perder, de vê-los representar. Nico é bem engraçado para imitar a voz dos bonecos; quando é boneca ele fala fino, quando é boneco ele fala grosso.

Pensávamos ganhar dinheiro com isto, mas já me convenci que em negócio de ganhar dinheiro não se consegue arranjar nada. As entradas são de cem réis. Mesmo assim só já conseguimos arranjar mil e seiscentos.

Nico disse que se ele saísse para a rua anunciando, poderiam aparecer os meninos da cidade, mas que ele sabe que vovó e as tias não consentiriam em amontoar gente no quintal, passando por dentro de casa. Vamos então representando só para os de casa.

Sábado, 4 de março

Chego na Chácara, procuro vovó e vou encontrá-la sentada no jardim, assistindo às negras fazerem velas de sebo.

— A bênção, vovó!

— Deus te abençoe, minha filha. Estava aqui olhando aquele galho de araçás tão maduros e pensando como você os deixou ali até ficarem assim.

— É porque anteontem eu só vim de noite e ontem eu não pude vir.

— É mesmo. Então ontem você jantou com sua tia Madge? Gosto disso. Você só pode lucrar na companhia dela. Que é que ela te ensinou ontem?

— Tanta coisa!

— Conte-me algumas.

— De dia ela me deu lições de Educação e de noite de Economia.

— Como foi? Conte.

— Ela sempre aproveita para falar na falta de educação dos outros e eu vejo que é só para me ensinar. Falou da gente que cospe no chão, coça a cabeça na sala e interrompe os outros quando falam. No jantar ela disse que a gente não deve empurrar o prato do lugar; a gente bebe a sopa e fica aguentando o prato na frente até a criada tirar. Também não se deve palitar os dentes na mesa.

— Quanta coisa você aprende na companhia dela! Agora é praticar.

— Mas como, vovó, se eu mesma é que tiro o meu prato do fogão, como, e depois lavo?

— Sim, quando você crescer.

— Até lá eu já esqueci tudo.

— E de Economia, perguntou vovó, que é que ela te ensinou?

— Isto é que é do outro mundo! Em economia nem Seu Herculano pega tia Madge. Ela falou muitas coisas de mudar o sapato para ir à horta, não dormir vestida e tudo. Mas a economia do fósforo é que foi boa. Ela vinha me trazer para a casa e me chamou, antes de sairmos, entrou na despensa, pegou a lamparina de querosene, pôs um pingo dentro e disse: "Se eu puser mais, a Marciana deixa a luz acesa enquanto tiver querosene. Eu pondo pouco, ela dorme e este chega bem". Depois abriu a caixa de fósforos, tirou três e pôs na caixinha e disse: "Se eu puser um pode negar, dois também podem falhar, mas três não é possível, por isso eu deixo três". Fechou a despensa e ainda viemos conversando até em casa.

Vovó disse: "Veja só que mulher extraordinária é sua tia. Por isso é que ela com os oitenta mil-réis da escola vive tão bem, sustenta a casa e as irmãs e ainda convida pessoas para jantar como você vê. É o segredo dela, minha filha; aprenda tudo e não perca nada".

Segunda-feira, 6 de março

Não sei por que o aniversário do Seu Antônio Eulálio não foi festejado ontem na Palha, como de costume. De fora só estiveram Seu Olímpio Mourão, a família de Seu Marcelo, Elvira e eu. Tivemos tanta coisa boa e comemos à grande.

Houve também no jantar uma novidade que Seu Guerra

preparou para caçoar comigo, como é costume dele. Veio na sobremesa um copo com um doce bonito dentro. Eu encho a colher e ponho na boca. Tomei um susto e todos caíram na gargalhada. É uma coisa que aconteceria a qualquer, pois nenhum de nós conhecia. Chama-se sorvete e é feito de gelo.

Depois disso veio ainda outra invenção de choque elétrico. Todos davam a mão e um segurava numa máquina. Laurindo e Seu Guerra seguraram minha mão de cada lado e não largaram, apesar de meus gritos, enquanto Inhá não levantou de seu lugar e fez parar a máquina.

Nunca vi casa para ter tanta novidade e tanta gente má como ali. Eles inventam tudo que podem para judiar comigo e com Elvira. Mas eu gosto tanto de tudo lá. É tão diferente das outras casas. Penso que é Seu Luís de Resende que põe aquela gente tão diferente de todos. Meu pai diz que é dinheiro muito. Mas Seu Marcelo e tio Geraldo também têm dinheiro e a casa deles é um enjoamento.

Todos na família ficam com raiva de eu deixá-los para estar sempre na casa de Jeninha. Mas eu gosto tanto de me divertir e só lá é que a gente se diverte. Depois eu penso que eles gostam muito de mim. Não fazem coisa alguma sem mandarem me buscar.

Quinta-feira, 9 de março

Meu pai achou graça de eu dizer que estava com inveja de Luisinha sair à rua, de lenço na cara.

Não desejo ter dor de dente porque vejo todo o mundo chorar tanto, que penso que há de doer muito. Naninha, quando tem dor de dente, põe a casa toda maluca. Tia Agostinha fica só rezando e fazendo promessa, com medo de Naninha enlouquecer. Ela grita, rola no assoalho, bate com a cabeça na parede, que a gente pensa que é doida do hospício. Outro dia os gritos foram tantos que a gente da rua entrou para acudir; ela xingou a todos e foi rolar na horta.

Ninguém sabe o que se há de fazer para aliviar dor de dente. Arrancar, ninguém pensa nisso, depois do que aconteceu à filha de Dona Augusta. Ela gritou muitos dias de dor de dente. O pai, já desanimado, chamou o dentista para arrancá-lo. Ele arrancou e a pobrezinha só teve pouco tempo de alívio, para depois morrer de uma morte horrorosa: ela endureceu toda, os dentes cerraram e a cabeça envergou para trás até ela morrer.

Luisinha teve esta semana uma dor de dente de gritar. Mamãe a fez bochechar com água com sal, pôs rapé no dente, pôs creosoto e nada serviu; foi Siá Ritinha que a curou de um modo esquisito. Deu-lhe um purgante de óleo e no dia seguinte a cara inchou e ela não chorou mais. Hoje ela queria sair à rua sem lenço na cara e mamãe ficou horrorizada só com a ideia, com medo da cara estuporar. Eu acho que é por isso que Belinha de Seu Cula vive a vida inteira de lenço amarrado na cara. Hoje eu tive vontade de sair com lenço na cara como vejo os outros fazerem, mas mamãe não deixou.

Sábado, 11 de março

Nós temos muitos tios e ainda chamamos de tios os primos velhos. Hoje meu pai disse a mamãe: "Precisamos visitar o Henrique e o Julião que há muito tempo não vemos". São dois velhos que moram muito longe da nossa casa. Gostei da ideia, pois há muito tempo que não saio em companhia de meu pai. Ele disse: "Vamos primeiro ao Julião, depois ao Henrique". Estes dois tiveram dinheiro, acabaram com tudo e hoje vivem pobremente. Tio Henrique é tio de mamãe e tem mais de oitenta anos. Tio Julião não é tão velho e é primo longe de mamãe. Fomos à casa dele em primeiro lugar. Ele é um homem muito engraçado e distrai as visitas. Ele contou umas histórias engraçadas da burrice de Seu João Lourenço e também uma de raio. Lembrou-se da história de raio porque estava ameaçando chuva, o que me fez muito medo. Disse que um homem chamado Carneiro estava um dia de chuva numa venda na Rua do

Amparo. Cada vez que relampeava o homem da venda dizia: "São Jerônimo! Santa Bárbara!". O tal Carneiro começou a caçoar com ele e o homem disse: "Não caçoe que Deus pode castigar". Ele respondeu: "Pois se Deus é capaz, que castigue". Não tinha acabado de falar quando caiu um raio em cima dele e matou-o.

De lá fomos à casa de tio Henrique. Este tio é o mais esquisito da família. Ele tem sempre na mesa da sala três coisas infalíveis: um ancorote pequeno de cachaça, outro de pepinos, cebolas, vagens, tudo curtido, e um prato de peles torradas, que são ótimas. Ele passa o dia inteiro sentado perto da mesa, bebendo e comendo estas coisas. Meu pai procurando aconselhá-lo a beber menos, porque fazia mal, ele disse: "Qual! Alexandre; eu bebo desde rapaz e estou com oitenta e dois anos; outros que só bebem capilé estão indo antes de mim". Meu pai disse que lá isso era verdade e lembrou que o cunhado dele, muito mais moço, já morreu o ano passado. Tio Henrique respondeu: "Não. Esse não é exemplo. Ele tinha setenta anos; foi pelo seu justo preço".

Quando voltamos para casa já estava muito escuro. Não são engraçados esses tios?

Segunda-feira, 13 de março

Este ano saiu à rua a procissão de Cinzas que há muitos anos não havia. Não sei como eles não faziam mais uma procissão tão importante, com tantos santos. São tantos que nem vovó, nem minhas tias conheciam todos. Dizem que não saía há muito tempo por falta de santos, porque muitos já estavam quebrados. Seu Broa esteve dizendo a tio Joãozinho que eles tiveram de ajuntar corpo de um com cabeça de outro na Igreja da Luz e pedir nas outras igrejas para poderem pôr a procissão na rua. S. Domingos saiu com o queijo e a faca e estiveram me explicando na Chácara que se pode saber se um casal é feliz quando a mulher é capaz de partir o queijo no meio certinho.

Mas não acredito que S. Domingos leve o queijo para fazer experiência e ninguém soube me dar explicação por quê. S. José ia com o Menino Jesus no braço e uma bola na mão dele. As negras da Chácara estiveram me dizendo que aquela bola é o mundo e se ela cair no chão o mundo arrasa. Quando eu era pequena eu podia acreditar nisso; hoje sei que é bobagem. A serpente ia enrolada no corpo de Eva, que tinha uma maçã na mão. S. Roque saiu com uma barba grande. Todas disseram que nunca viram S. Roque barbado. Seu Broa disse que na barafunda de arranjar a procissão eles trocaram algumas cabeças na sacristia da Luz. Atrás dos santos iam os penitentes batendo nas costas com chicote, mas era de palha. Eu gostei muito da procissão, mas meu pai disse que parecia mais um carnaval e mamãe achou que era um grande pecado meu pai dizer isso.

Terça-feira, 14 de março

O assunto da cidade é o ladrão misterioso; na Chácara de vovó não se fala noutra coisa. Dizem que ele tinha sumido mas voltou e tem roubado muitas casas e lojas e ninguém consegue prendê-lo; quando vão tentando pegá-lo ele vira o que quer. Hoje Emídio e José Pedro chegaram na Chácara horrorizados contando a proeza do tal ladrão. Ele entrou numa venda do Rio Grande e roubou muito. O dono chegou quando ele estava fazendo o saco e apitou. O povo do Rio Grande, que já estava prevenido, saiu todo para a rua para ajudar a pegar o ladrão. Ele saiu correndo e o povo atrás. Quando ele chegou perto do Glória, e já estava quase sendo pego, virou um cupim. Emídio e José Pedro contavam apavorados.

Eu fiquei duvidando da história, porque se eles viram que o homem virou cupim, podiam ter trazido o cupim e trancado na cadeia e ele havia de virar homem outra vez. Não estou acreditando nessa história do ladrão virar cupim, toco e outras coisas; mas que ele nos tem assustado muito, tem. Cada dia vem notícia dele ter entrado numa casa ou numa venda.

Nós todos só poderemos ter sossego quando se pegar esse ladrão misterioso.

Quinta-feira, 16 de março

Eu acho que se fosse má seria mais feliz do que sou. Pelo menos não teria tanta pena de tudo como tenho, nem sofreria como sofro de ver os outros fazerem tanta maldade.

Eu gostava muito das Correias, duas amigas de mamãe aqui da vizinhança, porque pensava que elas eram boas. Mas hoje mamãe me mandou levar umas broas para as duas e eu entrei na hora em que elas estavam fazendo uma maldade horrível. Arrependi-me de ter ido levar o presente e tomei raiva delas. Elas estavam enforcando um gato na maior satisfação. Uma segurava a corda numa ponta, outra noutra, e o gato dependurado. Larguei o prato em cima da mesa e corri para a casa.

Elas vieram explicar a mamãe que foi porque o gato tinha furtado a carne. Mamãe lhes disse: "Helena é assim mesmo, tem pena de tudo".

Quinta-feira, 23 de março

Já notei que conversa de velhos é sempre a mesma coisa. Meu pai, quando não está falando no serviço que está fazendo, que dá sempre muita esperança, conta os casos de Seu Laje, de Seu Agostinho Machado, dois ingleses que vinham visitar meu avô. São sempre os mesmos toda a vida.

Tio Conrado tem o caso do lenheiro que achou uma pedra na Mata dos Crioulos e o companheiro disse que era diamante. Como era muito grande para ser diamante, o lenheiro meteu o olho do machado em cima, para provar que não era, e a pedra saltou longe e ficou uma lasca. O homem trouxe a lasca a Diamantina e era mesmo diamante. Tio Conrado levou o homem ao lugar para mostrar e procuraram até cansar e não acharam mais a tal pedra.

Quando não é isso e outros casos que a gente já sabe, ele fica falando na idade de meu pai e minhas tias. Uma das vezes que almocei lá ele disse: "Seu pai deve ter mais de cinquenta anos. Quando eu era menino ia comprar pomada na botica do Doutor Inglês, ali no alto da Rua Direita, e seu pai era o caixeiro. Eu era menino de escola e ele já estava buçando e sua tia Madge, que aparecia por lá, já era uma moça que podia casar".

Eu contei isso a meu pai e ele disse: "É história do Conrado. Quando eu ajudava na farmácia de meu pai, ele já era capangueiro,* viajava pelas lavras comprando diamantes para o cunhado dele, João da Mata. Ele chegava a cavalo, amarrava o animal na porta e me infundia um respeito, que eu sempre lhe dava maior quantidade de pomada do que aos outros. Ele sempre foi mais velho do que eu uns cinco anos".

Contei isso a tio Conrado e ele disse que é história de meu pai, que quando ele era capangueiro meu pai já era homem-feito e minerava no São Gonçalo. Meu pai sustentava que tio Conrado é mais velho. E ficam nisso.

Eu acho graça na teima dos dois, de cada um querer ser mais moço que o outro. Eu penso o contrário deles, prefiro que me aumentem a idade.

Domingo de Ramos, 26 de março

Tia Carlota comprou uma vaca com cria, para vender o leite e mamãe tomou freguesia com ela. Ela manda à nossa casa a filha da alugada, Maria, uma pretinha muito esperta, trazer o leite de manhã. Começamos todos a notar que o leite estava muito aguado. Hoje mamãe disse à pretinha: "Maria, você diga a Carlota que o leite está vindo muito aguado; que ela precisa dar mais fubá ou feijão branco à vaca, para engrossar o leite". A

---

* Capangueiro: comprador ambulante de diamantes.

pretinha respondeu: "Aguado? O leite de lá é tão forte que Siá Carlota precisa pô água nele, todo o dia, pra destemperá".

Quinta-feira Santa, 30 de março

Na Semana Santa, como não há escola para nós, a família toda aproveita para ficarmos reunidos na Chácara.

Ontem, Quarta-Feira de Trevas, Iaiá Henriqueta leu em voz alta a Paixão de Cristo para nós todos ouvirmos. Como era dia de bacalhau, vovó mandou abrir três garrafas de vinho do Porto para o jantar. Todos comeram e beberam a fartar; tia Carlota bebeu mais do que as outras e ficou com o nariz vermelho como lacre e os olhos pequeninos. Depois do jantar fomos todas para o Palácio confessar.

Nós, meninas, fomos proibidas de confessar com Senhor Bispo, porque ele pergunta muita coisa que a gente não entende e meu pai disse que é um absurdo mamãe nos deixar confessar com um velho já caduco. Ele está muito velhinho. Como no Palácio há muitos padres, mamãe escolheu para nós o Padre Florêncio. Ele é muito bom e dá penitência pequena, mas a gente sai cansada do confessionário de tanta história de santo que ele aproveita para contar e aconselhar a gente a imitar. Como se isso dependesse da gente. Eu regulo por mim; tenho inveja das pessoas boas e santas mas não posso deixar de ser o que sou.

Tia Carlota foi confessar com Senhor Bispo. Ele não deixa ninguém dizer os pecados, ele mesmo é que quer perguntar. Tia Carlota diz que estava muito tonta e por isso gostou do Senhor Bispo perguntar para ir só respondendo. Ele começou:

— Você fala mal da vida alheia?
Ela respondeu:
— Muito, Senhor Bispo.
— Perde missa nos domingos?
— Muito, Senhor Bispo.
— Deseja mal aos outros?

— Muito.
— Você furta?
— Muito.
Então ele disse:
— Você está é muito bêbada. Vá curar essa mona e volte.
Nós todos rimos a mais não poder quando tia Carlota contou a confissão dela.

Domingo da Ressurreição, 2 de abril

Desde que Chininha veio passar as férias do Colégio na Chácara, fingindo de santa para agradar a vovó, minha vida ficou um inferno. Na hora do terço, de noite, eu fico com tanta raiva e antipatia dela, que tenho sempre que levar o pecado ao confessionário. Quando nossas mães nos chamam para a reza, podemos estar no melhor do brinquedo, ela é a primeira que corre e cai de joelhos diante do oratório. Revira os olhos para Nossa Senhora, põe as mãos e fica com a cara tão devota que a gente não pode deixar de pensar que é fingimento; e eu estou ficando muito enjoada dela.

Quando ela veio de Montes Claros entrar para o Colégio, estava tão mal-educada que mamãe nunca me deixava brincar com ela sozinha. Com um ano de Colégio voltou tão santa que as tias só falam na mudança; e quando alguém elogia, ela fica ainda mais antipática.

Ela se acostumou no Colégio a ficar ajoelhada muito tempo, e agora as orações da noite são um suplício para nós todas as primas. Depois de termos rezado o terço e muitas orações, ela inventa ainda rezar por alma dos parentes que já morreram há muito tempo. Eu lhe disse que não acreditava que as orações servissem para tirar almas do purgatório e que ela faz isso para adular vovó. Ela foi contar e vovó disse que se admira de eu dizer estas coisas. Então eu disse: "Vovó, já tem tanto tempo que vovô, meus tios e esta gente toda morreu! Pois se eles estão esse tempão todo no purgatório, já devem estar acostumados, e não adianta a gente ficar até hoje rezando de joelhos tanto tempo, como Chininha quer". Vovó disse que ninguém se acostuma no purgatório; que Chininha aprendeu com as irmãs a ficar santa e que eu só quero é trocar pernas e brincar.

Nunca passei um dia na minha vida tão enjoado como Sexta-feira da Paixão. Chininha inventou que estava triste pela morte de Jesus Cristo e foi ler alto a Paixão para vovó, como se faz no Colégio, e nós todas tivemos de ficar escutando. Todos sabem que não sou nenhuma santa, mas quando estou no meio das outras que são como eu, ninguém nota. Vem agora esse inferno de fingimento para as tias notarem; mas vovó, graças a Deus, não deixa ninguém falar muito de mim.

Sexta-feira da Paixão foi dia de jejum de todos em casa. Eu sou infeliz nas horas de sacrifício. Não gosto de fazer sacrifício. Como sabia que era obrigada, eu tive que jejuar. De manhã, às sete horas, só se toma uma xícara de água de saco, rala, que nada vale. Às dez horas, almoço: bacalhau com abóbora, feijão e angu: coisas que a gente só come para mexer mais com a fome. Durante o dia a mesma água de café, fraca. Jantar às quatro horas e mais nada.

Se não fosse Dindinha ter mandado cozinhar um tacho grande de milho verde para o jantar, eu penso que iria até o fim do dia com o jejum. Mas o demônio entrou no tacho de milho e me tentou. Logo planejei uma coisa malfeita. Pensei: "Vou comer uma espiga, escondida, e depois conto ao padre o pecado". Tirei o milho e fui comer atrás da Igreja do Rosário. Chininha, dando falta de mim, foi atrás e veio correndo dizer a vovó que eu tinha perdido as indulgências. Contou a história e ficou desapontada porque vovó respondeu: "Coitadinha, ela estava com fome. Não faz mal, Chininha, ela ganha as indulgências de outra vez".

Eu, quando soube, me vinguei dela, porque comi mais duas espigas e ela olhando e morrendo de inveja. Bem feito!

Sexta-feira, 7 de abril

Nas quintas-feiras Maria dá Didico para mim e Luisinha o dia inteirinho. Nós trabalhamos, passeamos e fazemos tudo com ele, que já está sentando, e tão engraçadinho que a gente fica até com vontade de mordê-lo. Eu acho que gosto tanto deste menino não é só pela gracinha dele, mas porque penso que o pai e a mãe são doidos. Mas é só longe da gente; perto eles conversam com um modo tão direito que a gente fica até duvidando do que fazem. Rodrigo vai entrando em casa e já começa a briga, e vão brigando até ele sair e ela joga nas costas dele uma coisa qualquer de quebrar.

Tudo quanto tem em casa, de louça ou de barro, ela quebra nas costas dele. Tive muita pena ontem quando ela lhe atirou o pote de água; a água molhou-o todo e o pote foi quebrar-se na rua. Ele nem virou para trás; foi seguindo calado e foi embora todo molhado.

Quando estou lá carregando Didico que ele entra, eu saio correndo. Já vi uma briga e não quero mais ver outra.

Mas Maria Flora é boa; ela nos entrega o menino o dia inteiro e podemos tratá-lo como se fosse nosso filho. Nós duas já combinamos; eu lhe dou o banho de manhã cedo, Luisinha dá de tarde; eu dou mingau de manhã, ela dá o almoço; eu dou a merenda, ela o jantar. De noite nós cantamos com ele para adormecer e o levamos e pomos na caminha.

Hoje, cedinho, Luisinha só esperou que eles abrissem a porta para tirar o menino e fomos para a Chácara; era dia de apanhar café.

Nico e Renato inventaram agora lá um brinquedo que é uma coisa do outro mundo. Eles levaram um couro de boi para a ribanceira, no fundo da Chácara. Um foi puxando o outro no couro até alisar a descida e agora está lisa de um jeito que a gente escorrega que é uma beleza. Ninguém dos grandes ainda descobriu isso, senão já se sabe, acabava num átimo. Nós falamos que vamos apanhar café e levamos a capanga; mas descobrimos furtar o café já apanhado para trazê-lo de novo e vamos para a ribanceira.

Hoje eu vi que não pode haver outro menino tão bonzinho. Eu e Luisinha inventamos levar o pobrezinho para escorregar conosco. Não sei como foi; o menino rolou antes de nós e foi cair num formigueiro. Nós fomos rolando atrás e o couro parou no caminho. Fomos cair as duas também no formigueiro e quase esborrachamos o pobrezinho. Só não o machucamos porque ele chegou numa moita de capim e afundou. Quando pudemos tomar pé e o tiramos, ele estava numa lástima, coitadinho; todo empolado e com as formigas barrigudas agarradas no corpinho dele. Mas o menino é tão bonzinho que até o choro dele é manso. Nós não tínhamos pensado na subida e foi Deus que nos ajudou a subir a ribanceira carregando o menino.

Passamos um dia agoniadas, banhando as empolas com água com sal, com medo que alguém visse e Maria Flora não nos deixasse mais cuidar do Didico. Felizmente de tarde ele já estava sem sinais no corpo.

Domingo, 9 de abril

Tenho visto muita coisa na vida, mas padre mexeriqueiro foi hoje a primeira vez.

Eu estava na porta, quando vi Padre Augusto vir descendo do Palácio e caminhando para a Chácara. Como sei do gosto que vovó tem por padre, fui correndo recebê-lo e beijar-lhe a mão. Levei-o para a sala, contente com a satisfação, que vovó ia ter, sem pensar, nem de longe, no que ele tinha ido fazer. Chamo vovó; ela toda inchada com a visita, pega na bengala, segura no meu braço e vamos para a sala. Mamãe, Dindinha, Iaiá e tia Agostinha foram também para a sala conversar com o padre.

Deixei todas ali e voltei para dentro. Nós sempre aproveitamos toda a ocasião para irmos para a ribanceira. Chamei o pessoal todo: Nico, Renato, Nhonhô, Luisinha e Rita, e voamos para o fundo da horta. Tínhamos escorregado só uma vez e quando demos fé estava a velharia toda no alto, olhando o que estávamos fazendo.

Adivinhamos logo o que ia acontecer. Iaiá gritou Quintiliano: como ele é velho e não podia descer a ribanceira, Nico e Renato é que tiveram de subir com o couro. Para escorregar é um instante, mas para subir cansa; se não fosse isso ninguém entrava mais em casa. Mas em tudo há de haver uma gente ruim para atrapalhar.

Quintiliano enrolou o couro e levou, e Dindinha mandou guardar no quarto dos arreios e fechou com a chave.

Vovó ralhou muito e disse que ficou com pena de ver Padre Augusto, tão bom, tão caridoso, largar suas obrigações para vir avisá-la que, se ela não tomasse uma providência, um de nós era capaz de morrer afogado no córrego que passa no fundo da Chácara.

Nós explicamos como a coisa estava arranjada, mas não valeu de nada; elas não quiseram acreditar. Eu disse a vovó: "Padre Augusto não veio por caridade, não, vovó, veio foi mexericar. A língua dele coçou e ele veio; isso é que foi".

E assim perdemos o melhor brinquedo que já descobrimos.

Quarta-feira, 12 de abril

Hoje fui entrando em casa, jogando os livros na mesa e correndo para a cozinha. Mamãe me guardou café com cuscuz. Estava tomando meu café quando me lembrei de perguntar a mamãe se ela já tinha colhido os ovos das minhas galinhas. Ela respondeu: "Da amarela colhi, mas a carijó não entrou até agora. Estou temendo que a tenham furtado". Fui largando a tigela de café e correndo. Mamãe gritou: "Espere! Não vá fazer loucura!". Mas eu saí cega de raiva. Esta galinha era a melhor que já tive na vida. Ela punha um tempão sem chocar. Com os ovos dela eu já comprei um par de meias, uma escova de dentes e tenho comido muitos. Agora, ela estava começando a postura de novo; só tinha posto dois ovos. Quem me deu essa galinha foi Dona Gabriela. Logo esta é que foram roubar!

Na Cavalhada todos dizem que Siá Ritinha é que furta as

galinhas para fazer jantar para o comandante do Quartel que é pensionista dela. Saí cega de raiva, desejando ter coragem de lhe dizer tudo na cara. Mas mamãe me gritou: "Pensa, minha filha, pelo amor de Deus, no que vai fazer! Elas são perigosas!". Então resolvi ficar mais calma e perguntar sem muito ódio demais. Passei na casa dela e estava só Américo na porta. Perguntei: "Américo, você não viu minha galinha carijó? Ela não entrou até agora e eu sei que ela estava com ovo". Ele respondeu que não tinha visto. Eu disse: "Mamãe está temendo que a tenham roubado. Quem será o ladrão ou ladrona de galinha aqui da Cavalhada é que eu desejava saber. Se alguém furtou essa galinha eu vou rogar uma praga e tenho fé em Deus que Ele me ouvirá e que o ladrão, além das penas do inferno terá que pagar, sofrerá também em vida. Tenho fé em Deus".

Eu falava com Américo assim na porta, quando Inhá chega à janela e me pergunta: "Será que essas coisas todas que você está falando com Américo são para nós, porque pensa que roubamos sua galinha?". Eu respondi: "Falei para o ladrão de minha galinha. Mas se a carapuça lhe serve, pode pôr na cabeça". Saí dali e vim para a casa. Mamãe disse: "Pode esperar que não teremos mais uma galinha de hoje em diante".

Segunda-feira, 17 de abril

Desde pequenina eu ouvia meu pai dizer: "Eu preciso ensinar Inglês a esta menina. Ela é uma inglesinha perfeita e, sem saber a língua, não pode ser". Falava só e ia embora para a lavra e não se lembrava mais. Agora que está como professor de Inglês no Ginásio, ele me disse: "Vamos começar as aulas na segunda-feira". Chegou hoje a segunda-feira e eu me apresentei à lição.

Meu pai me julga de uma inteligência sem igual. Nunca pude falar perto dele na inteligência de outra pessoa que ele não viesse com a mesma coisa: "Você que assentasse essa cabeça e estudasse, uma hora que fosse por dia, minha filha, eu queria ver se alguém te pegava". Ouço isso da mesma maneira que o ouço dizer que sou bonita, pois eu conheço a história da coruja. Mas hoje senti de o ter desapontado e estou mesmo triste. Quem manda meu pai ficar pensando as coisas à toa?! Eu nunca lhe dei a menor prova de inteligência. Só tirei duas distinções na escola. Assim mesmo em Música e Ginástica. Para que ficar me achando inteligente?! Bem feito!

Hoje ele começou dizendo que Inglês é mais fácil do que Português, porque os verbos não são complicados como em Português, tem poucas regras e só depende da pronúncia e que esta eu hei de ter herdado. Principiamos pela leitura de um livro. Ele leu a primeira vez, eu não entendi nada, ele disse que era assim mesmo e me mandou repetir. Não consegui. Ele leu a segunda vez e me mandou dizer o tal *the* como ele queria. Eu disse umas dez vezes e ele sempre falando que não estava certo. Vi que era impossível acertar e disse a ele que não quero mais aprender Inglês, que ele diz que é mais fácil que Português e pode ser para outras cabeças, mas na minha, que é muito dura, não entra.

Meu pai me olhou espantado e disse que vamos experimentar outra vez amanhã.

Terei mais esta maçada todo dia?

Quinta-feira, 20 de abril

As Cunhas são duas velhas que vivem metidas em casa e só saem à rua às nove horas da noite para tomar ar. Vão andando sempre encostadas aos muros das casas, uma atrás da outra. São solteiras e ninguém nunca deu notícia delas na rua de dia. Meu pai, precisando de algumas praças* para o serviço que está fazendo no Bom Sucesso, pôs-se a indagar até saber que as

---

* Praças: trabalhadores com que entravam os sócios de um serviço de mineração, dividindo-se o resultado proporcionalmente.

Cunhas têm em casa dois negros que ainda foram do cativeiro e que elas costumam alugar para fora e dividir com eles o dinheiro, porque não estando alugados elas é que os sustentam. Meu pai e mamãe então se lembraram de passar na casa das Cunhas, na Rua do Bonfim, para contratar os negros. Lá elas disseram que os negros já estavam alugados e no meio da conversa contaram que tinham dois irmãos chamados Geraldo e Anacleto que viviam em casa à toa, sem emprego. Mamãe, depois que elas disseram que os negros já estavam alugados, não prestou mais atenção à conversa das mulheres, deixou meu pai só ficar escutando. Mas quando ela ouviu nos dois que estavam em casa desempregados, mamãe disse: "Por que as senhoras não nos cedem o Geraldo e o Anacleto?". As mulheres ficaram espantadas e meu pai teve de explicar que mamãe estava distraída e pensou que eles também eram negros.

Sábado, 22 de abril

Ontem foi feriado e, quando abrimos a porta, já estava Leontino à nossa espera para irmos passar o dia com ele no Prata. Fomos eu e Luisinha. Acho aquele lugar adorável, o rio é encachoeirado e o poço maior que o Glória, do Rio Grande.

O que anima a gente a passear no campo com tio Conrado e tia Aurélia é a quantidade de coisas boas que ela leva: bolos, pastéis, craquinéis, tudo do que ela faz para vender. Ela é muito boa doceira, igual a Siá Generosa. Se não fosse isso eu não iria. De que serve a gente passear com eles? Não se pode andar pelo rio abaixo, descalça. Não se pode subir nas árvores. Não se pode procurar gabirobas longe. Não se pode fazer nada.

Tio Conrado leva uma porção de anzóis e iscas e nós todos temos de ficar ali na beira do rio, de vara na mão, calados, sem mexer, à espera do lambari que nunca vem beliscar a isca.

Eu queria que eles passassem um dia com meu pai e mamãe no Rio Grande para verem o que é passeio no campo!

Tenho pena das minhas primas com aquele pai tão metódico, como elas dizem. Na casa delas tudo é na hora, tudo é na regra, até palavras, modos, tudo. Engraçado é que as primas vivem horrorizadas de meu pai e mamãe não nos darem educação, como elas dizem, e não fazem um passeio sem nós duas, eu e Luisinha. Mas quando chega de tarde, estou mais cansada do que se estivesse trabalhando o dia inteiro, de tanto fingir de educada perto delas.

Não sei se minhas primas têm pena de mim como eu tenho delas. Com certeza.

Eu penso que Deus castiga gente educada. Nunca vi meu tio trazer para a casa um lambari. Meus primos armam alçapão e nunca pegam nem um tico-tico. Quando nós vamos passear no campo, Renato e Nhonhô trazem lambaris e bagres para se comer e às vezes até vendem e nunca deixam de trazer pintassilgo ou curió ou qualquer outro passarinho. Quase sempre pegam pintassilgos.

Eu perguntei a Renato por que é que ele pesca tanto e tio Conrado não pega um lambari e ele disse: "Decerto. A isca dele é uma bolinha de algodão enrolada em angu de farinha de mandioca. Lambari não é tolo, quer é minhoca. Ele pode ficar a vida inteira com o anzol dentro da água, que se pescar algum é por acaso".

Quinta-feira, 27 de abril

Houve agora na Chácara uma coisa que nunca tinha acontecido. Uma negra chamada Magna casou com um negro africano chamado Mainarte. Ela é muito esperta. Não quis que ele ficasse no fundo da horta na preguiça, como vivia, e arranjou um rancho no Arraial dos Forros para os dois. Ela se empregava nas casas para cozinhar e mandava Mainarte trabalhar para os outros. Ele apanhava estrume para vender para as hortas; dava barris de água de manhã e de tarde, ia buscar areia na Almotolia para as pessoas quando lavam as casas; buscava palhas no rancho dos tropeiros para desfiar para colchão. E assim iam vivendo.

Na Chácara, só se fala na maldade de Magna com o pobre do Mainarte. Era raro o dia em que ela não lhe dava uma surra. Ele foi queixar-se a vovó e pedir que aconselhasse Magna. Vovó chamou-a e ela respondeu com todo o atrevimento: "Foi a senhora mesma, na sua casa, que pôs ele preguiçoso e quer agora que eu vá sustentar vagabundo? Ou ele trabalha ou apanha. Eu não capeio preguiçoso".

Vovó, como sabe que ela é maluca, deixou, e o pobre continuou apanhando.

Há dias chegou à Chácara a notícia que Magna estava na cadeia e Mainarte de cama, à morte. Ela lhe deu uma surra e quis esganá-lo. Vovó disse logo: "Forte coisa!". E chamou Seu Chico Guedes, que eles chamam de rábula, e mandou providenciar para tirar Magna da cadeia. O homem virou, mexeu e soltou Magna. Ela, sabendo que foi vovó que pagou para tirá-la da cadeia, foi agradecer. Vovó lhe disse: "Até a sua alma você quer perder, não é? Malvada! Querer tirar a vida do marido que Deus lhe deu para companheiro!". Depois lhe perguntou: "Por que é que você quis matar o pobre coitado que não lhe fez mal nenhum?". Ela respondeu: "Não, senhora! Ele mesmo é que é de raça de gente que morre! Eu só apertei o pescoço dele e pus a língua de fora pra não me responder. Não quis matar ele, não, senhora".

Quinta-feira, 4 de maio

Como é bom vovó morar na Chácara! A casa é tão perto da Igreja do Rosário que Senhor Bispo, vendo como ela é gorda e pesada, lhe deu licença de ouvir a missa da janela do quarto, e quando é para comungar o padre leva a comunhão para ela.

Ontem foi dia de Santa Cruz. Todas as primas só vão à festa de tarde, mas eu aproveito desde que começam a fincar os bambus.

Sou eu que vou buscar quase todo o papagaio e o ano passado tive até de fazer lamparinas de laranja-da-terra, porque as de barro eram poucas. Este ano as filhas de Seu Cláudio tiraram esmola e compraram muita lamparina de barro.

No dia da Santa Cruz não descansamos um instante. Cada um quer trabalhar e ajudar mais do que o outro. Meus irmãos ajudam a cortar e a fincar os bambus. Eu e Luisinha carregamos as folhas de papagaio e de café. Ivo Arara é quem empresta os paus e as tábuas. As filhas de Seu Cláudio é que enchem as lamparinas de azeite e põem nas prateleiras. Vovó manda buscar muita areia que eu e Luisinha espalhamos no chão e semeamos por cima as folhas de café.

Este ano Donana Teles, mulher do médico, veio ajudar as filhas de Seu Cláudio.

Para nós este é um dia alegre. Todos os meus tios e primos se reúnem na Chácara de vovó. As negras fazem para nós um judeu* de frangos de molho pardo, lombo de porco, arroz e angu.

Na Chácara moram ainda muitos negros e negras do tempo do cativeiro, que foram escravos e não quiseram sair com a Lei de 13 de Maio. Vovó sustenta todos. Só Tomé é que vovó mandou embora porque diz que é feiticeiro e estava aprontando** Andresa com um chá de raízes para ela casar com ele. As negras, as que não bebem, são muito boas, e para terem seus cobres fazem pastéis de angu, sonhos e carajés para as festas de igreja e para a porta do teatro. Vovó compra delas muitas dessas coisas e nós comemos a noite inteira.

O dia pior para mim é o dia seguinte a qualquer festa. Mamãe é que tem pena de mim porque diz que eu não vou ser feliz com este gênio de querer aproveitar tudo; que a vida é de sofrimentos. Mas eu é que não serei tola de fazer de uma vida tão boa uma vida de sofrimentos.

Não posso continuar porque meu pai já está reclamando que são horas de dormir.

* Judeu: ceia.
** Aprontar: dar chás de raízes para conseguir a benquerença de uma pessoa.

Segunda-feira, 8 de maio

Eu podia gostar muito mais da vinda de meu pai a Diamantina do que gosto. Ele vem todo sábado e volta segunda-feira. Os dias que ele passa em casa são tristes para nós e alegres para mamãe. A segunda-feira é alegre para nós e triste para mamãe.

Haverá na vida suplício maior do que este que temos de aguentar todos os sábados e domingos? Temos de ficar sentadas à mesa uma hora inteira, ouvindo os casos de meu pai. Já ouvimos todos mais de vinte vezes. E quando ele está contando e Luisinha olha para mim e rimos, já vem descompostura: "Insuportáveis! Sirigaitas!". De todos o mais engraçado, a primeira vez, é o caso de Seu Laje. Mesmo esse, eu desejo ser surda quando meu pai começa a contar.

Seu Laje tinha o pescoço quebrado e só olhava para o chão. Meu pai conta que ele pegou em todas as suas economias e pagou um médico estrangeiro que passou pela Diamantina e afiançou que o curava. O tal médico suspendeu-lhe o pescoço com umas talas e Seu Laje ficou um mês de cabeça em pé. No dia em que o doutor teve de ir embora, disse-lhe que ficasse com aquilo no pescoço mais uma semana, que ficava são. Passada uma semana, ele tirou as talas do pescoço, a cabeça tornou a cair, e Seu Laje ficou mais pobre e olhando para baixo da mesma maneira.

A vida de meu pai de pequeno, da família dele e dos ingleses que vinham visitar vovô, eu já estou enjoadíssima de ouvir.

Se não fosse isso eu gostaria mais da vinda dele no fim da semana.

Quinta-feira, 11 de maio

Tia Agostinha fez anos e fomos nós de casa e a família toda jantar com ela. As festas no Jogo da Bola são muito agradáveis porque a casa é grande, baixa e tem um gramado na frente para a gente correr e brincar.

Sempre que a família se ajunta, nos separamos os moços das velhas, pois tenho experimentado ficar, uma vez ou outra, no grupo das velhas, e é hora triste que se aguenta. Os tios que não estão fora só aparecem na hora do jantar ou de noite e as tias só conversam sobre igreja e o rancho dos tropeiros. Não sei como elas podem esticar tanto uma conversa sobre rapaduras, toicinho e feijão. O que lhes vale é o jogo da politaina de dia e o de trinta e um de noite. Falar da vida alheia é pecado que vovó e minhas tias não fazem. Elas não se lembram que existem outras pessoas em Diamantina fora da família.

Nós, os meninos, fomos passear para o lado do cemitério até a hora do jantar e de noite brincamos de prenda e dançamos de piano.

Para não passar o dia sem uma novidade, houve uma bem engraçada.

Minha tia mandou ralar uma porção de milho verde para fazer pamonhas e corá* para o jantar. Depois de coado o milho na peneira, ficou uma grande quantidade de bagaço, que não se aproveita. A negrinha Jovina pegou no bagaço, pôs na panela com rapadura e sal, deu uma fervura e comeu tudo.

O salão da casa do Jogo da Bola é muito grande. Uma porta dá para o corredor e outra para o jardim. Estávamos todos reunidos, quando entrou pela porta a negrinha correndo, pulando, em gritos de aflição: "Me acode! Me acode! Estou cheia! Me acode!". Ninguém podia compreender o que era. Ela atravessou o salão e saiu no jardim, correndo à roda e gritando na maior aflição. Corremos atrás dela e a seguramos e ela só gritando: "Me acode! É bagaço de milho!". Não foi preciso mais nada para compreendermos; o estômago dela estava para estourar. Trouxemos uma pena de galinha, ela meteu na goela e lançou mais de um quilo de bagaço de milho mal cozido.

Isto deu alívio à pobre. Depois do caso é que pudemos rir.

---

* Corá: o mesmo que curau.

Quarta-feira, 17 de maio

Chegamos hoje do Biribiri, onde passamos três dias de gozo completo. Eu não teria pressa de ir para o céu se morasse no Biribiri. Não acredito que no céu se possa ter melhor vida do que ali. Quando eu volto de lá fico com o lugar e as pessoas na cabeça muito tempo. Estivemos conversando na mesa sobre a felicidade que Dona Mariana e o Major Antônio Felício conseguiram na terra. Eles são donos da fábrica e a família toda é empregada ali. Matam boi de manhã e os pedaços melhores vão para as casas dos filhos e para a casa-grande, que é onde mora Dona Mariana. O resto vai para o pessoal da fábrica. O lugar é lindíssimo. A casa-grande de Dona Mariana é cercada de árvores frondosas. Ela vive com a casa sempre cheia de hóspedes e todos muito bem tratados. A mesa é muito grande e cheia de comidas. Senhor Bispo fica na cabeceira de cabeça baixa e Guily pondo as coisas no prato dele. Ele não conversa nem pede nada. Nos outros lugares ficam a família e os hóspedes. De noite as moças da fábrica brincam de roda e de tudo que querem. O lugar onde elas dormem é uma casa comprida chamada Convento. Dona Mariana tem frutas de todas as qualidades no quintal e ela mesma é quem gosta de ir com os empregados apanhar as frutas para mandar para os filhos. Que prazer eu tinha lá quando via entrar pela casa de tio Joãozinho o tabuleiro cheio de laranjas, limas e limões!

Guardo na memória até hoje a primeira vez que fui ao Biribiri. Meu pai e mamãe tinham ido para a Fazenda do Angu Duro, que vovó inglesa estava passando mal, e me deixaram na Chácara. Dona Maria mandou a liteira buscar tia Ritinha. Tio Joãozinho foi também com Batistina e eu com eles. Dona Mariana teve que fazer uma cama no chão para mim e Batistina. Ela começou a fazer manha que não queria dormir no chão. Dona Mariana ralhou e disse: "Seu castigo por essa manha vai ser amanhã. Eu vou dar a Helena um presente bonito e não te dou nada". Eu dormi muito alegre pensando no presente bonito que ia ganhar no dia seguinte e fazer inveja a Batistina. No outro dia fui atrás do presente como Dona Mariana me disse na véspera. Ela abriu um armário e tirou dois xales pequenos, um azul e outro cor-de-rosa. Batistina logo pegou no cor-de-rosa e ela me deu o azul. Lembro-me ter estranhado Dona Mariana não cumprir o que tinha dito na véspera.

Sexta-feira, 19 de maio

Mamãe nunca deixa de ter vintém separado num canto para dar ao homem que passa toda sexta-feira de opa vermelha gritando nas portas: "Para a missa das almas!". Eu sou uma que tem horror de passar sem ter o vintém das almas. Mas outro dia o tal homem gritou e nós ficamos incomodados porque não tínhamos o vintém. Mamãe disse: "Dê-lhe um ovo, ele vende". Entreguei-lhe um e vi que na sacola já havia muitos ovos e gostei de ter dado também o meu.

Hoje, eu estava na casa do Seu Ferreira, brincando com Clementina, quando o homem da opa gritou da porta: "Para a missa das almas!". Dona Germana respondeu: "As almas que nos ajudem!". E o homem seguiu. Eu então perguntei: "Vocês não têm medo de deixar de dar esmolas para as almas? Outro dia, quando ele passou lá em casa, como eu não tinha vintém, dei-lhe um ovo". Seu Ferreira disse: "Deu para ele comer. Já prestou atenção no que ele grita na porta?". Eu disse: "Já. É 'para a missa das almas'". Seu Ferreira disse: "É engano. Ele fala: 'pra mim e as almas'. Mas as almas que esperem que ele lhes dê alguma coisa".

Domingo, 21 de maio

Eu acho a festa do Divino uma das melhores que nós temos. Isto de a música levar nove dias indo a todas as casas buscar, debaixo da bandeira, as pessoas que fazem promessas, alegra a cidade muitos dias seguidos. Há três anos seguidos que eu não deixo de levar cera debaixo da bandeira. Vovó faz promessa todo o ano e quando chega a festa do Divino eu ganho um vestido novo para levar a cera. Também é a única coisa em que eu faço inveja às outras primas. Dindinha às vezes fala com vovó para mandar outra, mas ela não quer.

Este ano, além da cera de vovó, eu tive de levar um milagre de meu pai, uma perna com manchas vermelhas de feridas. Esta perna foi promessa de mamãe quando meu pai esteve com uma ferida do coice de um burro na canela, na Boa Vista.

Na sacristia da Igreja do Amparo as paredes estão cheias de milagres: cabeças, braços e pernas, e até meninos inteiros de cera, tão bem feitos e cheios de feridas que parecem de verdade.

Eu desejo muito que meu pai também saia imperador, mas já estou perdendo a esperança de ele ser sorteado.

A beleza da festa depende do imperador. Este ano esteve muito mais animada e teve muito mais fogos do que no ano passado. Seu Manuel César fez muito gosto em tudo. E até agora estou ouvindo os fogos.

Terça-feira, 30 de maio

Eu gosto muito de todas as festas de Diamantina; mas quando são na Igreja do Rosário, que é quase pegada à Chácara de vovó, eu gosto ainda mais. Até parece que a festa é nossa. E este ano foi mesmo.

Foi sorteada para rainha do Rosário uma ex-escrava de vovó chamada Júlia e para rei um negro muito entusiasmado que eu não conhecia. Coitada de Júlia! Ela vinha há muito tempo ajuntando dinheiro para comprar um rancho. Gastou tudo na festa e ainda ficou devendo.

Agora é que eu vi como fica caro para os pobres dos negros serem reis por um dia. Júlia com o vestido e a coroa já gastou muito. Além disso teve de dar um jantar para a corte toda. A rainha tem uma caudatária que vai atrás segurando na capa que tem uma grande cauda. Esta também é negra da Chácara e ajudou no jantar. Eu acho graça é no entusiasmo dos pretos neste reinado tão curto. Nenhum rejeita o cargo, mesmo sabendo a despesa que dá!

O que sucedeu com o jantar de Júlia é que foi triste. Há em Diamantina uma turma de rapazes que fazem espírito de roubar dos outros. São rapazes das principais famílias: Lauro Coelho é um deles. Na Chácara eles entraram há poucos dias e fizeram tais coisas, que eu desejei ser um homem para me vingar por vovó!

Pularam de noite o muro da horta e carregaram todas as frutas maduras; as verdes eles cortaram e deixaram metade nas árvores. Arrancaram todas as verduras, lindos repolhos e espalharam pelos canteiros. Apanharam as abóboras, cortaram em pedaços e espalharam pela horta. Iaiá estava guardando uma abóbora gigante para ver até onde crescia e tirar as sementes, e eles a cortaram em pedaços. Só se vendo o que fizeram.

Vovó tem um modo de receber as coisas só dela. Primeiro ela diz: "Forte coisa!". Depois acrescenta: "Mas poderia ser pior". Não é que os diabos dos rapazes, que eu chamo ladrões, roubaram o leitão do jantar da pobre Júlia! Nós pensamos que eles puseram um menino na sala pela janela, que é baixa, e ele ficou escondido esperando uma hora em que a sala estivesse vazia. O leitão estava uma beleza! Cheio de farofa, com palitos enfeitados de papel de seda repenicado, prendendo rodelas de limão e azeitonas, e na boca uma rosa.

Júlia só faltou chorar, coitada!

Quinta-feira, 1º de junho

Eu fui acabando de aprender a ler e tia Madge, que só acha bom o que é inglês, arranjou *O poder da vontade* e me fez ler para ela ouvir. Acabado este deu-me outro: *O caráter*. Eu tinha de ler e contar-lhe tudo tim-tim por tim-tim. Afinal os dois dão na mesma coisa: economia, correção, força de vontade.

Tenho certeza de que esses livros não me valeram de nada.

Força de vontade não adquiri nem um pingo mais do que tinha. Caráter não mudei em nada. Bondade, nada mais do que eu já tinha. Só uma coisa eu penso que lucrei, mas não tenho certeza se foi Samuel Smiles que me ensinou, pois não me ensinou outras coisas: foi aprender a ser poupada e a guardar tudo que tenho.

Cada um de nós tem duas ou três galinhas. Meus irmãos só esperam as deles botarem e às vezes até acabam de puxar ovo da galinha para assarem na colher ou fazerem gemada. Eu, desde que li os diabos dos livros, ajunto os ovos. Quando inteiro uma dúzia eu vendo. Uma vez comprei uma escova de dentes; outra vez comprei um par de meias. Se vovó manda um queijo ou uma caixeta de marmelada para nós, os outros comem a parte deles no mesmo dia, eu guardo a minha para ir comendo aos poucos; mas sempre acabo repartindo com eles. Meu pai mandou um caixote de mangabas da Boa Vista; eles comeram as deles e depois furtaram das que eu guardei. O resto apodreceu. Em tudo eles tiram melhor partido mas eu não tenho esperança de me corrigir mais nunca. Mamãe gosta destas sovinices minhas e mandou pedir a tia Madge os livros para Renato ler. Ele começou e não acabou nem um capítulo. Mamãe insistiu: "Você tem que ler, ao menos para aprender a poupar as coisas como Helena". Renato disse: "Mamãe, os dedos da mão não são iguais. A senhora preste atenção se Helena não parece até filha desse tal Smiles. Ela leu o livro dele e até decorou porque parece com ela. Eu sou o contrário, não gosto de ler. Se gostasse, não ia perder meu tempo com Samuel Smiles, não; leria Júlio Verne, que é muito melhor e mais divertido".

Domingo, 4 de junho

Vovó é a criatura melhor do mundo. Não sei se no caso dela eu aguentaria Fifina como ela aguenta. Mamãe conta que Fifina teve dinheiro, mas inventou casar com um rapaz mais moço do que ela dez anos e ele pôs fora tudo quanto ela tinha e sumiu, deixando-a só com um conto de réis. Ela pôs o dinheiro na mão de Senhor Bispo a juros e ia vivendo com trabalhinhos que fazia, cerzindo meias, remendando roupas na casa de uns e de outros, pois só pagava um quartinho e uma cozinha. Seu Leivas lhe prometeu pagar juros dobrados, e ela tomou o dinheiro de Senhor Bispo e pôs na mão dele. Mas até hoje não viu nem um real dos juros nem tem esperança de ver mais o dinheiro, porque Seu Leivas deve a todo o mundo e não tem donde tirar. Além disso, quando ela vai jantar na casa dele ainda leva pito na mesa, porque foi fazer lá o que ela faz na Chácara de vovó. Ela forra o prato com feijão e farinha e põe por cima arroz, carne e o mais que há. Come as coisas de que gosta mais e deixa o feijão no prato. Ela contou que fez isso na casa de Seu Leivas e ele lhe disse que não fizesse outra vez, que ele não gostava daquilo; que a comida ficando na travessa, a cozinheira aproveitava, e ficando no prato ia jogada fora. Só vovó é que aguenta tudo. Fifina tinha seu quarto e ia passando cada dia numa casa, mas aconteceu que um dia ela estava na Chácara numa noite de tempestade, e Iaiá mandou lhe fazer uma cama no seu quarto. Fifina gostou e não saiu até hoje. Agora nem passeia mais em casa de ninguém. Passa uma vidinha de ouro. Joga bisca no quarto com Iaiá o dia inteiro e é muito exigente. Ela chamou Reginalda para encher um jarro de água, depois gritou de novo e mandou buscar outro, dizendo que aquele tinha cisco. Na Chácara há uma bica de água enorme, mesmo na porta da sala de jantar, e Fifina é tão preguiçosa que não é capaz de apanhar um jarro.

As negras estiveram conversando na cozinha que, se soubessem fazer feitiço, poriam feitiço em Fifina. Eu lhes dei razão, e hoje tomei ainda mais raiva dela do que as negras.

Vovó ganhou uma lata de biscoitos Pérola, que são uma coisa do outro mundo de bons, e me deu inteirinha. Fifina viu e logo me disse: "Deixa-me ver se são bons?". Eu deixei-a tirar, e se não abaixo a mão iam todos. Escondi a lata na prateleira do quarto, para trazer para casa e ir comendo e poupando. De noite, quando fui procurar, só encontrei metade. Fiquei furiosa e sem saber quem tinha me roubado. Rita me disse que viu Fifina sair do quarto com a ponta do xale cheia de uma coisa que ela ia tirando e comendo e que não podia ser senão os biscoitos.

Eu fiquei danada da vida e quis ir xingar Fifina; mas vovó me segurou dizendo: "Não tenha raiva, minha filha; isso não vale nada".

Mas eu ainda hei de pregar uma a Fifina, ainda que vovó se zangue.

Sábado, 10 de junho

A família inventou agora um jogo de trinta e um. Quando é na Chácara eu não perco porque as negras fazem sempre uma ceia muito boa para as nove horas e eu ainda volto para casa a tempo de fazer meu exercício. Na casa de tio Geraldo só dão uma fatia de pão, fino que parece espelho. Na casa de Iaiá também eu não gosto de ir porque ela só dá biscoito de goma com café.

Ontem Luisinha, que é um demônio para descobrir as coisas, me disse: "Eu já sei onde Iaiá guarda a lata de manteiga. Quando chegarem os biscoitos vamos lá e os besuntamos de manteiga".

Levou-me ao quarto de Iaiá e mostrou a lata na prateleira.

Chega a bandeja de café com biscoitos e tiramos uns dois ou três cada uma, fomos para o quarto e, mesmo no escuro, tiramos a lata e com o dedo íamos besuntando os biscoitos. Quando já tínhamos dado um rombo na lata, eu disse a Luisinha: "Já estou ficando com remorsos. Iaiá vai pensar que é Eva". Luisinha respondeu: "Não, boba; ela pensa que é Nico".

Consolei-me. Fechamos a lata e pusemos no lugar. Quando fomos dando uma dentada nos biscoitos, todas duas soltamos um grito de nojo e saímos correndo para cuspir no terreiro.

Era banha sem sal com que Iaiá unta o cabelo.

Sábado, 17 de junho

Tia Aurélia ontem mandou convidar a família para ir lá jantar. Fomos. Era aniversário dela e as filhas quiseram festejar com um teatro. Fizeram um palco de verdade e elas e os irmãos representaram como se fossem atores. Representaram muito bem e com muita graça. Tio Conrado ficou como um peru de inchado com o teatrinho dos meninos. Eu tive pena foi de tia Agostinha que tinha feito também na semana passada uma ceia para o teatrinho de Lucas e ficou desapontada vendo a diferença dele para os dos filhos de tio Conrado. Ontem eles decoraram uma peça e representaram tudo como se fosse dentro de uma casa. João Afonso era o marido, Beatriz a mulher, Sérgio era o hóspede e Hortênsia a criada. Leontino era o cavalo de judeu* que mudava a mesa e tirava as flores.

No teatro de Lucas ele pôs um lençol no escuro e pregou uma porção de bonecos. Vinha depois com uma vela e fazia os bonecos dançarem. Depois Nico virou cambotas no palco. No fim ele chamou Emídio e perguntou se queríamos ver um negro virar branco, e virou farinha de trigo na cara de Emídio. Depois ele ainda fez uma coisa que aprendeu com o palhaço, quebrou um ovo na cabeça de Emídio.

O teatro de Lucas foi só dessas bobagens, e tia Agostinha estava achando muito engraçado. Ontem ela viu que o dos outros primos era muito mais importante e ficou com inveja. Tia Aurélia vive fazendo inveja às outras.

Domingo, 18 de junho

Ontem reuniu-se a família na casa de Iaiá para jogar trinta e um. Já estavam todos na mesa jogando e faltava tio Julião. Ele, quando vai, leva o bando todo e uma filha moça já facão, muito

---

* Assim se chamava em Diamantina o homem que mudava os cenários.

atrevida, e que responde com má-criação tudo que se fala, mesmo por brincadeira, com o pai ou com a mãe.

Ninguém gosta dela.

Estavam todos satisfeitos de ele não aparecer quando, de repente, entra pela porta o bando todo. O velho vai entrando, escorrega e cai estatelado no chão, de fio comprido, com aquele corpão dele.

Todos nós apertamos a boca para não rir e ninguém comentou logo, com medo da filha malcriada. Iaiá, ainda com vontade de rir, começou a conversar sobre o caso e contou que ainda esta semana ela levou uma queda, escorregou e caiu por cima de Rita e quase a esborrachou. Tio Julião disse: "Sim, mas você caiu por cima da Rita. Foi mais feliz do que eu que espichei no chão duro".

Todos aproveitaram a resposta para rir, porque estávamos doidos de vontade de rir da queda que foi muito engraçada.

Quarta-feira, 21 de junho

No ano da fome eu era muito menina mas me lembro ainda de algumas coisas daquele tempo. Se eu estivesse maior e mais esperta como hoje, acho que não passaríamos em casa o que passamos naquela ocasião.

Nunca nada me impressionou tanto como a fome daquele ano. Lembro-me até hoje das velas que mamãe acendia no oratório, pedindo a Deus que mandasse chuva. Não havia nada na cidade para se comprar. Os negociantes punham gente nas estradas para cercar os tropeiros para comprar o pouco que eles traziam e vender pelo dobro ou triplo. Quem tinha pouco dinheiro passava fome. Cada dia tudo subia mais. Chegavam todo dia notícias de gente morta na redondeza.

Em toicinho nem se falava. Vovó, sabendo que Seu Marcelo tinha matado um porco, mandou se empenhar com ele para ceder uma arroba por qualquer preço. Até hoje me lembro de nossa alegria quando vimos um crioulo da Chácara entrar com um prato com toicinho.

Domingo, 25 de junho

Ontem Leontino veio cedo nos convidar para a festa de S. João na Chácara da Romana. A casa tem uma horta enorme com muitas frutas e o jardim da frente é cercado de muro. Não sei por que tio Conrado larga uma chácara tão boa para morar na casa da cidade, com a parede da igreja na frente.

Tio Conrado não deixa de festejar S. João, porque o João de lá é o bonzinho da família. Toda a bondade que tinha de sair nos outros Deus reuniu num só; os outros são iguais a nós se não forem piores.

As festas de lá são muito boas por causa das coisas boas que tia Aurélia faz e enche um mesão de todo o tamanho. Mas, como não há nada perfeito, a gente tem que aguentar a fiscalização de tio Conrado, que tira o gosto de tudo que se faz. Não sei por que os primos de lá gostam de festas. Ele dava para as meninas uns traquinhos, umas espigas chinesas, umas rodinhas à toa, e assim mesmo ia assistir a atacar para não se queimarem. Soltava-se uma pistola de fogo ou busca-pé, já estava tio Conrado segurando as meninas para não se queimarem. Ficar perto da fogueira faz constipação. Pular fogueira, só para Helena que é doida. Assar cana, batata-doce, que horror! Só de uma coisa eu tive inveja. Não estou bem certa se é mesmo inveja, porque a gente às vezes pensa que é uma coisa e é outra; foi de tio Conrado fazer a festa cedo e mandar os primos descerem às nove horas para estudarem suas lições, apesar de ser sábado.

Se mamãe fizesse assim, eu seria boa aluna como eles são. Mas felizmente ela não se lembra disso.

Quinta-feira, 6 de julho

Eu e Luisinha passamos um dia, esta semana, na casa de tia Aurélia com as nossas primas. Elas são muito boazinhas, mas vivem metidas numa casa da cidade que não tem vista nem jardim para se brincar e não se pode ficar na rua. Temos de ficar brincando só de fazer comidinha de boneca o dia inteiro. Antigamente eu ainda gostava, mas hoje, com treze anos, não gosto mais desses brinquedos.

Elas insistiram tanto para nós ficarmos, que eu fiquei ajudando meus primos que são mais velhos. Minha tia faz quitanda* para vender e eles também invejaram. Ela lhes deu dinheiro e João comprou amendoim para fazer pé de moleque e Sérgio coco para cocadinhas. Ralamos o coco, debulhamos os amendoins e nos pusemos a fazer os doces.

As cocadas de Sérgio ficaram bem feitas mas João Afonso não acertou com o ponto do pé de moleque, e nós todos começamos a comê-los e a mexer com ele, fazendo caçoada. Ele, que é muito genioso, foi se infernando e não sei como lhe deu ideia de fazer uma bobagem tão grande. Ele trepou em cima da mesa e pisou os pés de moleque, desmanchando tudo de fúria.

Quando o tabuleiro das cocadas saiu para a rua nós lhe dissemos: "Não seja bobo de perder seu dinheiro. Conserte seus pés de moleque e mande pra rua. Quem comprar não sabe e o que os olhos não veem o coração não sente". Assim ele fez. Pôs todos no tacho, derreteu de novo em ponto e virou na mesa. Desta vez ficaram bons e bonitos. Ele contou-os e pôs a bandeja perto de Delmira, que estava vendendo as quitandas atrás da Sé, cada um por um cobre e três por cem réis.

Da sacada nós ficamos reparando para ver quem comprava. Quando alguém comprava um pé de moleque e saía comendo, João Afonso ficava doido de remorso e andando na sala, pra lá pra cá, com a mão na cabeça dizendo: "Que pecado horroroso eu estou fazendo! Como eu sou ruim, meu Deus!". E ficava chamando a quitandeira pra trazer os pés de moleque, mas nós não deixamos, convencendo-o de que a gente comer porcaria cozida não faz mal. Nenhum de nós se importou; até gostamos de ver os outros comendo pé de moleque pisado.

---

* Doces, bolos e biscoitos.

Terça-feira, 11 de julho

Se há uma coisa que me faz muita tristeza é gostar muito de uma pessoa, pensando que ela é boa e depois ver que é ruim.

Aqui na nossa vizinhança mora uma mulher chamada Isabelinha que parecia uma santa. Fala tão baixinho, tão quieta em casa, tão simpática para tratar com a gente, que nós em casa já estávamos gostando muito da mulherzinha.

Ela faz flores para vender e ganha para ensinar os outros, isto é, ensinar de mentira.

Mamãe tratou com ela para me ensinar por seis mil-réis por mês. Eu ia depois da escola e ela não procurava me ensinar; mas eu fui espiando certas coisas e vendo mais ou menos como ela fazia. Ela só me mandava cortar as folhas pelo molde, buscar água para as tintas e outras coisas à toa; mas quando precisava que eu ajudasse a prender um botão, pôr as folhas e cobrir o arame ou coisa assim, ela dizia só uma vez e eu fazia igual a ela. Uma vez ela me disse: "Você é um perigo, menina; aprende até sem a gente ensinar". E continuava fazendo as flores, sempre procurando um jeito de eu não aprender.

Há poucos dias ela teve encomenda de umas camélias. Ia cortando o pano e jogando no chão os retalhos. Eu apanhei todos e ela ficou contente, pensando que era para limpar a sala. Apanhei tudo, trouxe para casa e fechei-me no quarto com uma agulha de crochê e uma tesoura. Fui repicando as folhas como ela fazia e fiz dos retalhos dois botões de camélia.

Mamãe e meu pai ficaram inchados com minha habilidade e tomaram os botões para mostrar à mestra, esperando ver o contentamento dela com o progresso da discípula.

Ela veio de tarde à nossa casa como sempre, e mamãe foi logo buscar os botões. Ela olhou espantada e me perguntou: "Onde você encontrou o material?". Eu respondi: "Foram os retalhos que eu apanhei no chão". Ela calou-se e foi embora.

Hoje, quando eu cheguei para a aula, ela disse: "Não quero mais lhe ensinar. Isto é o meu ganha-pão. Se, com o cuidado que eu tive para não mostrar como eu faço, você já fez aqueles botões, se lhe ensinar você me passa na frente. E isto é que eu não quero. Pode dizer isso mesmo a sua mãe".

Eu não respondi nada e vim-me embora. Quero ver se ela ainda tem coragem de falar com mamãe.

Domingo, 16 de julho

Meu pai e mamãe ontem ficaram contentes comigo e meu pai até disse: "Agora é que vejo que esta menina tem discrição quando é preciso". Mas só Deus sabe quanto me custou guardar aquilo. Até me deu dor de barriga.

Meu pai chegou da lavra e, como era sábado, ele disse: "Vamos todos ao trinta e um na casa de Henriqueta. Amanhã vocês estudam". Fomos para casa de Iaiá e não sei por que apareceu lá Seu Paulino, que eu pensava que era homem direito.

Meu pai esteve conversando com mamãe que a ambição de todos no jogo é por ser com níqueis, que se fossem fichas não dariam tanta gana de ganhar, mas o monte de níqueis é que faz ambição. Eu sei que é, porque eu também quando vejo um bolo grande de níqueis fico até de aflição, de medo que os outros ganhem antes de meus pais.

Eu sempre fico sapeando de longe o jogo dos outros; não chego perto porque ninguém gosta. Hoje é que eu vi por que é. A mesa estava com um bolo que já era a terceira vez que crescia. Começou a animação e eu já aflita fui contando o jogo dos outros de longe. Mamãe ficou com trinta. Chegou em Seu Paulino eu olhei o jogo e contei baixinho: vinte; veio um ás, eu contei vinte e um; veio um quatro, eu contei vinte e cinco; quando veio um sete, eu contei alto: "trinta e dois!". Ele vira para mim e diz: "Um meninão desse tamanho e nem sabe contar!" e disse para a mesa "Trinta e um!". E jogou o ás de paus no chão.

Eu tomei um susto tão grande que pateteei. Nunca pensei que um homem vestido direito furtasse. Calei a boca e fui curtir minha tristeza na porta da rua, olhando o luar. Fiquei pensando e disse a Luisinha: "Quem sabe se ele fez isso porque na casa dele passam fome". Luisinha disse: "É mesmo. Você já notou como Heloísa é amarela?".

Quarta-feira, 19 de julho

Em frente à Chácara de vovó, na esquina da Rua do Rosário, há uma casa onde nunca se abriu uma janela. Só de tarde se abre a porta e sai de dentro Moisés de Paula com um sobretudo muito velho, de mãos atrás das costas, a passear pela cidade. Moram também com ele dois irmãos seus, Manuel Arrã e Modesta. Manuel Arrã é negociante no Beco da Cavalhada Velha, com uma vendinha que só tem rapadura, polvilho e pé de moleque. Modesta não tem licença de pôr o nariz na janela.

Moisés faz todo ano para o Natal um lindo presépio e nessa ocasião ele deixa que todos nós vamos vê-lo. Eu, desde pequenina, admirava Moisés como nunca admirei ninguém por causa dos presépios tão bonitos com o Menino Jesus deitadinho, cercado de bonecos e bichos tão bem feitinhos.

Todos nós temos muita curiosidade de conhecer a vida daquelas três criaturas tão metidas em casa, sem nunca abrirem nem uma janela. Se sai um dos irmãos, fecha logo a porta. Combinamos então mandar nossa prima pequenina, Ester, entrar lá com pretexto de perguntar a Modesta se tinha renda para vender. Ela é rendeira. Ester foi e passou lá algum tempo com Modesta. Quando Moisés a percebeu entrou na sala de jantar e disse: "Modesta, temos testemunha de vista em casa?".

Ester, que é muito espertinha, correu para a Chácara e nos contou e nós satisfizemos a nossa curiosidade.

Segunda-feira, 24 de julho

Cada dia acho mais razão no conselho de meu pai de escrever no meu caderno o que penso ou vejo acontecer. Ele me disse: "Escreva o que se passar com você, sem precisar contar às suas amigas e guarde neste caderno para o futuro as suas recordações".

Se eu não tivesse este caderno poderia guardar na memória o caso tão engraçado que vi ontem?

Siá Aninha, que fez anos ontem, veio convidar mamãe para jantar com ela e recomendou que nos levasse, que havia muita comida. Os jantares da casa de Seu Antônio Manuel são muito fartos. Eu, como mais esperta, meti-me na primeira mesa onde tudo é melhor. Fiquei bem quietinha no canto perto dos bebedores e comedores. O maior comilão da cidade é Seu Antônio do Rego. O maior bebedor é nosso pobre professor Seu Leivas que em todas as festas acaba sempre bicudo.*

O que vi ontem no jantar eu nunca pensei que se desse.

Depois que Padre Augusto acabou de recitar uns versos à saúde de Siá Aninha, eu olhei para Seu Leivas e vi-o encher as bochechas, de boca fechada, numa careta muito engraçada. Eu não despregava os olhos dele, rindo a mais não poder. Seu Antônio do Rego, quando viu aquilo, agarrou uma travessa de lombo de porco com batatas que estava na frente dele e escondeu debaixo da mesa. Eu estava vendo tudo espantada sem compreender, quando se deu uma coisa incrível. Seu Leivas encheu de novo as bochechas, dois esguichos de cerveja lhe saíram pelas ventas e regaram todos os pratos que estavam na frente!

Levaram Seu Leivas para dentro, cobriram a toalha e Seu Antônio do Rego pôs de novo a travessa na mesa dizendo: "Este, ao menos, está salvo; vamos aproveitar e comê-lo, antes que o Leivas volte!".

Não pude acabar de jantar. Não era só o nojo que aquilo me causou, como meu frouxo de riso que não parava mais. Quando começaram a cantar os coretos,** levantei-me da mesa e fomos ao quarto dos doces, onde Caetaninho do Palácio guardou para

* Bêbado.
** Coretos: canções báquicas com que terminavam os jantares.

mim separado um prato de manjar e geleia feita por ele, que é uma delícia.

Quarta-feira, 26 de julho

Hoje, fui chegando, jogando os livros na mesa e começando a fazer as obrigações da semana: passar a roupa da casa a ferro. Mamãe manda lavar fora e vai guardando para nós passarmos na quinta-feira. Eu tenho obrigação de passar a minha, de mamãe e de meu pai. Luisinha a dela e de meus irmãos. Muitas vezes eu tenho de acabar as minhas e ajudar a Luisinha. Ela é mole em tudo.

Como amanhã é nosso dia bom de passeio ao campo, eu não quero deixar nada por fazer. Já estou escrevendo a carta e se tiver tempo ainda copiarei o exercício hoje.

Passei roupa até agora e não acabei tudo. Amanhã vou me levantar cedinho, arear meu quarto, terminar a roupa e deixar tudo prontinho. Como vamos sempre às oito horas, terei tempo. Levo os livros e estudo as lições no campo. Mamãe não gosta de ter criada porque diz que nós precisamos de trabalhar.

A nossa negrinha Cesarina tem nos feito muita falta. Ela adoeceu do peito e mamãe não quis tratá-la em casa, coitadinha, porque diz que a moléstia pega muito. Ela está na Boa Vista e soubemos que já está melhorando. Fiquei muito contente porque a mãe dela morreu tísica e eu tinha medo que ela morresse também. Ela é tão nossa amiga e tão boazinha para nós.

Quinta-feira, 27 de julho

Hoje foi dia da chácara de Seu Ricardo. Mamãe gosta muito das donas de lá. Uma é mulher de Seu Ricardo e outra é cunhada. São iguaizinhas as duas; o que uma fala a outra repete. A única coisa aborrecida ali são os cachorros, que latem muito tempo antes que venha alguém abrir o portão. Nós sempre compramos fruta ali, pois sendo das frutas que não aturam, elas mandam a gente mesmo apanhar. Hoje fomos comprar limõezinhos; é uma fruta ótima. Elas nos mandaram subir nos pés, comemos à grande, enchemos o cesto e elas não aceitaram dinheiro. Elas ainda nos obsequiaram com o vinho que fazem lá, que é muito gostoso, biscoitos de goma e broas.

Quando a gente vai com mamãe é que é esse agrado todo. Sozinhas, nada.

Sábado, 5 de agosto

Estou convencida de que, se vovó dirigisse o dinheiro dela, nós não passaríamos necessidade e mamãe e meu pai não ficariam tão amofinados como ficam às vezes, por falta de um pedaço de papel sujo, a que a gente tem de dar maior valor do que a muita coisa boa na vida. Meu pai vive sempre esperando dar num cascalho rico: mas é só esperança, esperança, toda a vida. Quando ele dá no lavrado, como desta vez, lá se vai todo o dinheiro e ainda fica devendo.

Eu, tirando meu título de normalista, sei que tudo vai melhorar, pois irei até para o fim do mundo dar minha escola. Já fiz meus planos, tão bem assentadinhos, que até poderemos guardar dinheiro. Mas deixar meu pai nesta peleja, furando a terra à espera de diamantes que não aparecem, é que não deixarei. Às vezes eu dou razão a Seu Zé da Mata, da resposta que ele deu quando meu pai o foi convidar para entrar de sociedade num serviço de mineração. Ele disse: "Não, Seu Alexandre, eu não deixo o meu negócio onde estou vendo o que tenho, para procurar debaixo da terra o que eu não guardei lá!".

Vovó sofre sabendo o que passamos, que nem a ela a gente conta, mas eu penso que ela adivinha. Os diamantinhos que meu pai tirou não deram para as despesas. E agora o que será? Tenho tanto medo de meu pai ser obrigado a vender a nossa casa, como ele já anda falando.

Hoje, depois do jantar, fomos à Chácara antes de mamãe,

que meu pai estando em casa ela vai sempre mais tarde. Glorinha estava lá e fomos as duas para a frente brincar. Vovó me chamou, e Glorinha, pensando que era para eu ganhar alguma coisa, foi atrás. Vovó me perguntou: "O que é que vocês comeram hoje, minha filha?". Glorinha, antes de eu responder, foi logo dizendo: "Eu, vovó, comi só tutu de feijão". Vovó disse: "Eu não te perguntei nada. Se vocês comem só feijão é porque querem. Seu pai tem muito boi. Perguntei à Helena, coitadinha, porque o pai dela está sem nada". Depois vovó me deu, sem Glorinha ver, um papel dobrado para entregar a mamãe. Quando mamãe abriu era uma nota de cinquenta mil-réis.

Quinta-feira, 10 de agosto

Cheguei hoje da Chácara com pena do que sucedeu a Glorinha, coitada.

Os negros da Chácara, quando acabam o serviço, já vêm com a chave da horta no bolso; a horta dorme fechada.

Hoje todas as primas estavam reunidas lá e tinha de haver coisa malfeita. Saímos todas para a pedreira e logo elas se lembraram das ameixas e ajudaram a mim e Glorinha a saltar o muro para apanhá-las. Saltamos, apanhamos as ameixas e íamos atirando para elas. A noite estava escura e nós com pressa, para não descobrirem. Quando eu já tinha apanhado bastante, pulei outra vez o muro para fora. Glorinha, que é mais arada,* ainda ficou comendo. Quando ela foi saltar, foi tão infeliz que escorregou e caiu sentada na figueira-do-inferno. Disparou a gritar e as tias vieram correndo ver o que tinha acontecido. Glorinha foi carregada para dentro e os espinhos estavam tão fincados que ela gritava quando se arrancava um.

Felizmente não se falou em ameixa e ninguém soube por

* Arada: gulosa.

que foi a coisa; senão vinha logo a lenga-lenga: "Foi castigo que Deus deu, e bem merecido!".

Sábado, 12 de agosto

Se há uma casa onde eu não gosto de dormir é na de tia Aurélia. Não aguento o método e a ordem de tio Conrado com hora certa para tudo. Isso só dá certo para o estudo dos primos, mas para mim é enjoadíssimo!

Ontem as primas embirraram para eu e Luisinha irmos dormir lá. Juntas quatro assim é impossível ter sono e só queríamos brincar; mas tio Conrado também não dormia com a nossa conversa e só nos chamava a atenção todo o tempo. Eu que sou a mais velha das quatro é que ficava incomodada com os pitos dele. Elas que são filhas não se incomodavam e só queriam conversar e rir. Certa hora, como tínhamos posto os colchões no chão, uma pulga entrou no ouvido de Beatriz e ela pula da cama desorientada e entra pelo quarto de tio Conrado gritando: "Uma coisa entrou no meu ouvido! Eu fico doida! Me acode!". Tio Conrado desceu da cama e disse: "É uma pulga, minha filha, não vale nada!". Pelejava para tirá-la sem conseguir e Beatriz gritando: "Me acode! Eu fico doida!". Ele então, mais nervoso do que ela, pedia: "Dê cá uma pulga pelo amor de Deus! Arranjem uma pulga que eu quero pôr no meu ouvido para mostrar a esta menina que isto não é nada!". Mas nada de se arranjar uma pulga. Era impossível. Eu procurava com muita vontade de encontrar, para ele pôr mesmo no ouvido e não ficar contando histórias. Nunca tive tanto desejo de fazer uma maldade. Mas tive vontade tão grande de rir da cena dos dois, Beatriz gritando com a pulga e tio Conrado querendo também uma para pôr no ouvido, que não pude me conter.

Nunca passei por isso, mas imagino que deve ser horrível. Felizmente a pulga saiu e nós fomos dormir sossegadas.

Segunda-feira, 14 de agosto

Mudou-se para nossa vizinhança uma família muito grande, com muitos filhos. Uma das meninas é minha colega e muito bonita e simpática. Logo tomamos amizade e elas estão sempre na nossa casa. Mamãe não quer que nós frequentemos as casas dos vizinhos, mas gosta quando temos amigas que vêm brincar conosco na nossa porta. Eu gosto das meninas e acho a família toda simpática, mas a mãe delas tem um defeito horrível. Vai acabando de jantar e vai assentar na pedreira da porta da rua com a filharada toda e essa hora é que ela acha para catar piolho nos filhos. Nós de cá de casa ficamos olhando admirados. Ela prende um filho no colo, cata a cabeça dele e vai matando os piolhos com a unha até aquele ficar cansado de estar deitado. Ele sai, ela chama outro, e passa as tardes tão bonitas do mês de agosto catando piolhos nos filhos. Eu fico admirada das filhas, que são da minha idade, não falarem com a mãe para deixar daquilo. Fui lá ontem, ela me deu um pé de moleque e me mandou comer. Eu me desculpei que ia trazê-lo para a casa porque estava doente. Mas pensei foi nos piolhos e fiquei com nojo.

Sexta-feira, 18 de agosto

Mamãe tem umas primas velhas que nós chamamos de tias. Uma delas, mais velha do que mamãe, casou há muito tempo e nunca teve filhos. De tempos para cá, quando os tios estavam juntos, falavam muitas vezes do filho que tia Raimundinha estava esperando.

Eu costumo ficar escutando a conversa de minhas tias para ouvir as novidades, que é sempre o que vem em primeiro lugar antes do preço dos mantimentos. Ouvia sempre alguma delas perguntar: "Vocês não estão incomodadas com a gravidez de Raimundinha? Ela, já daquela idade, é muito perigoso, ainda mais sendo o primeiro filho assim". E ficavam contando casos de gente de idade que morreu tendo o primeiro filho.

Tia Raimundinha, quando se encontrava com elas, só falava no menino, no enxoval, na alegria de ter seu filhinho, mesmo já de idade. Era até Deus que o mandava agora que ela e o marido viviam sozinhos. De algumas semanas para cá aumentou a preocupação de todos, porque já tinha passado o tempo de o menino nascer e ninguém teve tranquilidade na família. Meu pai dizia em casa a mamãe: "Isto é o menino que morreu na barriga e agora vai ser uma coisa muito séria".

Tia Raimundinha, tranquila, esperando. Tanto Iaiá a atormentou que ela resolveu chamar o tabelião para fazer testamento e isto assustou a família. Ontem cedo a negra da casa passou pela Chácara e contou que tinha ido à procura da parteira. Hoje, como não havia notícias, mamãe e minhas tias resolveram visitá-la. Ela mora muito longe; assim mesmo fomos todas, ansiosas de ver o menino. Chegando lá encontramos Raimundinha sentada diante da almofada de renda e sem barriga. Minhas tias perguntaram pelo menino e ela, com uma cara desconsolada, respondeu: "Era ar. A Engrácia disse que partejava há trinta anos e nunca tinha visto uma coisa assim. Me amassou a barriga como amassa pão e vocês nem imaginam o que aconteceu".

Domingo, 20 de agosto

Meu pai chegou ontem da Boa Vista às dez horas da noite. Eu sempre desejei ter nascido homem e só certas horas gosto mais de ser mulher. Ontem, por exemplo, fazia um frio! Pois meu pai teve de chamar meus irmãos para levarem a besta para o pasto de Pedro Falci, que é muito longe! Os dois foram tiritando de frio e eu fiquei na minha cama quente, contente de ser mulher. Eles fizeram uma arte qualquer no caminho e voltaram muito quietos e se meteram na cama sem dizer nada.

Hoje vimos que Nhonhô estava de cabeça quebrada, com uma grande brecha, e nem passou água para tirar o sangue. Meu pai indo à casa de Seu Manuel César soube do que Renato fez, porque o caso se passou na porta de Seu Sebastião Coruja, caixeiro dele. Renato montou Nhonhô na besta em pelo e cutucou-a com uma varinha. Ela deu um pinote e atirou o pobrezinho com a cabeça na calçada.

Renato sempre faz dessas coisas. Já pedi a mamãe que não deixe Nhonhô acompanhá-lo. Eu carreguei Nhonhô de pequeno e por isto gosto muito mais dele. Quando ele nasceu eu já tinha cinco anos e pude ajudar mamãe.

Eu e Luisinha gostamos tanto de criança que a única distração que temos aqui na Cavalhada é pajear os meninos dos vizinhos. Quando não encontramos menino branquinho carregamos mesmo os negrinhos da Chácara.

Quarta-feira, 23 de agosto

Hoje vovó esteve me explicando que muitas vezes a gente tem de fazer uma coisa malfeita para evitar um mal maior. Ela, para viver bem com vovô, tinha de enganá-lo algumas vezes. Ele tinha um gênio diferente de todos da casa.

Uma das coisas com que vovô embirrava era de fazer sabão na Fazenda. Vovó disse que ela não podia compreender viver na Fazenda comprando sabão. Então mandava os negros, no tempo dos pequis, buscar cargueiros deles para fazer sabão. Quando vovô via chegar aquela porção em casa, perguntava a vovó para que ela queria tanto pequi. Ela respondia: "É para fazer velas, Batista". Ele então perguntava: "Faz-se velas de pequi?". Ela respondia: "Muito boas". Ele dizia: "Pois eu quero vê-las depois de prontas". Vovó enchia o tacho de pequis, fazia sabão escondido e ele acabava se esquecendo das velas.

Vovó disse que para viver bem com ele tinha de esconder as coisas malfeitas e tudo que o aborrecesse porque, quando ele zangava, trancava-se no quarto e não queria sair. Uma vez ela teve de pular a janela e adulá-lo muito tempo para ele sair. Eu disse a vovó: "Eu não fazia isso. Ele podia ficar no quarto o tempo que quisesse, que eu não iria adulá-lo".

Eu penso que a família ficou tão resignada assim, por viverem sempre se contrariando para não desagradarem vovô. Por que nenhuma neta hoje é boa como suas mães e tias? Vovó disse que hoje está tudo anarquizado e tudo está diferente. Eu lhe disse: "Graças a Deus, vovó. Deus me livre se fosse ainda como no seu tempo".

Tia Aurélia conta que, sendo ela a mais corajosa, disse às outras que ia entrar na sala para pedir a vovô um vestido de escócia branca para o Natal. As irmãs não acreditaram. Ela então quis mostrar coragem e entrou na sala para pedir a vovô; mas começou a tremer tanto que lhe aconteceu uma coisa horrível. Vovô então ficou com pena e mandou buscar os cortes para todas elas.

Eu estive dizendo a vovó que eu converso com meu pai o que quero, conto tudo a ele e juro que se ele fizesse alguma coisa malfeita eu lhe falava francamente. Eu vi que vovó acha melhor assim porque ela só me disse: "É mesmo, minha filha. Os tempos estão mudados".

Quinta-feira, 24 de agosto

Hoje cheguei em casa tão diferente que Renato foi me olhando e dizendo: "Olha a cara dela!". Luisinha, que é melhor mil vezes do que ele, disse: "Como você ficou bonita, Helena! Quem te arranjou assim?". Eu respondi: "Foi Ester". Conversando com elas na pedreira eu disse que sabia que era feia mas não me incomodava porque mãe Tina me criou sabendo que "o feio veve, o bonito veve, todos vevem". Quando eu disse que era feia, Ester exclamou: "Você feia? Deixe-me arranjá-la e você verá". Consenti, ela pegou na tesoura e cortou-me o topete, penteou-me, depois me pôs pó de arroz, e quando eu olhei no espelho vi que não era feia. Elas riram muito quando eu contei o nosso sistema aqui de untar o cabelo com enxúndia de galinha até ficar bem emplastado. Ela me disse que lavasse os cabelos, depois anelasse e fosse lá para me pentear. Que bom eu ter feito amizade com a família de Dona Gabriela! Elas são tão boas! Se não fossem elas eu nunca me lembraria de cortar o topete e pentear os cabelos na moda. Ester achou graça de eu lhe contar que mãe Tina dizia que "o bonito veve, o feio veve". Ela disse: "É verdade, mas o bonito veve melhor". Como estou hoje feliz de ter ficado bonita!

Terça-feira, 29 de agosto

Por que todo o mundo gosta de reprovar as coisas más que a gente faz e não elogia as boas? Eu e minha irmã nem parecemos filhas dos mesmos pais. Eu sou impaciente, rebelde, respondona, passeadeira, incapaz de obedecer e tudo o que quiserem que eu seja. Luisinha é um anjo de bondade. Não sei como se pode ser como ela, tão sossegada. Nunca sai de casa sem ir empencada no braço de mamãe. Não reclama nada. Se eu disser que já a vi reclamando um vestido novo, minto. E se ganha um vestido e eu quiser lhe tomar, ela não se importa. Pois todos me chamam de menina rebelde e ninguém elogia Luisinha.

Vou escrever aqui o que eu fiz com ela e não tenho vergonha, porque é só o papel que vai saber.

Ela vinha guardando, há meses, cinquenta mil-réis que o padrinho lhe deu pra comprar um vestido. Desta vez eu achei que devia festejar meu aniversário com um jantar às amigas, pois todas elas me convidam quando fazem anos. As negras da Chácara são todas muito boas para mim. Generosa, que é muito boa cozinheira, já me tinha falado que se eu arranjasse uns cobres ela faria um jantar muito bom, sem eu me incomodar com coisa alguma. Na imaginação eu sou sozinha na família. Já tenho fama disso. Veio-me logo à ideia o dinheiro de Luisinha. Mas, não querendo entristecê-la, eu preparei as coisas bem e lhe disse: "Você me dê seus cinquenta mil-réis para o meu jantar. Se você fizer o vestido, é só você que lucra. Se me der o dinheiro, eu faço o jantar, ganharei muitos presentes e nós dividiremos tudo". Luisinha concordou. Dei o dinheiro a Generosa. Ela preparou um banquete que tinha até peru. Ganhei de

presente: dois vestidos, um vidro de perfume, um de água-de-
-colônia, uma dúzia de lenços, uma caixa com seis sabonetes, três pares de meias, uma lata de biscoitos, afora os pudins e doces.

Acabada a festa, as primas intrometidas começaram a tomar o partido de Luisinha, querendo que eu dividisse tudo logo na mesma noite. Mas eu não tive coragem de me desfazer de nada e disse a elas: "É melhor dividirmos hoje só a lata de biscoitos e deixarmos o resto para amanhã".

Hoje Luisinha reclamou e eu lhe dei mais um sabonete e um par de meias. Ela protestou mas frouxamente. Eu sei que ela acabará esquecendo. Eu sei que o trato não foi cumprido, mas não tenho remorso, porque eu preciso mais do que ela. Ela quase não sai de casa, só vai à Chácara, e eu saio todo dia.

Quinta-feira, 31 de agosto

Hoje tive um dos dias mais felizes da minha vida. Fui chegando em casa e encontrando em cima da mesa uma caixa grande de papelão. "Que é isto, mamãe?" Ela disse: "Não sei. Entregaram aí e eu deixei para você mesma abrir. Veja a carta o que diz; está ali na mesa". Abro a carta e ela dizia: "Minha queridinha Helena: Eu e Carlos não nos esquecemos de seu aniversário e por isso os dois nos reunimos e lhe mandamos sua *toilette* do dia, que desejamos que você festeje com toda alegria e felicidade que você merece. Tudo foi feito por minhas mãos, até os bordados e esperamos que ainda chegue em tempo. Eu e seu padrinho lhe enviamos saudosos abraços, pedindo a Deus que você continue boazinha e feliz como tem sido até hoje". Vinha esta carta dentro de outra para meu pai. Que pena que o presente não tivesse chegado antes do dia 28!

Esta minha madrinha estudou para normalista na nossa casa, já de idade, e foi como professora para Santa Maria de São Félix, morar com tio Carlos que é comerciante lá.

A família de vovô inglês é a família mais bem organizada

que eu tenho conhecido. Ele teve muitos filhos e depois de criados entregou a cada irmão uma irmã para cuidar e sustentar. Madrinha Quequeta era de meu pai. Todos vão vivendo, mas só tio Mortimer é que já fez fortuna. Quando fizeram Escola Normal em Diamantina tia Madge tinha perto de quarenta anos. Assim mesmo ela entrou para a Escola e tirou o título. Mora com tia Ifigênia e tia Cecília, que são boas modistas e no tempo das frutas vão todas para a Fazenda fazer marmelada e goiabada. A "goiabada das inglesas" é apreciada até no Rio de Janeiro. Tia Neném nunca saiu da Fazenda e vive a vida inteira doente, coitada. Madrinha Quequeta também invejou tia Madge, entrou para a Escola depois de velha e já está na Santa Maria ganhando dinheiro e mandando coisas bonitas para mim. Também eu quero tanto a estas minhas tias!

Veio-me um vestido de cassa branca com pingos, uma anágua muito bonita de renda, uma camisa e umas calças bordadas. Umas botinas de botões, três pares de meias e uma dúzia de lenços. O vestido é tão bonito que já estou vendo a minha sorte na primeira festa. É de babadinhos.

Vou já levar tudo para mostrar a vovó só para ouvi-la dizer: "Que mãos de fada têm suas tias!".

Sábado, 2 de setembro

Cesarina entrou hoje pela porta adentro, já sã da fraqueza do peito e nós corremos para recebê-la com a maior alegria.

Mãe Tina quando morreu deixou dois filhos com mamãe, Cesarina e Emídio. Cesarina é muito boazinha, mas Emídio deu para carregar Renato para furtar fruta na horta dos outros; então mamãe pediu a vovó para ficar com ele na Chácara, onde há mais que fazer e ele fica longe de Renato. Cesarina ficou em casa nos ajudando muito no serviço. Mas, tempos atrás, ela deu para cuspir sangue, mamãe então disse que era a tísica de mãe Tina e a levou para a Boa Vista, para a casa de Siá Virgínia, e ia dando uns cobres para ajudar na despesa.

Hoje ela voltou bem mais gordinha e alegre. Quando ela está em casa é só fazendo a gente rir, mas ajuda no trabalho que é uma coisa boa para mamãe e para nós. Agora já vou ter mais tempo para estudar e escrever, pois ela arruma tudo direitinho e cuida de minha roupa.

Segunda-feira, 4 de setembro

Ouço todos os dias dizerem: "Fulana puxou ao pai ou à mãe". Fico pensando e às vezes pergunto a mamãe por que nenhum de nós puxou a ela ou a meu pai. Eu sou capaz de sacrifício por um menino, mas não era capaz de me sacrificar a vida inteira por um amigo, como meu pai por tio Geraldo.

Quando mamãe diz que ele não faz nada em retribuição, meu pai responde: "Eu graças a Deus não preciso; sou um homem sadio".

Tio Geraldo está doente há muito tempo e sem coragem de ir tratar-se na Água Quente de Santa Bárbara sem meu pai. Este mês meu pai, depois que apurou o serviço de mineração, foi com ele e mamãe ficou conosco. Mamãe não pode ficar longe de meu pai muito tempo. Não tinha feito uma semana da ida dele e mamãe recebendo uma carta que ele não estava passando bem do estômago, resolveu ir atrás. Eu acompanhei-a à Chácara para tomar a bênção a vovó e depois ir para a Escola. Encontramos Dindinha e vovó ainda na ladainha da manhã. Ajudamos a responder e quando acabaram as rezas mamãe disse a vovó: "Vou a Santa Bárbara. Vim lhe dizer que vou deixar aqui os três mais velhos e levo só o Joãozinho que é pequeno. Recebi carta de Alexandre que ele está com o estômago ruim. Isto não é senão a carne seca e dura que ele não pode comer. Se eu deixar, a coisa piora. A senhora sabe Alexandre como é; fica só pensando na saúde do Geraldo e nem se lembra de si. E se adoecer, morre como um carneiro".

Vovó concordou e mamãe seguiu. Nós ficamos na Chácara e eu morta de saudades de mamãe. A Chácara é muito cheia de gente e nós não temos um cômodo para estudar. Quando é coisa de decorar é fácil, mas Aritmética é mais difícil. Vovó me atormenta o dia inteiro para estudar, mas eu sempre que estou na Chácara procuro mais escrever, que é o que eu faço sem prestar muita atenção.

Eu gosto de mamãe querer tanto assim a meu pai, mas acho que a vida das minhas primas que têm mães menos agarradas aos maridos é melhor que a nossa. Nunca vi uma prima ter de largar a casa dela e vir ficar na Chácara, como nós sempre ficamos, para mamãe ir atrás de meu pai.

Quarta-feira, 6 de setembro

Nenhum neto de vovó se mete na conversa de gente grande. Ninguém na família gosta de menino intrometido. Todos nós vamos chegando na Chácara e tratando de ir brincar no gramado da frente. Só Onofre gosta de ser tratado como gente grande e não se mete conosco. Quando ele vem aqui à Chácara com tio Geraldo, fica sentado na sala como homem e se metendo nas conversas. Tio Geraldo vai virando as costas e todo o mundo começa a reprovar a educação e a antipatia de Onofre. Nenhuma de nós gosta dele.

Hoje, quando cheguei da Escola, encontrei Onofre sentado na sala com vovó. Ele tinha vindo trazer um recado de tio Geraldo, e ele e vovó muito sem assunto não achavam o que conversar. Vovó foi me mandando assentar, eu penso que para ajudá-la a aguentar a visita dele. Fiquei assentada também sem assunto. Vovó uma hora perguntou: "Então vocês estão com alugada nova?". Ele respondeu: "Estamos sim senhora". "É boa cozinheira?" Ele disse: "Eu acho que é, porque ela cata o feijão". Dobrei numa gargalhada com a resposta. Nunca pensei que houvesse alguma que não catasse. Vovó me ralhou: "Você está rindo porque vocês não têm alugada e fazem suas coisas bem feitas. Mas ele está dizendo muito bem. Uma cozinheira que cata feijão já é alguma coisa. Quase todas elas lavam sem catar".

Sexta-feira, 8 de setembro

Fui chegando à Chácara e dando por falta de vovó: "Que é de vovó, Dindinha e Iaiá? Aonde foram?". Elvira respondeu: "Elas foram para a casa de Sinhá Aurélia que teve um mau sucesso e Sinhá Teodora mandou dizer que vocês fossem para lá quando viessem da Escola". Eu disse: "Vovó sabe que a gente precisa estudar, levar as lições sabidas amanhã, e como faz essa maldade? Sabe, Elvira, não seria melhor eu ficar e Emídio ir dizer a vovó que eu preciso estudar?". Ela respondeu: "Não. Você sabe que ela não sossega com vocês longe dela".

Eu pensei comigo: "Ó meu Deus! Tomara que mamãe chegue! Aqui eu tenho de viver é assim, só obedecendo e sofrendo caladinha, sem um pio". Fui na carreira para a casa de tia Aurélia, porque estava morta de fome, esperando que me dessem logo alguma coisa de comer. Chegando lá as tias já foram dizendo: "Não lhe deem nada porque está na hora do jantar e ela perde o apetite".

Se há uma coisa que eu desejo na vida é ser menos esfomeada do que sou. Tenho até vergonha. Nunca tive um dia de pouca vontade de comer. Até já perguntei ao doutor se não haverá um jeito da comida não gastar tão depressa e ele achou graça.

Esperei sem poder falar muito, de tanta fome. Chegou a hora do jantar e a negra Maria encarreirou todos os meninos no banco da mesa grande do salão do forno e foi trazendo os pratos feitos para cada um. Quando chega a minha vez Maria vira para mim e pergunta: "Sinhá Helena, ocê também quer janta?". Eu, espantada da pergunta, respondi: "Não, não quero não!" pensando que a burra entendesse. Espero o meu prato e não vem. Grito a Maria: "Que é do meu prato?". Ela responde: "Uai! Ocê não disse que não queria? Agora não tem mais comida".

Fiquei tão pasma que nem pude reclamar. Fiz o que mamãe diz que a gente deve fazer quando o sofrimento é grande: oferecer o sacrifício a Deus que ele agradece e ajuda depois, quando se precisa.

Não quis a sobremesa de melado com cará. Não sei se foi para fazer bem o sacrifício ou se foi de raiva. Acabado o jantar vovó olhou para mim e disse: "Você está pálida e de beiços brancos. Que é isto? Está doente?". Eu respondi: "Não senhora. Talvez seja porque eu não merendei nem jantei". Vovó exclamou: "Forte coisa!".

A casa de tio Conrado é muito farta, mas tia Aurélia está de cama e vovó não tem liberdade com a prima Bi que está olhando a casa. Vovó tinha ido para dormir; ela não pode mais sair de casa e voltar no mesmo dia. Ela disse a Dindinha: "Sabe, Chiquinha, não podemos ficar aqui, estas meninas precisam estudar". Eu entendi logo por que era. Dindinha respondeu: "Por isso não, minha mãe. Mandamos buscar os livros dela e Luisinha, e elas estudam aqui mesmo". Vovó respondeu baixo, para Dindinha só ouvir: "Mas eu sou senhora de minha vontade e não quero governo. Quero ir e vou!". Dindinha olhou para mim como quem diz: "Você me paga!". Despedimo-nos e eu ainda ouvi Dindinha dizer a tia Aurélia: "Que se há de fazer, Quita? Inhá, com este idiotismo de agarramento com Alexandre, vai embora e deixa a filharada conosco, para minha mãe ficar assim como você está vendo".

Voltamos para a Chácara e eu fui carregando o tamborete para vovó ir descansando pelo caminho. A única coisa que eu aguento com paciência na vida é a moleza de vovó na rua. O que a gente pode andar em cinco minutos com ela tem de ser em meia hora, com o braço enfiado em Dindinha e a bengala na outra mão.

Chegando à Chácara Dindinha me pirraçou dando-me só um pedaço de queijo e duas bananas para jantar. Comi e disse a vovó que tinha comido uma porção de coisas.

Segunda-feira, 11 de setembro

Vovó tem um ditado bem ruim para nós que temos de aguentá-lo. Ela diz sempre: "Remenda teu pano, que durará um ano. Remenda outra vez, que durará um mês". Ontem eu estava com meu vestido branco, que tem me durado muito, já rasgado. Como mamãe está na Santa Bárbara, eu aproveitei, rasguei-o ainda mais e mostrei a vovó, para ter pretexto de não ir com Dindinha jantar na casa de tio Geraldo e ganhar outro. Ela veio com o ditado, coseu o vestido todo e eu tive de sair com o vestido cosido nas rendas. Como eu não gosto de ir jantar em casa de meu tio e já estava bem enjerizada de ser obrigada a acompanhar Dindinha, não me incomodei de ir com as rendas todas recosidas. Também dei prazer aos primos ricos que gostam de me ver malvestida. De outra vez vovó não vai me pilhar para fazer vestido velho aturar um ano e depois um mês.

Quarta-feira, 13 de setembro

Hoje fiz uma coisa tão malfeita! Mas não posso me arrepender porque não fui culpada. Vovó ficou tão aflita, que achei que Dindinha e Iaiá tiveram razão de ficar com raiva de mim e me xingarem como xingaram.

Tudo é só por mamãe estar fora. Eu e Luisinha estamos dormindo no chão, no quarto de vovó. A casa está cheia e não tenho um canto para estudar uma lição. Quando é de decorar, eu decoro mesmo andando de um lado para outro, em qualquer parte; mas para exercício de Aritmética e Francês, se a gente não procurar um canto sossegado, não pode fazer nada. Então eu descobri uma coisa do outro mundo; foi até Deus que me ajudou. Fui apanhar amoras e fui subindo, subindo até os galhos lá do alto. Que descoberta! Lá em cima, avistando-se o céu, a amoreira estava tão trançada de erva-de-passarinho que parecia um colchão. Deitei-me em cima e ficou o mesmo que uma cama. Descobri levar os livros para lá e estudo e escrevo sem ser amolada toda a hora. Eu digo a vovó que vou estudar debaixo da amoreira e subo e fico lá em cima.

Hoje cheguei da Escola, passei a mão no lápis, nos livros e nos cadernos e fui para a horta. Trepei na amoreira e fiquei estudando e olhando a vista dali que é uma beleza! Arranjei de tal forma que fiz uma cama e uma mesa, onde posso estudar mesmo assentada. Não podia imaginar o que me aconteceu. Depois que estava com as lições e os exercícios prontos, se havia de descer e vir embora, me esqueci da vida olhando as nuvens do céu e pensando, pensando, até dormir.

Quando acordei já estava escuro. Desci correndo e vim para dentro. Quando entrei na sala e vi vovó com o rosário grande de contas pretas na mão, rezando, compreendi o que havia feito sem querer. Vovó só reza assim, fora da hora, em casos muito graves. Ela, coitada, que é a única que gosta de mim, quando me viu chegar ficou tão alegre que não me disse nada; ficou só me mandando jantar. As tias é que dispararam numa ralhação que foi preciso vovó gritar com Iaiá: "Chega! Basta de tanto falar! Deixa a menina comer em paz".

Eu fico às vezes pensando como é que uma criatura boa como vovó pode ter tanto filho ruim como ela tem. As tias só querem que vovó goste dos que elas criaram. Dindinha quer que todos gostem de Nestor, Iaiá de Nico e tia Clarinha dos netos. Elas danam de ver vovó só gostar de mim. Mas hoje fui esperta; contei tudo diferente. Pensei na mesma hora que se eu dissesse a história da amoreira, as duas pestes de Nico e Nestor iriam desmanchar a minha cama e eu estaria perdida. As tias ficaram: "Diga onde você esteve escondida e matando minha mãe de aflição todo esse tempo! Já todos de casa andaram à sua procura há duas horas. Você merecia era uma tunda! Endemoniada! A casa e a horta foram reviradas de cabo a rabo sem te encontrar. Diga onde estava!".

Eu tive tempo de pensar enquanto ouvia o xingatório e respondi: "Não acredito que a horta toda fosse revirada, pois eu estava deitada na touceira de bananeiras, logo junto do portão". Elas disseram: "E como não atendeu aos gritos de todos?". Eu respondi: "Porque estava dormindo".

Vovó me agradou o resto da noite e eu vi que foi por ser tão xingada sem ter culpa.

Oh! avozinha boa!

Domingo, 17 de setembro

Não posso deixar de dar razão a Dindinha da raiva que ela tem de vovó, já tão velhinha, ficar se afligindo por minha causa. Mas que culpa tenho eu?

Vovó mostra gostar mais de mim que de Luisinha que é afilhada dela. Desde pequenina me fazia uns agrados que mamãe nunca fez e prestava atenção a tudo que eu falava. Ela me diferencia tanto das outras que, sem sentir, fica me parecendo que ela é a mãe e mamãe é avó. Se penso uma coisa falo a vovó, se tenho alegria digo a vovó, se tenho raiva me queixo a vovó. Ela, depois de mais velha, me faz de menino pequeno. Se come uma coisa me dá o resto; se vai passear na horta me chama; se quer apanhar fruta sou eu que tenho de ir; na hora da reza, de noite, eu é que tenho de tirar o terço.

Ontem foi dia de decorar pontos de Geografia. Eu não tenho mapa e mesmo que tivesse não estudava no mapa; é tão mais fácil decorar. A sala de visitas estava vazia e eu me tranquei lá e fiquei estudando alto, passeando de um lado para outro. Vovó abriu a porta umas duas vezes durante esse tempo para me dizer: "Chega, minha filha, isto cansa. Você é tão magrinha!". Mas eu respondia: "Não, vovó, deixa-me decorar todos os pontos de uma vez; depois recordar é mais fácil".

Quando acabei já estava vovó com um copo de leite e rosquinhas à minha espera: "Vem comer isto para não ficar fraca. Você já é tão magrinha e com este estudo vai virar um espeto". Tomei o leite com as rosquinhas; mas como tinha que ir à Escola, saí na carreira para a horta, subi na jabuticabeira e chupei até arrotar três vezes. Desci do pé já farta e meio enjoada, coisa que nunca me aconteceu. Entrei na sala já sentindo tudo revirando cá por dentro e a barriga começando a doer. Fui me deitar com o travesseiro apertando a barriga pensando que passasse; mas nada. Quando dei fé, estava rolando na cama, gritando e estrebuchando de dor. Cheguei até a suar. Vovó veio logo com o purgante de óleo: "Tome, minha filha. Isto é do leite com jabuticaba. Tome". Eu cheirava o óleo e entregava a tigela: "Não posso, vovó. Eu lanço". E rolava na cama.

Vovó vendo que não conseguia me dar o óleo, disse: "Tome, minha filha, pelo amor de Deus, que eu te dou o vestido que você escolher". Eu dizia: "Não, vovó. É impossível!". Vovó gritou: "Zé Pedro! Vá voando à loja do Mota e diga que me mande as amostras das fazendas mais bonitas". Zé Pedro saiu e vovó de novo: "Beba, minha filha. O vestido já vem". Nessa hora Iaiá disse: "É melhor nós todas a agarrarmos à força, apertarmos o nariz dela e pormos o óleo pela goela abaixo". Aí eu disse: "Experimentem!". Vovó falou: "Não. Ninguém faz isso. Ela é inteligente e sabe que não sara sem o purgante".

Zé Pedro entrou com as amostras e eu sem poder achar jeito, de dor, olhei uma qualquer e apontei com o dedo. Escolhido o vestido eu disse: "Então mande também buscar um purgante mais fácil de tomar". Vovó concordou: "Boa ideia! Sal catártico aí tem. Vá depressa, Chiquinha; misture com água e traga". Dindinha trouxe o sal catártico e eu disse a vovó: "Agora eu vou esperar o vestido primeiro". Ela respondeu: "Está no caminho, menina; beba".

Zé Pedro entrou com o vestido, eu peguei na tigela e virei de uma vezada.

Iaiá e Dindinha viraram as costas dizendo: "Esta é águia!".

Sábado, 23 de setembro

Oh! que felicidade a notícia da volta de mamãe de Santa Bárbara!

Só pensar que eu vou deixar vovó em paz, sem ninguém aborrecê-la por minha causa, já é um alívio. Por vovó eu morava era aqui, e ela já tem falado muitas vezes a mamãe para me deixar ficar. Mas eu mesma é que não quero; não gosto de cuidado demais comigo.

Não gosto de muito cuidado. Nossa família tem um homem que nem ao meu caderno eu conto quem é, que gosta de pôr a minha mão entre as dele e me agradar, para agradar vovó. Que horror eu tenho! Fico tão arrepiada que parece que minha mão está em cima da barriga de um calango. Graças a Deus ele já não está fazendo isto mais; parece que já viu que eu não gosto. Aqui na Chácara se eu não como, é para incomodar vovó; se eu estudo, é para incomodar vovó; se eu sumo, é para incomodar vovó. Posso lá viver neste suplício a vida inteira? Estando na nossa casa eu venho aqui, tomo-lhe a bênção e sumo, vou brincar. É uma coisa esquisita esta vida. Ninguém sabe o que a gente é por dentro, só querem falar o que entendem. Na família, do lado de mamãe, só há duas pessoas que gostam de mim, vovó e tia Agostinha. Pelo lado de meu pai eu sou querida de todos os tios; mas tia Madge também me atormenta a vida de cuidados. Vovó gosta muito dela e não me deixa passar um dia sem ir lá, ainda que seja só para lhe tomar a bênção e voltar.

Dindinha e Iaiá já estão mostrando pela cara a alegria de ficarem livres de nós. E eu mais ainda do que elas. Já fui hoje arrumar a casa para esperar mamãe e meu pai. Eu e Luisinha areamos a casa toda com pita e areia, varremos o terreiro e pusemos flores no oratório. Renato rachou a lenha e ajuntou atrás do fogão. Deixamos tudo um brinco. Padrinho Carlos, irmão de meu pai, pensando que ele já tinha chegado, entrou lá em casa na hora em que eu e Luisinha, com a saia num calção, pregado com alfinete de desmazelo e as pernas de fora, estávamos enfeitando o oratório e semeando flores em cima da cama. Meu padrinho, não sei o que ele achou de engraçado, riu até chorar.

Quarta-feira, 27 de setembro

Mamãe chegou de Santa Bárbara, jantou na Chácara e viemos para casa.

Ela trouxe uma rapadura muito grande de doce de cidra, uma lata de doce de leite, um cacho de bananas-da-terra, um feixe de caninhas dedo-de-moça, um vidro de cagaiteiras curtidas e pés de moleque. Quanta coisa boa! Foi até bom ela ter ido.

Dormimos ontem tarde porque mamãe levou a noite toda até as onze horas contando as coisas dos filhos de tio Geraldo. Meu tio nunca fala em coisas de grandeza. Donde lhes vem tanta bobagem à cabeça? Meu pai diz que é porque eles nasceram senhores de muita escravatura e sempre adulados: "Minha Sinhá para aqui, meu Sinhô pra acolá" e isto é que estragou a família; que tio Geraldo também pensa que é grande, mas é mais velho e não é tão idiota. Todos os parentes vão à casa dele, mas ele não vai à casa de nenhum. Ele não pode passar sem meu pai; mas eu queria ver, se meu pai adoecesse, se ele vinha lhe fazer companhia o dia inteiro como meu pai faz a ele. Mamãe fala isso todo dia mas meu pai não atende. Então mamãe diz: "É a cachaça de seu pai; deixa. É melhor do que se ele bebesse".

Mamãe contou que na Santa Bárbara, quando iam para a Água Quente de manhã, Bibiana fazia uma trouxa das toalhas e das roupas e dizia a Nhonhô: "Toma, Joãozinho, leva; você gosta". Mamãe não se importava. Meus irmãos são criados no trabalho. Meu pai diz que na Inglaterra não há negros e são os brancos que trabalham. Diz que um homem do povo, se for inteligente, trabalhador e direito, pode chegar a ser ministro da Rainha.

Mamãe diz que ela ia deixando Nhonhô fazer tudo e até gostava, para ele não ficar preguiçoso. Era o dia inteiro: "Joãozinho vai buscar isto; Joãozinho vai buscar aquilo", e mamãe deixava.

Um dia foram passear à fazenda de Seu João Pereira. Ele tratou a todos muito bem, levou ao engenho para beberem garapa e agradou muito. Na saída trouxe um feixe de caninhas para os meninos e disse: "Quem leva isto?". Como era cana, que todos ambicionavam, os outros quiseram levar. As irmãs estavam longe. Zezé pôs o feixe de canas na cabeça e vieram contentes. Quando toparam com as irmãs é que foi a coisa. Bibiana por ser a mais velha é que manda em todos. Bibiana gritou: "Que é isso, Zezé? Você de feixe na cabeça como negrinho de senzala? Larga isso aí já! Dá ao Joãozinho para carregar". Nhonhô pegou no feixe e pôs na cabeça.

Se fosse meu pai que estivesse perto, ele não se importaria. Mas mamãe também foi criada com muito escravo. Vovô era rico e tinha grande escravatura. Quando ouviu falar em negrinhos de senzala, mamãe diz que ela arapuou* e gritou para Nhonhô: "Larga isso aí já! Se eles não querem ser negrinhos de senzala, você é que há de ser?". E acrescentou: "E fique sabendo, de hoje em diante você não será mais criado de ninguém! Já chega!".

Parece que estou vendo mamãe, na hora da fúria, falando assim. É a coisa mais rara da vida mamãe ter raiva; mas eu já vi uma vez e estou vendo a coisa como foi lá.

Mamãe diz que a antipatia entre eles ficou. Quando ela chegou em casa, ainda com raiva, meu pai disse: "Para que essa raiva toda? O nosso João é um inglesinho perfeito; não pode parecer negrinho de senzala". E tornou a mandar Nhonhô fazer tudo como antes, buscar leite na fazenda e tudo o mais.

Quinta-feira, 28 de setembro

Fui hoje levar para vovó metade das coisas que mamãe trouxe de Santa Bárbara. Vovó olhou e disse: "Quanta coisa boa vocês ganharam! Mas eu não vou ficar com isso. Diga a sua mãe que muito obrigada; que eu não como estas coisas. Deixe aí só o doce de leite e leve o resto". Eu quis insistir e deixar, mas vovó repetia: "Não, não! Leve para vocês. Mas, antes, sente aí e me diga o que houve lá. Ela não contou nada?". "Contou, sim, vovó. E uma coisa muito engraçada." E contei tudo, direitinho.

Todos sabemos que tio Geraldo é a menina dos olhos de vovó. Ninguém pode dizer dele uma coisinha que seja, que vovó logo ralha. Quando eu acabei de contar, vovó disse: "Eu sabia que Carolina indo lá, havia de acontecer qualquer coisa. Ela é mesmo muito malcriada. É a última das filhas, eu e Batista já

* Arapuar: o mesmo que zangar-se.

estávamos cansados e ela foi ficando cheia de vontades. Que tinha Carolina de ir brigar, e ainda mais sendo hóspede de Geraldo? Alexandre lida com eles a vida inteira e nunca houve nada. Carolina em menos de um mês já foi brigar". Eu respondi: "Mas mamãe diz a meu pai que ele é bobo, vovó, que ele concorda com tudo; mas com ela é diferente, que ela é muito ladina". Vovó disse: "Não é bobo, não. Seu pai é muito bom e bem-educado. Ela é que é muito malcriada".

Eu vi que vovó não gostou do que mamãe tinha feito na Santa Bárbara, demorei mais um pouquinho e voltei para a casa carregando o resto dos presentes. Chegando em casa contei a mamãe a zanga de vovó e ela disse: "Se eu soubesse que minha mãe ia perguntar eu teria avisado a você para não dizer nada. Geraldo é de vidro para minha mãe". Eu perguntei: "Por que, mamãe? Porque ele é rico?". Ela disse: "Não, por isso não, que minha mãe é mais rica do que ele. É porque ele é o mais velho, e quando pequeno era muito doente. Depois cresceu sempre muito sossegado e não deu trabalho. Ela tem razão. Não toque nunca em Geraldo perto dela a não ser para falar bem".

Fiquei triste de mamãe falar assim. Eu queria que vovó gostasse de todos os filhos igualmente.

Sexta-feira, 6 de outubro

Renato hoje amanheceu com febre de caxumba. Ficou com uma cara de bolacha de todo tamanho. Eu gostei da doença porque os parentes vieram ao mesmo tempo visitar e a casa ficou cheia e alegre. Até Dindinha e Iaiá vieram; vovó é que não. Ela só vai à casa de filho quando a doença demora. Tio Geraldo também não veio. Mas como ele é padrinho de Renato, mandou Joãozinho e Onofre lhe trazerem dez mil-réis.

Dindinha e Iaiá estavam aqui quando eles chegaram e entregaram os dez mil-réis. Eu fiquei logo com a língua coçando e doida para falar, pois era o primeiro presente que ele deu a

Renato. Eu queria bater palmas e dizer: "Que milagre!". Esperei os dois saírem e fui voltando e gritando: "Como não temos sino, vamos bater mesmo uma lata. Hoje tem festa no céu. Tio Geraldo lembrou-se de dar um presente a Renato depois que ele está com quinze anos. Todos nós ganhamos presentes dos nossos padrinhos no dia de anos. Renato é o primeiro que ganha. Quem sabe se a sorte dele não vai abrir agora?". Dindinha e Iaiá não disseram nada e saíram. De tarde fui para a Chácara jantar, como é meu costume. Sentei-me perto de vovó e fiquei esperando que ela me desse dos guisados dela, como sempre faz. Em vez disso ela disse: "Hoje eu devia era lhe pôr um ovo quente na boca para você não ser tão linguaruda. Já soube do seu falatório. Quando a gente pensa que ela já vai melhorando e ficando mais ajuizada com a idade, lá vem de novo com seus disparates. É preciso acabar com isso e deixar de ter a língua comprida".

Não foi preciso vovó dizer mais nada para eu ver que tinham sido os mexericos de Dindinha mais Iaiá. Não seriam elas que perderiam uma ocasião de fazer vovó ficar com raiva de mim. Fiquei logo engasgada, com um nó na garganta e as lágrimas começaram a cair no prato. Saí da mesa chorando e corri para a casa. Mal eu tinha chegado aqui já vinha Reginalda atrás de mim: "Sinhá Teodora mandou dizer que você volte, se não quer que ela fique mal com você". Como não sou capaz de desobedecer a vovó, voltei. Já a encontrei na porta, aflita, com um livro na mão. Foi me entregando o livro da *Imitação de Cristo*, dizendo: "Leia isto para você aprender a ter paciência e saber que os mais velhos é que têm de corrigir os mais moços". Depois ainda me deu uma pratinha de dois mil-réis, doces secos e não sabia onde encontrar mais coisas para me dar e só olhando para ver se eu ainda estava zangada.

Eu ainda tomei mais birra do tio Geraldo; vovó briga com todo mundo por minha causa, e só aquele munheca de samambaia é que veio fazer vovó zangar comigo por causa dele.

Segunda-feira, 9 de outubro

Mestra Joaquininha mora numa casa pegada com a nossa pelos fundos; o muro é o mesmo. Ela sempre deixa os cachos de banana ficarem amarelinhos para apanhar.

As bananeiras dão para o nosso quintal e eu vejo como eles apanham as bananas quando ficam maduras. Eles trazem um facão e um saco e trepam no muro, enfiam o cacho no saco e cortam em cima. Sem isso elas cairiam todas no nosso quintal.

Hoje fomos chegando para o almoço e mamãe nos disse: "Vejam lá no quintal a última arte do Chico". Corremos e achamos o chão estrelado de bananas madurinhas. Mamãe disse: "Estou com vontade de apanhá-las e mandar para Dona Joaquininha. Ela vai pensar que foram vocês que cutucaram o cacho com bambu. Vocês não deixam de ter culpa porque foram vocês que ensinaram o macaco a fazer isso. Hoje eu estive reparando como ele fazia. Subiu no pé, comeu as que quis e parecia que sacudia o cacho para jogá-las para cá".

Antes que mamãe as mandasse para a mestra, nós comemos bastante e escondemos o resto.

Quarta-feira, 11 de outubro

Há certos dias que eu venho da Escola tão enjoada de tudo, que não tenho ânimo de trabalhar nem estudar.

Hoje, quarta-feira, é o dia em que tenho mais obrigações. Tenho que começar a passar as roupas desde hoje para estar tudo pronto amanhã. Amontoar eu sei que fica pior para mim. Até agora não fui capaz de fazer nada. Comecei a passar um vestido de babados e fiquei pensando que tanto trabalho é bobagem; que a gente devia andar com uma saia de baeta como no tempo antigo.

Assim passei a tarde sem fazer nada. Como só de escrever eu nunca tenho preguiça, venho aqui contar a história do tempo antigo, para o futuro, como diz meu pai. Quem sabe lá se no tal futuro não haverá ainda mais novidades do que hoje? José Rabelo vive pesando urubu na balança para inventar máquina da gente voar. Que coisa boa não seria isso! Eu tenho às vezes tanta inveja do urubu voar tão alto. Agora que seria se eu virasse urubu? Isso é que seria engraçado. Mas, melhor ainda seria inventar a gente não morrer. Enquanto a gente não voa, como José diz que se há de inventar, melhor seria se voltássemos ao tempo antigo, com saias de algodão ou baeta. Que boa coisa!

Vovó conta a vida dela na Lomba e eu fico com tanta inveja! Se a gente queria escrever pegava um pato, arrancava uma pena da asa e fazia um bico na ponta. Se precisava de um vestido para andar na roça, já tinha na tulha algodão, tirava uma porção, descaroçava, passava na cardadeira para abrir e depois fiava no fuso. Quando o fio estava pronto, punha-se no tear e as escravas teciam o pano. A roupa se cosia à mão, porque não havia máquina de costura. Não havia também fósforo. O fogo tinha de ficar aceso o tempo todo. Quando na Lomba descuidava e o fogo apagava, tinham de amontoar um bocado de algodão e dar um tiro para acender. Maldade sempre houve. Tudo se passava sem ter, mas espingarda para matar os outros havia.

Agora que acabei de escrever é que estou vendo como eu estava idiota de desejar ser do tempo antigo só para não passar meus babados a ferro. É por isso que mamãe e minhas tias gostam tanto de trabalhar.

Por falar em babado, lembrei-me de uma coisa muito engraçada de vovó. Quando ela vê a sala cheia de mulheres esperando o jantar pergunta a Dindinha, na vista delas: "Chiquinha, minha filha, como você vai se arranjar com tanto franzido no babado?". Dindinha responde: "Já desfranzi, minha mãe". Vovó então pode ficar descansada, porque isto quer dizer que Dindinha mandou pôr mais água e couve no feijão.

Como é engraçada vovó, além de tão boa!

Terça-feira, 17 de outubro

Vovó nunca comeu do boi do Divino,* e mesmo assim vive com a casa cheia, coitada.

Fifina tinha ido para a casa de umas primas dela, porque chegou à Chácara um hóspede com a mulher. Iaiá mudou-se para um quarto pequeno e aproveitou para dizer a Fifina que não tinha mais cômodo para ela. Todos nós ficamos contentíssimos com a saída de Fifina.

Ela foi passar um dia com tia Aurélia e de noite aconteceu a mesma coisa que na Chácara; caiu uma chuva e ela teve de dormir. Como era por um dia, tia Aurélia lhe preparou uma boa cama no quarto de hóspedes e tratou-a muito bem. Ela gostou do cômodo e foi ficando.

Nas outras casas da família, podia-se achar isto natural. Mas na casa de tio Conrado, que não é nenhum bobo como os outros, a coisa é diferente. Tia Aurélia trabalha sem parar, os meninos estudam e Fifina ficava na sala o dia inteiro, à toa, jogando paciência. Vovó dizia: "Querem saber de uma coisa? O Conrado é bom, a Fifina quieta e asseada, e sabe distrair os meninos contando histórias. É bem capaz de se acostumarem com ela e assim ficarmos livres".

Hoje tia Aurélia veio com Fifina para a Chácara depois do jantar e ficamos os meninos na grama e os grandes na sala. Às nove horas tia Aurélia se levantou, meio gaga e trêmula da traição que ia fazer. Despediu-se de todos: "Bênção, minha mãe. Boa noite, Chiquinha. Boa noite, Inhá. Boa noite, Fifina". E foi saindo apressada arrastando os meninos.

Fifina ficou de novo para vovó. Que desgraça!

---

* Boi do Divino: boi que o festeiro, o imperador do Divino, mandava carnear na praça pública para distribuir à pobreza. "Comer do boi do Divino": ser vítima de pedidos, de hospedagens demoradas etc.

Segunda-feira, 23 de outubro

Fiquei admirada de Seu Sebastião hoje não ler alto o que escrevi ontem e sei que as colegas iam rir tanto como no dia que ele perguntou o sexo de boneca e eu gritei: "Bonecra fêmea, bonecro macho". Palavra que eu custei a saber por que elas riam tanto. Ontem escrevi na minha redação: "Hoje foi um dia *em águas* para mim". Hoje ele devolveu a carta com um grande letreiro em tinta vermelha: "aziago". Se ele estivesse com vontade de brincar não deixaria escapar. Talvez tenha tido pena ou já tenha percebido que eu não tenho dicionário e que só escrevo o que ouço dos outros ou coisas de minha cabeça. Eu sei bem que todos estes erros eu faço por falta de atenção. Não sou capaz de pensar muito nas coisas e prestar muita atenção em nada. Também quando pego da pena para escrever já é tão tarde que vou escrevendo, saia o que sair. Sempre as primas a me tomarem todo o tempo e eu aproveitando os últimos instantes para escrever só bobagens.

Sábado, 28 de outubro

Hoje tia Carlota fez anos e jantamos na Chácara. Ninguém na minha família bebe vinho azedo, mesmo na mesa. Só vinho do Porto, que vovó manda buscar no Rio de Janeiro e vem em barris de um tamanhão enorme, que chamam décimos. Engarrafa-se nas vésperas de Natal e fica para o ano inteiro. Todos nós gostamos de vinho do Porto, que é do outro mundo de gostoso. Mas hoje tio Joãozinho estava na cidade e achou que vinho do Porto não era para mesa mas para se tomar fora da comida. Vovó então mandou comprar do vinho que é feito mesmo na cidade, na Chácara dos Padres.

Chegamos à mesa e Iaiá Henriqueta foi a primeira que encheu o copo dizendo: "Eu vou experimentar o vinho em primeiro lugar. À sua saúde, Carlota!" e tomou um tragão. Parou um instante, fez uma careta e disse: "Arre! Ruim como cobra, azedo como limão!". Nós pensamos que ela ia deixar; mas qual! Disse aquilo e depois virou o copo todo de uma vezada. Todos na mesa caíram na gargalhada. Tio Joãozinho disse: "Não é purgante, Henriqueta. Isto é para quem gostar". Mas assim mesmo, ruim como cobra e azedo como limão, foi todinho para a goela de todos, menos de vovó que não quis experimentar. É mesmo chupista a nossa família; o mais é história.

Terça-feira, 31 de outubro

Acabou-se hoje o mês do rosário. É o único mês que vovó não nos chama para rezar no oratório dela. Ela tem que rezar o terço só com Reginalda, pois todos vamos para a igreja. Não sei por que só se reza o terço na igreja no mês de outubro; ninguém me explicou.Vou perguntar a Padre Neves. Eu confesso que gosto mais de rezar o terço na igreja do que na Chácara com vovó. Na Chácara, quando não inventam rezar mais padre-nosso por todos que já morreram e que a gente nem sabe quem eram, é Iaiá tirando o terço com uma moleza que faz aflição na gente. A igreja é bem mais alegre e não tem invenção nenhuma; é sempre a mesma coisa.

Se vovó lesse isto que estou escrevendo aqui ela ficaria aborrecida comigo. Ela não pode compreender que a gente não ache rezar a melhor coisa da vida. Eu só gosto de rezar quando estou triste ou na hora que está trovejando. As únicas coisas que eu não sou capaz de fazer são deixar de ouvir missa no domingo e de rezar o terço simples em casa quando não rezo na Chácara. Se eu não ouvir missa no domingo, como quando estou na Boa Vista onde não há igreja e não posso ouvir no Bom Sucesso, fico o dia inteiro com um prego na consciência me aferroando. O terço também eu já dormi sem rezar e acordei de noite para rezar. Depois desse dia não deixei mais. Já disse a vovó que tenho medo de me acostumar a rezar a ladainha com ela de manhã e depois não poder passar sem rezar, como o terço.

Quarta-feira, 1º de novembro

Hoje fui para a Escola deixando Luisinha doente. Uma das coisas de que eu não gosto é ir à Escola sozinha, principalmente ela estando doente. Passo o dia inteiro com uma coisa me incomodando o espírito.

Luisinha é muito teimosa. Ela me obedece muito mas é muito gulosa e come as coisas que lhe fazem mal, mesmo escondido. Ela já tinha tido na Boa Vista uma cólica de goiaba, que mamãe só conseguiu melhorar com rezas e promessas; e mesmo assim não se corrigiu.

Ontem ela vendeu uma dúzia de ovos e fomos para a Escola. Na volta para o almoço, passando pela casa de Chichi Bombom, avistamos uma goiabeira branca, carregadinha. Luisinha disse: "Vou comprar para nós duzentos réis de goiaba". Entrou e comprou: a mulher deu trinta e dividimos quinze para cada uma. Fomos descendo a rua até em casa comendo. No caminho eu ainda lhe lembrei da Boa Vista e ela disse: "É porque eu era pequena, agora sou maior", e foi comendo até a última. Em casa ainda almoçou. Mas de noite é que foi a coisa, gritou de cólica a noite toda.

Aqui em casa mamãe não consegue dar purgante a ninguém sem Siá Ritinha. Hoje cedo ela veio dar o purgante e Luisinha pôs uma quantidade de caroços de goiaba que mamãe ficou pasma. Eu comi as minhas todas e não me fizeram mal, porque não foi de uma vez como ela, e não engoli os caroços.

Felizmente ela já está boa e sexta-feira poderemos ir juntas à Escola. Mas não tenho esperança desta segunda lição servir a Luisinha. Sei que ela achando goiaba, comerá mesmo escondido. Por isso vou dar volta pela Rua do Carmo para não passarmos pela casa de Chichi, pois a goiabeira dela tenta deveras.

Quinta-feira, 2 de novembro

Siá Ritinha veio cedo saber se Luisinha não tinha tido mais nada de noite. Ela está sempre pronta para dar à gente remédio, principalmente se é ruim de tomar.

Esta Siá Ritinha é uma velha corcunda que cheira a azedo, não tem um dente na boca e a cara dela parece maracujá esquecido na gaveta. Fala com a gente com um modo que nós, quando éramos menores, tremíamos de medo dela. Agora eu estou mais esperta e não lhe obedeço como antigamente. Mas quando eu era pequena e até entrar para a Escola Normal, ela foi o meu algoz. Não me deixava brincar com as meninas da vizinhança. Se eu passava pela porta de vestido curto, como as outras meninas, ela me fazia voltar e vestir outro comprido. Eu me lembro que minhas primas perguntavam por que eu lhe obedecia assim e uma vez eu respondi: "Obedeço porque eu tenho medo que ela furte nossas galinhas".

Lembro-me de um dia ter entrado em casa furiosa, porque Siá Ritinha me mandou trocar de vestido e mamãe trocou e disse: "Para que contrariá-la, minha filha? É porque ela gosta de vocês".

Eu resolvi esse negócio de vestido curto dando uma volta para não passar na porta dela. Mas brincar de correr no Largo da Cavalhada com minhas colegas escuras, eu não conseguia. Ela logo gritava e me dava uns ovos ou chuchus para mamãe e dizia: "Isto é para te tirar da charola das negrinhas. Já te disse que você não é menina para brincar com elas! E sua mãe não se importa mas eu não consinto".

Eu ficava com raiva do governo de Siá Ritinha, mas mamãe dizia: "Eu gosto muito dela olhar vocês para mim, porque eu não posso ficar na janela tomando conta. Além disso ela é enérgica e eu não sou".

Domingo, 5 de novembro

Na Cavalhada só os homens têm relógio. Quem mora no meio da cidade não sente falta porque quase todas as igrejas têm relógio na torre. Mas quando meu pai não está em casa é até engraçado o engano de horas conosco. Durante o dia não precisamos de relógio porque chegamos em casa ao mesmo tempo para o almoço e o jantar. Além disso temos a corneta do quartel, que toca até nove horas. Depois dessa hora o relógio de mamãe é o galo, que não regula muito bem. Já nos tem pregado boas peças e mamãe não se corrige. Há dias que eu até desejo que o galo de casa e os dos vizinhos morram. Mas também não adiantava, porque vinham outros para o lugar.

Canto de galo nunca dá certo, e ninguém se convence. Quando o galo canta às nove horas, dizem que é moça que está fugindo de casa para casar. Eu ouço sempre galo cantar às nove horas e é raro moça fugir de casa.

Antigamente eu acreditava na hora do galo porque, na Boa Vista, a gente pergunta a hora a um mineiro, ele olha para o sol e diz. A gente vai ver no relógio e dá certo. Por isso eu pensava que o sol marcava a hora durante o dia e o galo durante a noite. Estou vendo hoje que é engano.

No domingo mamãe nos acorda um pouco antes das quatro horas para a missa da madrugada. Hoje quando mamãe nos chamou, eu morta de sono lhe disse: "É impossível que já seja perto de quatro horas, mamãe. Parece que comecei a dormir ainda não há uma hora. Estou com tanto sono que nem posso abrir os olhos". Ela respondeu: "Você dorme depois da missa. Estamos na hora, que o galo já cantou duas vezes".

Levantei-me cabeceando de sono e lavei o rosto. Ela já estava com o café coado. Tomamos e saímos.

Na rua é que eu sempre vejo se é cedo ou tarde. Fui olhando a lua e as estrelas e dizendo a mamãe: "A senhora vai ver se o galo acertou a hora desta vez". A rua estava deserta. Fomos andando nós duas pelo braço de mamãe. Passando perto do quartel, o soldado que estava de ronda vira para mamãe e pergunta: "Que é que a senhora está fazendo na rua com essas meninas, a estas horas?". Mamãe respondeu: "Vamos à missa da Sé". O soldado disse: "Missa à meia-noite? Não é véspera de Natal; que história é essa?".

Eu já estava com medo do soldado. Mamãe respondeu: "Meia-noite? Eu pensei que eram quatro horas. Muito obrigada pela informação".

Voltamos e nos deitamos vestidas. Mesmo assim perdemos a missa. Quando chegamos à igreja depois, Padre Neves já estava nas ave-marias.

Quinta-feira, 9 de novembro

A única coisa que meu pai não faz para satisfazer mamãe é confessar. Ele só faz o que mamãe deseja. Vai com ela à igreja, à missa e tudo. Mamãe não quer que ele coma carne na sexta-feira, ele não come; mas confessar não há jeito. Eu mesma não entendo por quê. Se meu pai furtasse alguma coisa dos outros, eu ainda podia pensar que ele tinha vergonha de contar ao padre. Mas nunca, nunca, vi meu pai fazer um pecadinho que seja.

Todo ano mamãe peleja com ele para se confessar. Na Quaresma então é um martírio; eu tenho até pena de mamãe, e meu pai sempre a dizer: "Vocês confessam tanto, comungam tanto, rezam tanto, que há de chegar um pouco para mim também". Felizmente meu pai tem saúde, mas se ele sofresse do coração e mamãe pensasse que ele podia morrer de repente é que seria horrível.

Eu não penso como mamãe. Não falo nada porque em negócio de religião ela não admite discussão. Não posso ter esse medo que mamãe tem porque eu penso comigo: "Se meu pai for para o inferno, para onde irão meus tios e todos os homens de Diamantina a não ser Seu Juca Neves?". Eu sei que Deus é justo. Já sofri muito em pequena por causa de vovô e não quero agora sofrer também por causa de meu pai. Na escola de Mestra

Joaquina eu não podia ter a menor briguinha com uma menina, que ela não dissesse logo: "Meu avô não é como o seu que foi para o céu dos ingleses". Meu avô não foi enterrado na igreja porque era protestante; foi na porta da Casa de Caridade e até hoje se fala nisso em Diamantina. Quando ele estava muito mal, os padres, as irmãs de caridade e até Senhor Bispo, que gostava muito dele, pelejaram para ele se batizar e confessar para poder ser enterrado no sagrado. Ele respondia: "Toda terra que Deus fez é sagrada". O vigário não quis deixar dobrar os sinos, mas os homens principais de Diamantina foram às igrejas e fizeram dobrar todos os sinos da cidade o dia inteiro. Ele era muito caridoso e estimado. Quando o doente não podia, ele mandava os remédios, a galinha e ainda dinheiro. A cidade inteira acompanhou o enterro. Quando ele morreu eu era muito pequena e até hoje se fala em Diamantina na caridade do Doutor Inglês, como todos o chamavam. Um homem assim pode estar no inferno?

Eu sofria muito quando as meninas diziam que ele estava no céu dos ingleses: falava a meu pai e ele dizia: "Responda a elas, minha filha, que é para lá que você também vai, que é o céu dos brancos e não dos africanos". Eu sempre respondia: "Meu pai, se eu ouço o senhor falar uma coisa, e as meninas, mamãe e todos, outra, eu fico é doida".

Domingo, 12 de novembro

Nunca gostei tanto na minha vida de uma coisa como a que aconteceu hoje a Emídio. Tio Joãozinho mandou-o levar uma carta ao Dr. Pedro Mata e ele voltou de cabeça quebrada. Foi mostrando a cabeça a tio Joãozinho e dizendo: "Olha o que o senhor me fez!". Tio Joãozinho perguntou: "Como foi isso?". Ele respondeu: "Foi o doido do Pedro Mata que me deu um pescoção e eu rolei pela escada abaixo". Tio Joãozinho disse: "Quem sabe você lhe falou como está me falando, chamando-o de 'Pedro Mata'?". Ele respondeu: "Como é que o senhor queria que eu falasse? Não sou livre e tão bom como ele?". Tio Joãozinho não pôde deixar de rir e disse: "Foi muito bem merecido esse tapa. Gostei de ver. Com mais alguns você aprenderá a dobrar a língua para os brancos, negro sem-vergonha". Eu também gostei, porque ele é muito intrometido.

Emídio é um crioulo preguiçoso e esquisito. Ele mete o dedo no azeite da lamparina e lambe como se fosse melado. Outro dia ele estava com muita dor de dente, pegou num espeto e pôs no fogo até ficar vermelho, depois pôs no dente que eu vi o chiar da carne e fiquei horrorizada. Não se queixou mais de dor de dente depois disso.

Segunda-feira, 13 de novembro

Eu fico admirada da fraqueza do Renato para tudo. Vive sempre fazendo coisa malfeita, fugindo de casa atrás de fruta do quintal dos outros que têm muro caído. Mamãe sofre, fala, mas nada adianta. Outro dia lhe perguntamos por que ele aborrece tanto a mamãe, e ele respondeu: "O demônio me tenta". Tive muita raiva da resposta porque sei que a gente pode muito bem se livrar das tentações do demônio.

Ontem eu vi que ele é fraco demais e tive até pena. Tenho medo de que ele, com as más companhias, fique desencaminhado, porque ele não pode resistir quando tem vontade de uma coisa.

Tio Geraldo veio visitar vovó na Chácara, ontem de noite. Dindinha foi à cozinha e comprou uma travessa de pastéis de carne que as negras estavam fazendo para vender na porta do teatro. Trouxe os pastéis, repartiu um com cada menino e também com os grandes e deixou o resto na travessa para meu tio e meu pai irem comendo e bebendo vinho do Porto. Nós ficamos conversando. Renato que é muito arado ficou assentado perto de mamãe, com os olhos pregados na travessa de pastéis. Quando só tinha ficado um, ele levantou-se, chegou à mesa, enfiou o garfo no pastel e voltou comendo.

Quando chegamos em casa meu pai lhe disse: "Você hoje

me envergonhou, meu filho. Para que você tirou o pastel que seu tio estava comendo? Você não viu que ele não tinha acabado?". Renato respondeu: "Eu sei, meu pai, que fiz uma coisa malfeita. Pensei muito antes de fazer aquilo; mas estava com tanta vontade que não pude resistir".

Eu fiquei triste com a fraqueza dele.

Segunda-feira, 20 de novembro

Hoje tive uma alegria enorme depois de uma semana de raiva. Vovó está passando uns dias na casa de tio Geraldo que adoeceu. Eu tenho que ir todo dia tomar-lhe a bênção. Se falhar um dia que seja, o céu vem abaixo.

Estou com umas botinas cheias de pregos, que têm ferido o pé e não me deixam andar direito. Fui à casa de meu tio mancando. Vovó ficou incomodada e só falando naquilo, tomou as botinas e mandou bater os pregos, mas não melhoraram. Eu tenho voltado todos os dias mesmo assim. Que poderia fazer? Vovó sempre incomodada e meus primos ricos sempre a falarem: "É só para a senhora ficar com pena e lhe dar outra, vovó!".

Tive tanta raiva, que não voltei lá dois dias seguidos. Mesmo de noite fiquei em casa estudando. Vovó reclamando com mamãe, hoje tive de voltar e lhe disse: "Esperei meu pé melhorar e mamãe já mandou o sapateiro bater os pregos. Os primos não precisam falar mais". Vovó disse: "Você está ainda mancando; é esforço que está fazendo. Vá à loja do Mota e diga ao Tião que lhe dê umas botinas baratas". Os primos danados com a ordem de vovó disseram: "Não falamos? É isto que ela queria". Vovó respondeu: "Não é da conta de vocês!". E virando-se para mim disse: "Vá, minha filha, vá buscar suas botinas".

Todos têm muita raiva de eu ser a neta preferida. Fui correndo à loja e disse a Tião: "Vovó mandou lhe dizer que me dê as botinas mais baratas que tiver". Ele respondeu: "Mais baratas não, você merece as mais caras". Trouxe umas botinas de pelica, de botões, como eu nunca podia esperar ter. E que macieza nos pés! A gente até pensa que está descalça. Não queria levá-las e Tião ainda disse: "Deixe de tolice, menina. Sua avó é rica e você pode lhe dizer que não há aqui outras, que eu sustento".

Saí voando para a casa de meu tio. Os diabos dos primos, não acreditando que não houvesse outras mais baratas, tomaram as botinas e levaram para trocar. Mas Tião sustentou o que me havia dito e eu fiquei com elas.

Tenho certeza que amanhã é que eles vão falar de verdade, pois eu não seria tola de meter minhas botinas tão lindas na Escola. O que vale é que ontem eu disse a vovó que minhas botinas velhas não tinham mais pregos e que meu pé já estava são.

Domingo, 26 de novembro

Será que quando eu me casar vou gostar tanto de meu marido como mamãe de meu pai? Deus o permita. Mamãe só vive para ele e não pensa noutra coisa. Quando ele está em casa, os dois passam juntinhos o dia inteiro numa conversa sem fim. Quando meu pai está na Boa Vista, que é a semana toda, mamãe leva cantando umas cantigas muito ternas que a gente vê que são saudades e só arranjando-lhe as roupas, juntando ovos e engordando os frangos para os jantares de sábado e domingo. São dias de se passar bem em casa.

Segunda-feira tio Joãozinho levou meu pai para verem um serviço no Biribiri e voltarem no fim da semana. Terça-feira cedo, quando chegamos à janela, estava na porta a besta nossa conhecida, esperando a ração. Admirei a energia de mamãe. Ela foi logo dizendo: "Preparem-se para seguirmos amanhã de madrugada. Aconteceu alguma coisa a Alexandre". E com os olhos cheios de lágrimas mandou Cesarina matar dois frangos para a matalotagem.

De tarde pôs na maleta um vestido para cada uma de nós, uma roupa para meus irmãos e mandou chamar José Pedro para carregar a mala. O cesto da matalotagem Renato levava.

Deitamos cedo, com a roupa ao lado, para nos levantar de madrugada, vestir e sairmos. Mamãe não se deitou dizendo que não podia dormir e passaria rezando. Nós não tínhamos ainda tirado um bom sono quando mamãe nos acordou: "Levantem que o galo já cantou duas vezes. Devem ser quatro horas. É bom que o dia clareie conosco para lá da Pedra Grande". Levantamos, tomamos o café e saímos, mamãe, meus irmãos e os dois crioulinhos, Cesarina e José Pedro.

Quando chegamos à rua achei o céu muito estrelado e a noite muito escura para quatro horas. Fomos andando, e nada do dia clarear. Quando já estávamos muito longe ouvimos o relógio da igreja do Seminário bater duas horas. Aí caímos todos no riso mas mamãe, a única responsável, não achou graça. Ela dizia: "O pior não é a hora. Até é bom viajar com a noite. Mas é que estou achando o caminho diferente. A estrada do Biribiri é bem mais larga". Fomos andando até não sabermos mais onde estávamos. Aí mamãe disse: "Esse caminho está estúrdio demais. É melhor sentarmos e esperarmos o dia clarear". Ela sentou-se numa pedra, estendeu o xale no chão para meus irmãos deitarem, colocou minha cabeça e a de Luisinha no colo, tirou o rosário e pôs-se a rezar enquanto dormíamos.

Quando o dia clareou, que abismo! Tínhamos errado o caminho. Estávamos num lugar de onde parecia que não seríamos capazes de sair. Era no alto da Serra dos Cristais e de lá de cima avistamos a estrada lá embaixo. Estávamos num precipício! Nós sempre confiantes em mamãe e suas orações; mas ela estava muda e só rezando. Perguntamos o que havíamos de fazer. Ela disse: "Esperem. Estou rezando a Santa Maria Eterna e só depois é que vou saber o que tenho de fazer". Esperamos. Pouco depois ela disse: "Voltar para trás está difícil, porque não sabemos o caminho. O que temos que fazer é seguir com fé em Deus, procurando sair daqui escorregando pela serra abaixo".

Nós, que parecíamos uns cabritos, escorregamos às vezes pedaços tão grandes, que só embaixo é que vimos o absurdo que fazíamos. Renato quis fazer uma estripulia pendurando-se numa árvore pequena. Ela quebrou e ele caiu num buraco da serra e nós o perdemos de vista. Nessa hora pusemo-nos a chorar e a gritar. Mamãe, com os olhos cheios de lágrimas, olhava para o céu e rezava: "Santa Maria Eterna, Virgem das Virgens, valei-me nesta ocasião, livrai-me desta aflição". Então o negrinho pediu o guarda-chuva, amarrou uma correia e deu a Renato para segurar e subir. Essa tentativa falhou umas três vezes. Por fim mamãe lhe deu o xale para segurar e ele subiu até em cima. Continuamos a rolar até cairmos na estrada.

Esta descida calculo que levou umas seis horas, pois o sol estava alto quando chegamos embaixo. Quando reparamos em nossas figuras, rimos horrorizados. Nossos vestidos ensopados e em farrapos. Só nesta hora é que mamãe viu que Luisinha estava com o rosto disforme com caxumba! Estávamos com fome e não havia mais nada que comer; a matalotagem tinha acabado. Fomos para trás de uma moita, enquanto mamãe vigiava a estrada, e mudamos a roupa.

Nesse lugar, enquanto descansávamos, passou um beija-flor-de-rabo-branco e aproximou-se de nós. Renato deu com o chapéu no pobrezinho e atirou-o morto no chão. Mamãe lhe disse: "Que malvado! Você vai ver o que te acontece. Afianço que você não vai ganhar nem um presentinho no Biribiri!". Sempre que vamos ao Biribiri voltamos carregados de presentes. Dona Mariana dá-nos das fazendas da fábrica; meu tio, dinheiro e latas de doces.

Depois de descansar seguimos para o Biribiri. Fomos recebidos com alegria e espanto. Quando mamãe contou a história do aparecimento da besta e as aventuras da viagem, todos riram à grande. Só então meu pai soube que a besta tinha fugido do pasto e voltado para casa.

Passamos lá dois dias e voltamos ontem para a cidade com um fardo dos presentes que todos nós ganhamos. Menos Renato, que não ganhou nem um lenço. Depois há gente que não acredita em castigo de quem mata beija-flor. Eu não poderei mais duvidar.

Segunda-feira, 4 de dezembro

Por que meu pai, conhecendo a mim e minha irmã com o gênio que temos de rir de tudo, teve coragem de mandar um hóspede para nossa casa como mandou? Não se pode imaginar o que tem sido a nossa vida em casa, com o homem! Meu pai está no Paraúna já há uma semana. Foi ver uma lavra que um francês quer comprar e pediu a ele que fosse ver se vale a pena. Lá meu pai é hóspede desse homem que nos mandou. Mas se eu contar o que tem sido a hospedagem dele, não se acredita.

Nós temos uma negrinha, Cesarina, engraçadíssima, que nos faz cair de rir com as coisas dela. Logo no dia da chegada do homem aconteceu-nos uma coisa impossível de dar-se em outra casa; só havia duas velas de sebo em casa. Quando mamãe deu por isto, não havia mais venda aberta. Estas velas não prestam, gastam à toa. Eu ainda não tinha terminado os meus exercícios e uma já tinha acabado. A outra, mamãe mandou para o quarto do hóspede. Na nossa casa só se usa querosene para a cozinha, e mesmo a lamparina da cozinha estava seca. Quando eu acabei a minha vela e verifiquei que ainda me faltavam exercícios para fazer, não tendo jeito nenhum a dar, mandei a negrinha ao quarto do hóspede ver se ele já estava dormindo. Se estivesse que lhe roubasse a vela sem acordá-lo. Ela foi e voltou num acesso de riso tão forte, de encontrar o homem ainda acordado, que não pôde nos falar a não ser por gestos.

Levantou as mãos para o ar e com os dedos fez um óculo, querendo dizer que o homem estava de olho aberto. Fazia o gesto num acesso de riso tão forte que não podia falar.

Nós temos mania de rir. Começamos na tal noite e até hoje não podemos avistar o hóspede sem o acesso de riso. Basta vermos o homem, lembramos logo o óculo de Cesarina e destampamos. Mamãe, coitada, não sabe mais que desculpas dar ao homem. Só lhe falta dizer que somos duas doidas que ela tem em casa.

Eu penso também que este frouxo de riso constante que temos tido é da graça que eu acho do homem vir se hospedar na casa de umas pessoas que ele nunca viu, e ficar calado sem dizer uma palavra em casa nem na mesa. Mamãe já nos proibiu de nos sentarmos à mesa; mas mesmo na cozinha ficamos engasgadas de rir, de vermos mamãe e o homem tão calados! Não sei o que ele irá dizer a meu pai de nós. Hoje faz três dias que ele está em nossa casa e me parece já uma semana. Eu tenho inveja de quem não tem estes acessos de riso que eu tenho.

Às vezes nas horas mais tristes, que não se deve nem mostrar cara alegre, nós temos rido.

Terça-feira, 5 de dezembro

Se há uma coisa de que eu tenho inveja é da chácara de uvas do nosso Professor Sebastião. Eu nunca entrei lá, só a conheço de longe. Quando é tempo de uvas eu morro de inveja da fartura que eles têm; no Jogo da Bola passa o dia inteiro uma procissão de mulheres com cestos de uvas na cabeça para a casa de Seu Sebastião, para fazer vinho. Algumas nos dão um cacho; outras são umas pestes, não dão nada. Mas como são muitas, a gente esperando ganha alguns cachos até o fim do dia. Estive dizendo a Glorinha que um serviço que eu invejo é este de carregar uvas, não só por ser divertido, como porque a gente podia tomar um fartão, como de jabuticaba. As filhas de Seu Sebastião é que são bem felizes, porque além da chácara de uvas para fazer vinho elas têm, na casa do Jogo da Bola, um laranjal enorme de laranjas embigudas e de todas as qualidades e outras frutas. Achei graça foi na conversa de Glorinha. Ela dizia: "Não seria bom que Seu Sebastião bebesse do vinho dele bastante no dia do exame e na hora nos deixasse passar?". Eu respondi que isso nunca me tinha passado pela cabeça. O que eu pensava é que ele, sendo amigo da família dela como é, não a reprovasse. Mas já vi que com ele é tolice. Até a gente o adular não adianta nada; ele é mau de verdade. Nós teremos de estudar, do contrário não teremos outro jeito a dar.

Sábado, 9 de dezembro

Não passei do primeiro ano só e só por falta de sorte e mais nada.

No exame de Geografia quase ninguém deixa de colar. Todas nós preferimos fazer sanfona; é tão mais fácil. Fiz todas com o maior cuidado e fui para o exame com o bolso cheio delas.

Saiu para a prova escrita o ponto "Rios do Brasil". Ótimo! Tirei minha sanfoninha, ia copiando e dizendo alto para as outras também escreverem. Penso que foi isto que deu na vista. Seu Artur Queiroga desce do estrado, fica perto de minha mesa e eu sem poder continuar a escrever. Meti a sanfona na carteira e pus as mãos na mesa. Ele disse: "Vamos, continue!". Eu estava nessa hora descrevendo o Rio Amazonas. Nem sei por que me veio a ideia de falar o que falei, foi o que atrapalhou tudo. Ele repetia: "Vamos! Escreva!". Eu respondi: "Não posso, Seu Artur. Estou afogada no Rio Amazonas". Ele dobrou uma gargalhada que chamou a atenção dos outros examinadores e eles vieram também para a minha mesa. Seu Artur disse: "Pois vou salvá-la. Vamos ver se tirando você do Amazonas você segue", e foi dizendo: "Corre para aqui, recebe estes afluentes, desemboca acolá". Mas foi impossível seguir. A coisa só serviu para distrair os professores, as outras colarem sossegadas e eu e a minha turma não fazermos exame.

Tive de entregar a sanfona e Seu Artur só querendo que eu explicasse por que fazia aquilo em vez de estudar. Respondi que eu mesma não sabia; que me ensinaram assim e eu achei o sistema bom.

Depois desse exame, os outros foram na mesma toada. Vinham os professores se distrair comigo e as outras colavam descansadas.

Foi minha sorte. Que fazer?

Segunda-feira, 11 de dezembro

Meu pai voltou ontem do Paraúna. As provas não foram boas. Meu pai diz que sabia que as lavras de lá não são iguais à Boa Vista e à Sopa. Ele diz que o francês já encomendou maquinismos e que tirar diamante agora vai ser diferente do sistema de bateia. Os maquinismos vão mexer tudo e os diamantes já saem separados. Meu pai acha que para lavras boas e sem água o processo vai ser bom, porque eles vão puxar a água de longe em canudos de ferro. Eu sei que vou ter saudades dos lavadores virando as bateias e a gente vendo o diamante estrelar no esmeril. Só quem nasceu na mineração como a nossa família é que conhece esse prazer.

Meu pai foi chegando e perguntando a mamãe se tínhamos tratado bem o hóspede em nossa casa e disse: "Ele e a família não sabiam o que fazer comigo na casa deles; já me acanhava com tanta atenção de todos. Ele tem umas filhas muito feias e sem graça. Eu pensava que ele voltasse encantado com estas meninas, mas ele voltou calado e não disse nada. Eu não pude deixar de perguntar se ele não tinha visto minhas filhas e ele respondeu: 'Eu não vi a cara delas; elas riram desde que eu cheguei até que saí'".

Mamãe contou o caso das velas e disse: "Você mesmo nem pode avaliar o que foi. As bobas não pararam mais um instante. Eu tive de pô-las comendo na cozinha e eu ficava na mesa com o homem, também engasgada de vontade de rir com o riso delas lá dentro".

Meu pai disse: "Eu é que fui idiota de esquecer as filhas que tenho. Umas meninas tão bonitinhas e com esse defeito! Sabe, Carolina, nós precisamos achar um meio de pôr fim no riso destas meninas. É um aborrecimento constante para nós. Quantos amigos já não temos perdido por causa do riso delas. Na Boa Vista elas já nos armaram aquilo com o Juca e Dona Mariquinha, uns amigos de tantos anos. Felizmente eu estava já de volta; do contrário seria um sacrifício para mim ficar lá com o Anselmo tão diferente como ele ficou comigo depois que foi daqui. Precisamos procurar um meio de acabar com isto. Não pode continuar assim. Eu tinha esperança delas melhorarem com a idade, mas estão ficando piores". Aí eu tomei a palavra e disse: "Com a idade havemos de melhorar, meu pai, mas é de quarenta anos e não de treze e onze". Ele disse: "Mas vocês já podiam saber que muito riso é sinal de pouco siso".

Renato entra amanhã em Geografia e aposto que não passa. Quinta-feira, cedinho, pé na estrada para a Boa Vista. Que bom! Hei de aproveitar bem estas férias.

Quarta-feira, 20 de dezembro

Vovó fica toda inchada de alegria de ver as coisas que eu escrevo.

Mamãe nunca olha o que escrevo, mas vovó quer que eu leia tudo para ela e também para as pessoas de fora. Quando estou passando dias na Chácara eu fico aflita para ir para a casa só por isso. Coitada; ela é muito inteligente, mas mal aprendeu a ler e escrever e por isso fica pensando que é uma coisa do outro mundo contar as coisas com a pena. Engraçado é que ela não se admira de eu contar com a boca. É que ela pensa que escrever é mais custoso.

Vou contar a admiração que eu tive agora na Boa Vista. O homem mais rico daqui e o único que tem uma casa grande e bonita é Seu Joaquim Santeiro. Eu já vi a sala dele que tem santos mais bonitos do que na igreja. Ele tem lá um Senhor Morto que eu tenho pena de vovó não poder ver. Ela fica com inveja de nós, quando contamos, mas ela não pode vir, coitada. As Nossas Senhoras são lindas. S. José, S. Francisco, Santo Antônio, tudo ele vai fazendo e enchendo a sala, e diz que quando vende um põe logo outro no lugar, de modo que a sala nunca fica vazia. Vou à casa dele sempre que estou na Boa Vista e não enjoo de ver.

Eu tinha vontade de saber como é que Seu Joaquim Santeiro fazia os santos. Outro dia nós passamos por lá e ele estava na frente da casa, com o machado muito amolado, trepado num tronco de pau, tirando lasca. Não rachava como lenha; ia tirando os pedacinhos e arranjando o corpo, as pernas, e tudo, com um jeito, que eu fiquei admirada. Meu pai disse: "Bom dia, Joaquim. Que é você está fazendo aí?".

Fico até boba de escrever aqui o que ele respondeu e sei que se vovó souber vai se zangar comigo. Mas que hei de fazer, se ele falou assim? Ele parou com o machado, virou para meu pai e disse: "Bom dia, Seu Alexandre. Isto é um demônio de um São Sebastião que está encomendado há muito tempo para a Gouveia, e só agora encontrei este tronco que me está dando um trabalho dos diabos...".

Domingo, 24 de dezembro

Meu pai sempre repete na mesa a causa de nós sermos os mais pobres da família. Todos, na nossa família, só têm lidado com mineração a vida inteira. Meu pai conta que tio Geraldo o convidou para entrar de sociedade no serviço do Santo Antônio. Ele aceitou e ia entrar com vinte contos que tinha naquela ocasião. Mas mamãe, com medo de perder o dinheiro, começou a fazer novena a Santo Antônio porque a lavra tinha o nome dele e lhe pediu que a guiasse; se achasse que meu pai não seria feliz, que lhe desse um sinal qualquer. No dia em que acabou a novena bateram na porta e era Seu Malaquias, um mineiro velho conhecedor de todas as lavras da redondeza. Ele foi entrando e dizendo a mamãe: "Dona Carolina, venho aqui lhe dar um conselho. Não deixe Seu Alexandre entrar de sócio no serviço do Santo Antônio. Aquilo ali está tudo lavrado". Mamãe ficou radiante de alegria e disse: "Foi o próprio Santo Antônio que o mandou aqui, Seu Malaquias. Acabei hoje a novena que fiz a ele com muita fé, pedindo que me aconselhasse". Quando meu pai chegou em casa e ela lhe contou a história, ele desistiu da parte dele na sociedade para tio Joãozinho e tio Justino, que não acreditam em Santo Antônio.

Mamãe conta o sofrimento dela e de meu pai, quando o serviço foi aberto e os diamantes começaram a estrelar em cima do cascalho. Meu pai ainda comprou os corridos da lavra e tirou muitos diamantinhos pequenos que vendeu por dezesseis contos. Tio Geraldo, que tinha a maior parte no serviço, aí é que fez a fortuna dele.

Eu não sei como mamãe ainda pode acreditar em Santo Antônio. Ela diz, para se consolar, que Santo Antônio sabe o que faz e que talvez o dinheiro lhe viesse trazer desdicha.

Sábado, 30 de dezembro

Estou esta semana presa em casa com o joelho ferido e inflamado de uma queda de cavalo. Tenho sofrido muito, não pela ferida do joelho mas pela prisão em casa; ainda mais, no campo. Como é horrível ficar presa num rancho, sabendo que há tanta coisa boa para a gente fazer! Quando eu penso que podia estar no córrego pescando ou mesmo atrás das frutas do mato, dos ninhos de passarinho, armando arapuca e tudo, e que em vez disso estou num rancho pequeno, vendo Renato e Nhonhô lá fora aproveitando, nem sei mesmo o que eu sinto. Se eu soubesse escrever poderia até mesmo escrever um livro grande, tão compridos têm sido os dias agora para mim. Mamãe diz que eu merecia este castigo para não querer mais virar menino homem. Foi mesmo castigo. Tudo que meus irmãos fazem eu invejo, e enquanto não faço não sossego.

Segunda-feira meu pai mandou Renato levar o cavalo para o pasto e eu invejei e fui atrás. No caminho eu lhe pedi para me deixar montar em pelo, como ele fazia. De maldade ele deixou. Montei no cavalo e não tinha ainda me sentado direito e Renato o cutucou. O cavalo deu um pinote e me atirou nas pedras. Foi com sacrifício que eu consegui voltar para casa. Se a coisa fosse perto de casa eu teria chorado mais e feito muita manha para meu pai castigá-lo; mas foi longe e eu só pude vir gemendo até o nosso rancho.

Eu tinha muita inveja de ver meus irmãos montarem no cavalo em pelo, mas agora estou curada e não montarei nunca mais na minha vida, pois vi que cair é horrível e machuca muito a gente. Como vou acabar mal o ano! Só desejo agora sarar e cair no campo. Como vou ser feliz quando estiver na beira do rio com a minha peneira, pescando!

1894

Domingo, 7 de janeiro

Fomos com mamãe visitar a professora de Bom Sucesso.

Boa Vista não tem escola; os meninos daqui vão aprender é no Bom Sucesso, que é distante um quarto de légua. Júlia, sempre que encontrava mamãe, dizia: "Estou só guardando a escola para Helena. Desejo sair daqui para um lugar mais adiantado". Eu já estava com minha vida na cabeça: meu pai continuava minerando; a casa ele vendia e punha um negócio aqui para Nhonhô; Renato, assim que tirasse o título, podia ir para longe dar escola, porque é homem; mamãe e Luisinha ficavam com o serviço da casa e criando galinhas, e eu na escola.

Hoje, quando chegamos à casa de Júlia, ela disse a mamãe: "Os planos de Helena já se vão por água abaixo, Dona Carolina. A senhora já soube que vou me casar breve? Já arranjei até substituta. Agora vai ser mais difícil para Helena". Respondi: "Eu também não tenho esperança de tirar meu título tão cedo, Júlia. Se no primeiro ano já encalhei, avalie nos outros. Também a gente não sabe do futuro. Quem sabe se eu também, quando ficar moça, não vou encontrar, como você, um rapaz de quem eu goste e não vou ter precisão de dar escola?". Júlia disse: "Isto é que vai ser o mais certo".

Quarta-feira, 10 de janeiro

Hoje nos assentamos na frente do rancho, a família toda. Mamãe catava arroz, Renato fazia alçapão, Nhonhô armava uma arapuca, eu cerzia minhas meias e Luisinha nos olhava trabalhar. Certa hora eu perguntei: "Vocês não pensam para que a gente vive? Não era melhor Deus não ter criado o mundo? A vida é só de trabalho. A gente trabalha, come, trabalha de novo, dorme e no fim não sabe se ainda vai parar no inferno. Eu não sei mesmo para que se vive". Mamãe disse: "Que horror, minha filha! Para que você passou tanto tempo no Catecismo, para agora vir me dizer que não sabe para que a gente vive? Não estudou lá todos os dias que a gente vive para amar e servir a Deus na terra e gozar dele no céu?". Eu respondi: "Estudei, mamãe, mas já vi que só a família de vovó e poucos outros podem viver só para amar a Deus na terra e esperar gozar da presença dele no céu. Se a senhora soubesse como eu tenho sofrido com essa história de amar a Deus, até tinha pena de mim. Não há uma vez que me confesse que eu não diga ao padre que eu penso que não amo a Deus, porque só lembro de Deus na hora do aperto. Padre Neves diz que não acredita e que sabe que eu amo a Deus porque não faço pecado mortal. Eu respondo que é porque nada é pecado para ele. Todos os pecados que eu conto horrorizada, às vezes ele até me desculpa. Os furtos que eu e Luisinha fazíamos das frutas de que vovó fazia tanto gosto, que eu até esperava ir para o inferno, quando eu contava a Padre Neves ele dizia: 'Tirar de sua avó não é pecado'. Eu pensava que era pecado e furtava e depois tinha medo do inferno; de ofender a Deus não me passava pela cabeça". Mamãe respondeu: "É porque você vive sempre de cabeça em pé e não procura pensar. Quem pensa tem que ter amor a Deus. Eu o amo acima de tudo". Renato parou com o alçapão e disse: "Sabem o que eu já estive pensando? Não há esse negócio de céu nem de inferno nada; isso tudo é conversa de padre. Eu penso que a vida é como um punhado de fubá que se põe na palma da mão; quando se assopra vai embora e não fica nada. Nós também depois de mortos a terra come; não tem nenhuma alma". Mamãe ficou horrorizada e perguntou: "A quem você saiu com estas ideias? Estou pasma do que você disse! Como um menino de sua idade pode ter essas ideias tão hereges! Valha-me Deus, que castigo! Que fiz eu a Deus para ter um filho assim? Virgem Santa! Agora vou viver só por sua conta, meu filho". Mamãe contou a história de uma mulher que tinha um filho assim e fez penitência de rasgar o corpo com um prego para Deus perdoar-lhe. Deus perdoou e ele se ordenou e foi um padre muito santo. Renato fazendo o alçapão, sem levantar a cabeça, disse: "Mas a senhora não precisa rasgar seu corpo com prego que eu não vou ser padre. Pau que nasce torto não se conserta".

Domingo, 14 de janeiro

Vovó é muito inteligente. Ela nunca estudou e nunca a vi abrir um livro; só de orações. Depois de velha é que ela veio para a cidade e como ela compreende tudo bem! Interessa-se por tudo que eu lhe conto; olha minhas notas, coisa que mamãe nunca fez. Ela me conta a vida de moça e eu gosto muito de ouvi-la.

Ela e vovô começaram a vida na Itaipava muito pobres, só tinham dois escravos. Para se agasalharem do frio só tinham casacos de baeta. Moravam num rancho de capim. Vovô vivia de mineração; um dia ele tirava um diamante; outro, um pouco de ouro. E assim iam vivendo felizes. Nesse tempo a mineração era proibida. Quando os dragões passavam por lá, vovó escondia os diamantes e o ouro dentro da almofada de renda e ficava sentada batendo os bilros. Eles chegavam, olhavam e iam embora. Depois veio licença para mineração e acabaram os sustos.

Vovô era do Serro e era tenente. Quando houve uma guerra na Serra do Mendanha vovô foi, contrariado, porque ele estava de um lado e os irmãos de vovó do outro.[*] Ele levou uma bala no braço e vovó ainda tem a farda dele, azul, de botões dourados, toda manchada de sangue. Quando acabou a guerra ele voltou para a Itaipava.

Numa ocasião em que vovô foi abrir um serviço na lavra da

---

[*] Alusão provável a um encontro entre forças do governo e os liberais na Serra do Mendanha durante a revolução de 42.

Lomba, vovó fez uma novena a Nossa Senhora e ela lhe atendeu. Quando vovô começou o serviço, descobriu um caldeirão* virgem. O diamante era tanto, que um escravo amigo e de confiança, chamado Tito, caiu de joelhos e de mãos postas para o céu exclamando: "Meu divino Pai e Senhor, se é castigo, que se suma esta riqueza". Vovó, que nessa hora chegava com o café para vovô, ajudou também a catar os diamantes que apareciam como bagos de milho em cima do cascalho.

Vovô nunca quis sair deste lugar. Mandava educar os filhos no Rio. As filhas só aprenderam a ler e escrever; mas todas casaram na Lomba sem nunca virem à cidade. A fama do dinheiro das filhas do Batista corria longe. Iam doutores e fazendeiros de Diamantina, do Serro e Montes Claros pedir em casamento uma de minhas tias sem as conhecer, e vovô era quem aceitava ou recusava conforme as informações.

Hoje nenhuma moça casaria assim. Apesar disso não vejo ninguém mais bem casada de que mamãe e minhas tias. Será por não terem sido criadas na cidade?

Sábado, 10 de fevereiro

Nunca nos aconteceu, desde que meu pai minera na Boa Vista, voltarmos tantos dias antes de acabarem as férias como agora. Mas o rancho em que ficamos o ano passado era mesmo na beirada do serviço e teve de ser derrubado. Meu pai então contratou com Seu João e Virgínia, dois pretos muito bons, para nos alugarem a sala e um quarto e nos darem comida. Ficamos mamãe, eu e Luisinha no quarto, meu pai, Renato e Nhonhô na sala.

Fomos indo muito bem até a menina adoecer. Virgínia dormia no quarto pegado ao nosso. De noite a menina dela acordou

---

* Caldeirão: concentração de diamantes formada nas depressões do leito do rio, nas regiões diamantíferas.

chorando de dor de barriga. Pulei da cama, corri ao quarto e tomei a menina para ninar. Apertei a barriguinha de um jeito que a pobrezinha calou e fiquei passeando com ela cantando até que ela ferrou no sono. Pus a menina na cama e ela foi num sono só, até o dia seguinte.

Na outra noite a mesma coisa. Levantei-me e fiz como na véspera. No terceiro dia mamãe me segurou: "Não vá! Que bobagem é essa agora de passar as noites pajeando negrinha?". E não me deixou sair.

A negrinha já tinha se acostumado comigo e não queria calar. Mamãe com raiva da coitadinha porque não deixava meu pai dormir. Virgínia também danada porque Seu João precisava levantar-se cedo e não podia descansar. E a negrinha gritando. Virgínia disse que não passeava com a menina porque a punha manhosa e depois ela mesma é que tinha de aguentar. A pobrezinha não parando de chorar, Virgínia lascou nela uma palmada que ouvimos do nosso quarto. Aí eu dei um arranco da cama e fui buscar a menina. Deixá-la chorar de dor e ainda por cima apanhar, eu não podia ver. Não cheguei a ficar com ela meia hora. A coitadinha soluçou, até dormir.

Isto não parou mais, e mamãe com raiva da menina e dos pais também. De dia, no serviço, ela falava a meu pai que arranjasse meio de sairmos de lá. Meu pai dizia: "Como? Se eu for fazer rancho agora, não acabo a tempo. Depois, não podemos tirar o pessoal do desbarranque. Precisamos aproveitar as chuvas, que pode estiar de uma hora para outra. Vamos aguentando". Mamãe respondia: "Mas esta menina, com a mania de não poder ouvir choro de criança, que não queira acalentar, é um sofrimento para mim. Você não sabe como eu fico aborrecida de vê-la sair da cama com este frio, e ficar descalça carregando negrinha dos outros". Meu pai: "Se não temos outro jeito a dar, é ter paciência".

A menina não parou de chorar de noite e mamãe, que às vezes é emperreada, nos trouxe para aqui. Estamos eu e Luisinha com vovó neste enjoo de cidade, e mamãe, meu pai e meus irmãos gozando lá naquele céu.

120

Eu dou razão a mamãe de ficar zangada comigo. Mas que hei de fazer se não posso mudar meu gênio? Penso que se a menina fosse branquinha mamãe não se incomodava. Mas ela sempre ralha da gente pajear negrinhos. Que culpa têm os pobrezinhos de serem pretos? Eu não diferenço, gosto de todos.

Vovó deu para me trancar na sala horas e horas para estudar e fecha Luisinha no quarto. Ela ferra no sono, mas eu não sou capaz de dormir de dia e fico escrevendo para matar o tempo e morrendo de inveja de mamãe e meus irmãos que estão no paraíso e nós aqui.

Luisinha toda hora diz: "Bem feito! Você é uma boba e eu, sem culpa nenhuma, tenho também de sofrer castigo com você".

Terça-feira, 13 de fevereiro

As férias acabam esta semana. Graças a Deus vai acabar meu sofrimento de ficar com inveja de mamãe e meus irmãos que ainda estão na Boa Vista.

Quando acordo todas as manhãs e abro os olhos e me vejo na cidade, em vez de estar na Boa Vista, me dá tal tristeza que ofereço o sacrifício a Deus. Passo a maior parte do tempo pensando: "Ah, se eu estivesse na Boa Vista!". Não conto às primas porque elas gostam de saber que eu não estou alegre. Luisinha é que diz toda hora: "Tomou! Bem feito!".

Não tive raiva de mamãe me trazer porque vi como ela ficava aborrecida na Boa Vista com a negrinha. Mamãe chegou a se levantar para carregá-la. Virgínia não queria deixar e só a muito custo deixou, mas a menina gritava ainda mais. Só queria a mim. Então mamãe disse que só me tirando de lá a menina se desacostumaria de mim.

Parece que os meninos adivinham como sou louca por criança, pois gostam tanto de mim todos os que conheço. Tio Joãozinho disse a mamãe que é porque, quando eu era pequenina, ela não me deu bonecas, e agora estou desforrando.

Sexta-feira, 16 de fevereiro

A Escola abriu ontem e as aulas vão começar segunda-feira. Recebemos a lista dos livros mas ainda não deram os horários. Todos animados.

Vou escrever aqui o que aconteceu hoje na Chácara de vovó e que é muito triste. As negras da Chácara do tempo do cativeiro são todas pretas, mas não sei por que saiu uma branca e bonita. Chama-se Florisbela mas nós a tratamos de Bela. Ela casou com um negro que faz até tristeza. No dia do casamento houve uma mesa de doces e fazia pena ver Bela sentada perto do noivo, coitada. Marciano é o negro mais estimado da Chácara. Aprendeu o ofício de ferreiro e entra na sala para cumprimentar vovó e minhas tias. Mesmo assim eu não queria que Bela casasse com ele. Ela é tão bonitinha! Parece até uma rosa-camélia, clara, corada e com uns dentes lindos. No dia do casamento meu pai disse: "É um brilhante no focinho de um porco". Todo mundo teve pena. Mas ela quis e vovó diz que gostou porque Marciano é muito bom e trabalhador.

Vovó sempre se queixa que a Lei de Treze de Maio serviu pra dar liberdade a todo mundo menos a ela, que ficou com a casa cheia de negros velhos, negras e negrinhos. Ela gosta quando casa qualquer delas; dá enxoval e uma mesa de doces. A senzala antiga tem um quarto de noivos que dá para o terreiro. De vez em quando tem que se arranjar o quarto para um casamento. Vovó fica contente e já se casaram muitas. Bela é que foi a última e já está tão infeliz!

Marciano hoje trouxe-a numa rede com um companheiro ajudando. Ele foi tirando Bela da rede, todos nós gritamos horrorizados e ele disse: "Não está morta, não, é coisa-feita". Vovó mandou pô-la numa mesa dura, só com um travesseiro, vestida como estava. Ela está morta-viva. A gente só sabe que ela está viva porque põe um espelho diante da boca e ele esfumaça. Mais nada, nada! Não se move. Ainda ficou mais bonita assim, de boca e olhos fechados. Eu olho para ela toda hora na esperança de vê-la acordar. Estou tão triste de vê-la assim! Bela era como filha de vovó e todos nós lhe queremos tanto!

Marciano contou a história. Diz ele que um companheiro, que comia e vivia com ele, invejou vê-lo casado com Bela branca e bonita e quis fugir com ela. Como ela não quisesse, levou-lhe uma garrafa de vinho preparado, que ela foi tomando e caindo como morta. Ele ainda esperou na Formação um dia que ela acordasse, mas desanimou e trouxe-a para aqui.

Ele fica sentado junto dela olhando-a e chorando. O doutor já viu e disse que não tem nada a fazer; é só esperar. Que coisa esquisita! Hoje já faz dois dias que ela está assim.

Amanhã espero em Deus que quando chegar à Chácara já ache Bela acordada.

Sábado, 17 de fevereiro

Nem se pode dizer que aquilo é sono; é mais uma morte. Eu fico tão triste com este sono de Bela, que vou para a horta e subõ numa árvore para pensar sozinha. Eu estive pensando que se ela fosse preta e feia não acontecia isto; o demônio do homem não a teria preparado como fez. Só o que me consola é saber que ela não sofre. Desde que Bela chegou aqui eu não pude fazer outro castelo a não ser de vê-la acordar.

Eu perguntei a Marciano se ninguém pode fazer nada para acordar Bela e ele disse que só o desgraçado que fez o feitiço é que pode dar o contra. Mas o demônio já disse aos companheiros que nem morto ele contará o que fez; que prefere morrer e ir para as profundas do inferno a ver Bela casada com Marciano. Marciano é tão bom que fica só dizendo: "Eu não merecia mesmo este anjo. Deus me deu e Deus me tirou".

Na Chácara só esperam que o espelho não dê mais a fumacinha para enterrá-la. Para quase todos ela já morreu; mas eu pedi a vovó que a deixe mais tempo como está, dormindo na mesa.

Estou muito triste porque pus o espelho o dia inteiro e não

vi a fumacinha. Dindinha dizia que via e eu ajudei a sustentar, mas os outros todos teimando que não. O caixão já está pronto, só esperando o espelho não dar mais a fumaça.

Hoje deram os horários na Escola. São melhores do que os do ano passado, para as alunas que moram longe, porque dão mais tempo para o almoço.

Domingo, 18 de fevereiro

Hoje fizeram o enterro de Bela. Todos na Chácara se convenceram de que ela estava morta, menos eu. Se eu pudesse não deixaria enterrá-la ainda. Disse isso mesmo a vovó, mas ela disse que não se pode fazer assim. Bela estava igualzinha à que ela era no dia em que chegou da Formação, só um pouquinho mais magra.

Todos dizem que o sofrimento da morte é a luta da alma para se largar do corpo. Eu perguntei a vovó: "Como é que a alma dela saiu sem o menor sofrimento, sem ela fazer uma caretinha que fosse?". Vovó disse que tudo isso é mistério, que nunca a gente pode saber essas coisas com certeza. Uns sofrem muito quando a alma despega do corpo, outros morrem de repente sem sofrer.

Fomos todos acompanhar Bela até a Igreja do Rosário. Eu voltei para não vê-la cair na cova e porem a terra em cima. Glorinha assistiu tudo. Veio me dizendo que ouviu Bela soltar um ronco quando socaram a terra em cima e que afiançava que a tinham enterrado viva. Eu achei que ela disse isso só para me aborrecer ainda mais.

Mas é preciso tratar da vida. Amanhã já temos aulas na Escola. Vou ver se consigo estudar este ano.

Terça-feira, 20 de fevereiro

Por felicidade nossa foi adotado uniforme para nós na Escola. É de uma fazenda forte, azul-escuro, que suja pouco e é muito durável. Mamãe vai descansar da luta de me arranjar vestidos para a Escola, que lhe estava dando um trabalho horrível. Com o uniforme agora tudo será mais fácil; eu mesma o lavarei na quarta-feira e passarei na quinta. Queria só saber da cabeça de quem saiu esta ideia tão boa, que devia ter aparecido há mais tempo.

Quando uma pessoa tem sorte para tudo logo dizem: "Você nasceu empelicada". Eu desejava saber o contrário de nascer empelicada o que é. Foi o que me aconteceu. Por que hei de ter tão pouca sorte com tudo na vida? Atribuo isto à afeição de tia Madge por mim; mas ela me ajuda às vezes e é tão boa sempre, que eu reconheço que ela faz tudo por bem. Ela não sabe coser como tia Ifigênia e não quer se convencer. Tia Ifigênia é madrinha de Luisinha e poucas vezes toma os vestidos dela para fazer, sendo modista. Mas quando toma algum faz muito bem-feito. Eu, se quero ter um vestido a meu gosto, tenho que fazê-lo sem tia Madge saber.

Tia Madge sabendo da história do uniforme foi logo dizendo a meu pai que comprasse a fazenda que elas fariam. Tia Ifigênia fez o de Luisinha, uma beleza de bem-feito. Tia Madge inventou fazer o meu com saia da moda, que é de sino, e eu penso que ela não sabia cortar. Saiu uma coisa horrível! A saia ficou curta na frente e comprida atrás, e para completar minha infelicidade, ela alinhavou só as mangas e eu fui assim para a Escola. Os alinhavos eram fracos; se fossem fortes não me acontecia o que aconteceu. Elvira, vendo que a manga estava só alinhavada, puxou de um lado e Jeninha do outro, me deixando de braços de fora. Tive que pregar as mangas com alfinete e ir na carreira à casa de tia Madge. Lá ainda tomei muito pito e ela disse que era caso de eu me afastar de umas amigas tão ruins e sem educação.

É demais a minha falta de sorte.

Quinta-feira, 22 de fevereiro

Hoje vovó lembrou-se de mandar um presente a Dr. Teles que trata dela. Dindinha chamou Rita e mandou escolher na horta as frutas mais bonitas. Encheu a bandeja de prata grande, cobriu com uma toalha de renda e toca a procurar uma pessoa que soubesse dar bem um recado e conhecesse a casa. Nisto entra Chica e vovó lembrou-se de mandá-la levar o presente. Ensinou bem o recado, ela sabia a casa e foi-se. Quando ela voltou com a bandeja vazia e a toalha, vovó quis que ela contasse como tinha falado. Ela começou a contar: "Eu cheguei na Cavalhada e parei na porta do Doutor. Bati palma muito tempo embaixo até que a alugada chegou. Eu disse que ia levar um presente pra Seu Doutor. A alugada foi lá dentro e voltou dizendo que Siá Donana mandava dizer para subir. Fui subindo a escada e entrei no corredor que é comprido. Depois entrei na sala de jantar e disse a Siá Donana: 'Está aqui que Dona Teodora mandou pra Seu Doutor e espera que seja do agrado dele'. Siá Donana mandou pôr a bandeja em cima da mesa, eu pus. Siá Donana destampou e falou: 'Que beleza de frutas!'. Depois me mandou assentar no banco, eu assentei. Daí ela começou a perguntar notícias da senhora e de Dona Chiquinha. Eu falei que as senhoras iam bem de saúde com a graça de Deus. Aí então ela tirou as frutas da bandeja e pôs noutra. E falou comigo: 'Você diga a Dona Teodora que eu agradeço muito a lembrança dela e sei que o Doutor também vai gostar muito do presente'. E ainda gabou as frutas. Ela disse: 'Como dão frutas bonitas no quintal dela! Eu não pensava que davam tão grandes e bonitas'. Aí eu despedi e levantei, peguei na bandeja com a toalha e desci outra vez a escada e vim trazer. Estou sempre às ordens da senhora para o que a senhora precisar de mim". Vovó disse: "Eu sei disso, Chica; muito agradecida!".

Tive vontade de saber se vovó gostou da explicação tão esticada.

Domingo, 25 de fevereiro

Meu pai não tem vício nenhum, não bebe a não ser água e café, não joga e não fuma. Ele toma às vezes sua pitada de rapé, mas isso acho que não é vício, porque minhas tias todas tomam. Meu pai é muito amigo dos cunhados e gosta de andar na companhia deles e mamãe acha que é esse o único defeito dele.

Tio Joãozinho veio buscar meu pai para uma tal Guarda Cívica que Seu Cadete e outros inventaram agora na cidade.

Mamãe esperou meu pai na Chácara até dez horas, incomodada e vovó também, porque tio Joãozinho quando bebe dá para brigar. Às dez horas entraram tio Joãozinho e meu pai sem poderem nem endireitar o corpo. Os dois andavam curvados. Mamãe corre, segura meu pai e põe no sofá. Ele não podia dar nem uma palavra. Mamãe foi buscar chá de couve, café forte, amoníaco para cheirar e tanta coisa fez que ele melhorou. Mamãe lhe disse: "Que vergonha é esta? Estou te desconhecendo, Alexandre! Você acompanhar Joãozinho, que coisa horrível! Antes não tivéssemos saído hoje de casa!".

Meu pai respondeu: "Não se incomode, Carolina. Que tem isso, minha filha? Eu não estava acostumado e fui beber. E depois, nem todo o dia o homem pode estar em seu juízo perfeito".

Vovó e Dindinha riram muito da resposta e viemos para a casa tarde.

Hoje meu pai esteve contando que eles chegaram ontem à casa de Seu Cadete e encontraram a sala cheia; que ele foi nomeado Major da Guarda Cívica e tio Joãozinho também e tiveram de pagar patente; patente é mandar abrir vinho e cerveja para os outros. Disse que lá estavam florianistas e custodistas todos misturados e todos eram oficiais e não havia soldados; que ele acha que Seu Cadete inventou essa história de Guarda Cívica para vender as bebidas que estavam encalhadas.

Quarta-feira, 28 de fevereiro

Hoje tive muita pena de Leontino na Escola. Ele é muito acanhado e ficou encabuladíssimo com a vaia que lhe deram. Os homens são sempre mais acanhados e se desapontam com mais facilidade do que nós.

O motivo foi este. Chichi Bombom faz com os retalhos que ela arranja nas costureiras umas gravatas muito bem-feitas e minha tia comprou delas para Leontino a cem réis cada uma. Não sei se os rapazes já conhecem as tais gravatas ou se foi Leontino que lhes contou. Hoje eu almocei em casa de tia Aurélia e fui com ele para a Escola. Fomos chegando à porta e os rapazes fizeram uma zoada: "Xi! Xi! Xi!". Leontino ficou fulo de raiva, coitado.

Com aqueles nossos colegas ninguém pode.

Quinta-feira, 1º de março

Meu pai hoje veio da Boa Vista com tio Joãozinho para votarem no Presidente da República e no Dr. João da Mata para deputado.* Na nossa família todos têm de mexer com política, por causa de tia Aurélia e tio Conrado que são muito influentes. Ele é irmão da mãe de Dr. Mata e muito amigo dele e pegou essa amizade na família toda. Eu mesma dou razão de todos o considerarem uma honra da Diamantina porque é um homem muito bom. Todos tiveram muita raiva quando Floriano o prendeu. Meu pai diz que espera que ele ainda vá eleito Presidente do Estado e depois da República.

O que eu acho mais engraçado no dia da eleição é o partido que todos tomam e ninguém perdoa o que vota contra nesse dia. É tanta animação na cidade que parece coisa que nos interessa. Acabada a eleição ninguém mais se lembra. Seu Cadete fica tão influente que dá roupa e botinas aos negros para irem votar. Os negros da Chácara, que sabem ler, que são Marciano, Roldão e Nestor, já desde cedo estavam de roupa limpa para a eleição. Vovó lhes recomendou: "Vocês não escutem conversa

---

* Conselheiro João da Mata Machado, que foi Ministro de Estrangeiros na Monarquia e era Presidente da Câmara dos Deputados por ocasião da revolta de 93, tendo sido preso por Floriano.

de ninguém nem aceitem papel nenhum que queiram dar. Fiquem perto de Joãozinho e na hora de votar façam o que ele mandar". Eles saíam muito anchos.

Eu gosto de ver a animação da cidade mas não acredito que isso possa adiantar nada para nós.

Domingo, 4 de março

Nós temos a mania de achar tudo que é de fora melhor do que o nosso. Doutor só tem valor vindo de fora. Rapaz, para as moças ficarem com influência, tem que vir de fora. O que é nosso não presta, só de outras terras é que é bom. Eu mesma pensava isso. Não vou mais pensar assim. O que é mau há de ser bom de agora em diante.

Luisinha quebrou um dente da frente e meu pai quis mandar consertar pelo dentista daqui. Ela não quis, dizendo que não acreditava que ele, com aquela mão aleijada, fizesse coisa bem-feita. Meu pai foi deixando e ela também não se importou de ficar sem o dente. Chegou a Diamantina um mulato muito entonado que se dizia bom dentista. Só se vendo a empáfia do tal. Luisinha quis logo que ele lhe pusesse o dente. Meu pai chamou-o em casa e contratou com ele chumbar os dentes dela e pôr o da frente. O dentista pediu duzentos mil-réis e acabou deixando por cento e cinquenta.

Chumbou os dentes e quando foi pôr o da frente puxou a caixa de fósforos do bolso, tirou um pedacinho de fósforo, fez uma pontinha e enfiou no dente e pôs também uma massa. Não achei aquilo direito e perguntei se com o fósforo o dente ficava seguro. Ele respondeu: "O que segura não é o fósforo, é a massa". Pôs o dente e Luisinha ficou radiante. Meu pai chegou da lavra, olhou, gostou e pagou ao demônio do dentista.

Quinta-feira fomos ao Jogo da Bola, onde havia um hóspede que tinha vindo do Curralinho votar na eleição e trouxe a mulher. Tia Agostinha pôs a mesa para o café com doce de figo e bolo. A tal mulher pôs um figo na boca e uma formiga das grandes atracou no beiço dela e ela ficou pelejando para arrancá-la. Eu cutuquei as outras e ficamos todas engolindo o riso, prontas para estourar. Por isso ficamos caladas. Quando estava a mesa naquele silêncio, ouvimos um batido no prato: tim-gui-lim! Luisinha espantada olha para todos e exclama: "Meu dente!". Nós estouramos no riso e Luisinha só faltou chorar.

O demônio do dentista, depois de roubar de muita gente mais, já foi embora para outro lugar. Pobre de Luisinha, está agora segurando o dente com cera, quando quer ficar mais bonitinha.

Terça-feira, 6 de março

Há muito tempo eu não sofria uma tristeza como tive hoje.
Eu tenho três galinhas. Sempre ajunto os ovos e vendo; mas não sei por que me deu na cabeça chocar esta última dúzia em vez de vender. Podia ter evitado esta tristeza que estou sofrendo agora.

Minha galinha ficou choca e eu arranjei um caixote, umas palhas, folhas de fumo, tudo bem direitinho e também um lugar ótimo debaixo do sobrado. Deitei a galinha e fiz tudo tão bem-feito que até o dia eu assentei, e ia contando os dias e riscando. Era ontem que deviam sair os pintinhos. Quando vim da Escola para o almoço, fui olhar e já estavam dois fora da casca. Fui para a Escola só pensando na volta para quebrar o milho bem quebradinho e já tinha arranjado uma pedra redonda e lisa muito boa. Não passei em casa de ninguém só pensando nos pintos. Jeninha me convidou para entrar e achou graça de eu lhe dizer que vinha ver os pintos, se já tinham saído todos da casca. Entro em casa, jogo os livros em cima da mesa e corro para o ninho: Oh, desgraça! Só encontrei as cascas; a gata tinha comido todos.

Se eu tivesse coragem teria enforcado a gata, como vi as

vizinhas Correias fazerem. Mas não tenho e ofereço esse sofrimento a Nossa Senhora.

Sábado, 10 de março

Hoje foi dia de festa em casa.

Meu pai foi segunda-feira para Bom Sucesso onde ele está fazendo um serviço.* Era semana de lavra e ele estava com muita esperança na apuração. Meu pai anda tão caipora que ninguém mais espera sorte aqui em casa. Só ele é que diz sempre: "Esperem. Nem sempre o infeliz chora. O dia há de chegar". Mas não chega nunca.

Hoje ele foi apeando da besta e mamãe lhe dizendo: "Estou achando você com cara boa. A apuração deu alguma coisa?". Ele não respondeu. Abriu uma folha de papel na mesa e alisou, depois meteu a mão no bolso do colete com uma pachorra que me fazia aflição, tirou o picuá** e derramou os diamantes no papel. Eram uns grandes e outros pequenos.

Eu corri e abracei-o. Todos fizeram uma algazarra e começaram os pedidos. Renato e Nhonhô pediram roupa nova e botins; eu e Luisinha vestidos.

Ele calculava os diamantes em dezesseis contos, mas Seu Antônio Eulálio só deu treze e quinhentos porque a fazenda*** não era boa.

Meu pai diz que o serviço dá muita esperança e que a formação é muito boa, mas a água é que é pouca. Assim mesmo ele espera salvar o prejuízo do ano passado e ficar com bom lucro este ano. Mas mamãe diz que está muito acostumada com vida de mineiro; tira da terra num ano e torna a enterrar no ano seguinte. Que é melhor gastar mais com a família.

---

* Serviço: mineração.
** Picuá: pequeno tubo de bambu ou taquara para guardar diamantes.
*** Fazenda: o mesmo que qualidade.

Quinta-feira, 15 de março

Não sei por que hei de ter este gênio de não suportar as contrariedades, tendo sido criada na nossa família, com todos tão resignados e conformados, e também sendo filha de meus pais que nunca discutem e não procuram se meter em nada. Penso sempre que a educação nada vale. Cada pessoa nasceu como Deus a fez e assim terá de ser.

Aqui em casa somos quatro irmãos e mamãe sempre diz que eu nem pareço filha dela nem de ninguém da família, e não sabe a quem saí. Meu pai diz que eu saí a uma irmã casada que mora em São Paulo e que não conhecemos. Chama-se Alice. Casou com um doutor colega de vovô que veio passear em Diamantina, foi logo para São Paulo e nunca mais voltou. Meus irmãos são muito diferentes de mim.

Eu presto atenção às conversas dos mais velhos e tomo partido que eu sei muito bem que não é da minha conta. Mas que hei de fazer se é meu gênio?

Desde que começou esta briga de Custódio mais Floriano, só Deus sabe as raivas que eu tenho tido sem precisão. Meu pai e meus tios são custodistas e contam tanta maldade desse Floriano que eu, para dormir, às vezes tenho de rezar pedindo a Deus que me tire da cabeça o desejo de que matem esse demônio. Foi ele que prendeu o Dr. Mata e fez muitas outras maldades. Meu pai diz que acha graça da raiva que eu tenho, porque ele toma partido mas não se incomoda.

Anteontem é que sofri deveras. Jeninha veio me buscar para passarmos dois dias na Palha. Fui e estávamos passeando no campo, com uma tarde muito bonita e na maior alegria, quando vimos irem chegando diversos cavaleiros já atacando fogos mesmo a cavalo. Corremos para saber da novidade. Era o pai e os cunhados de Jeninha e mais outros que foram também para a Palha festejar com a família a vitória de Floriano.

Eu fiquei tão pálida e desapontada, que todos riram. O pai de Jeninha logo disse: "Então a nossa inglesinha é contra o nosso partido e não sabíamos?". Jeninha disse: "Eu bem que sabia. Ela briga todos os dias na Escola por causa desse Custódio". E virando para mim disse: "Para que você se importa com a vitória ou derrota de qualquer deles? Eles sabem lá quem é você? Não seja tola de ficar aborrecida à toa. Para mim, vencesse o que vencesse, seria o mesmo. Deixe de ser tola, vamos também festejar com eles".

Eu disfarcei mas fiquei só pensando na tristeza da família. Também depois eles atacaram mais fogos, beberam muita cerveja e não se ocuparam comigo.

Terça-feira, 20 de março

Dona Gabriela vai mudar-se para a Rua Direita. Já estou pensando na falta que vou sentir das tardes alegres que passo ali. Ela me apelidou "Alegria da Casa" e não me deixa passar uma tarde sem ir lá.

Ontem eu precisava ficar em casa para passar a ferro meu uniforme. Mas foi bom ter ido.

Eu tinha no rosto um quisto que incomodava muito a vovó e tia Madge e também ao pessoal da casa de Dona Gabriela. Ontem Clélia resolveu tirá-lo de um modo que ela aprendeu. Ela pegava uma brasa e jogava num copo de água; a brasa chiava, ela abria o carvão e punha, quente, no quisto. Fez isto umas três ou quatro vezes e o quisto ficou mole. Ela então espremeu e saiu sebo que dava para uma vela. Quando eu cheguei em casa mamãe me chamou de idiota, que deixo todo mundo fazer de mim o que quer. Eu lhe respondo: "Eu é que sei se sou idiota. O quisto estava crescendo e era capaz de ficar do tamanho de uma laranja, e a senhora e meu pai todo o dia dizendo que aquilo não era nada. Mas quem ficava cada dia mais feia era eu. Tudo que quiserem fazer para meu bem eu deixo".

De noite meu rosto inchou muito e Clélia ficou muito incomodada, mas eu lhe disse que não valia nada, que não se preocupasse. Hoje já está quase bom.

Sábado, 24 de março

Meu pai acha muita graça dos negros da Chácara não saírem do fundo do quintal senão para verem enforcar o judas.
Hoje foi Sábado de Aleluia. Tínhamos acabado de almoçar na casa de tio Geraldo quando foi passando a negrada toda, de roupa limpa, dizendo: "Louvado seja Cristo, Sinhá Veia". Eram três casais, Benfica e Generosa, Mainarte e Magna, Machadinho e Henriqueta, e dois sem mulheres; Joaquim Angola e Quintiliano.
Vovó perguntou: "Que é isto? Aonde vão todos assim?".
Foi Benfica que respondeu: "Giniroso não viu treva. Bom; Giniroso não viu treva. Giniroso não viu lava-pé. Bom; Giniroso não viu lava-pé. Giniroso e nós tudo não vê inforcá o juda que vendeu Nossinhô, oncê não vê que não é possive?".
Vovó respondeu: "É isso mesmo, têm toda a razão, podem ir".
E lá foram eles, cada um com sua manguara para esbordoarem o judas.

Segunda-feira, 26 de março

Hoje, segunda-feira, estou aqui com saudades da Semana Santa que aproveitei tanto! O Domingo da Ressurreição é para mim o melhor dia do ano. Primeiro porque fico cansada de tanto jejuar e no domingo eu desforro na começão de carne de galinha; depois por ser o dia mais alegre do ano. Vovó costuma passar a Semana Santa na casa de tio Geraldo. Nós todos vamos à igreja assistir às aleluias. Que alegria a gente sente quando rompem as aleluias! Os sinos da cidade, as campainhas e tudo tocam ao mesmo tempo. A cidade se alegra de repente. Não se vê mais o homem de opa nas ruas, tocando matraca o dia inteiro. Tudo é só alegria.
Desde pequena eu nunca vi um Domingo da Ressurreição triste. Até o sol é diferente. Neste dia Dindinha leva para a Rua Direita as colchas de damasco de seda de vovó para juntar com

as de tio Geraldo e porem nas sacadas. Ficam bonitas as ruas com as sacadas enfeitadas de colchas de seda de todas as cores. Vovó já disse que vai me dar uma colcha rica de damasco quando eu crescer e tiver minha casa.

Hei de escolher a mais bonita.

Quinta-feira, 29 de março

Vovó foi passar a Semana Santa na Rua Direita, em casa de tio Geraldo que é em frente da Sé, e ainda não voltou. Ela não vai à igreja mas gosta de ver, da sacada do meu tio, a entrada e a saída dos bispos e padres e o movimento do povo na rua.

Anteontem fomos todos, depois do almoço, passear na Chácara. Mamãe resolveu ir lá para Cesarina lavar a roupa, que o terreiro é grande. Nós fomos chegando e correndo todos para a horta. Mamãe ficou em casa com tio Joãozinho. Este pegou num livro, entrou para o quarto dele e deitou na cama para ler. Senhor Bispo, passando de tarde com mais três bispos de fora que vieram para as festas da Semana Santa, entrou na Chácara para visitar vovó. Como ela não estava, Rita chamou mamãe que lá foi alegre, pensando que era só Senhor Bispo. Quando ela entrou na sala que viu tantos bispos juntos, pensou que fossem padres e deu a mão a todos, mas só beijou o anel de Senhor Bispo. Nem prestou atenção à vestimenta deles, tão atrapalhada ela ficou. Senhor Bispo apresentou os outros e mamãe, muito desapontada, não pôde consertar o erro; só lhes disse que vovó não estava em casa. Eles se despediram e saíram.

Quando eu fui entrando na sala de jantar, mamãe foi virando para mim e dizendo: "Como é que você fez uma coisa desconforme por esta forma, me deixando sozinha na sala cheia de bispos? Você devia vir me ajudar, para não me acontecer o que aconteceu. Eu só beijei o anel de Senhor Bispo e dei a mão aos outros como padres".

Tio Joãozinho, que estava ouvindo a conversa do quarto dele, veio perguntar a mamãe: "Inhá, que significa isso que você disse, 'desconforme por essa forma'?". Mamãe não soube explicar, ele riu muito e depois contou aos outros. Agora ficou isso na família; quando alguém faz uma coisa malfeita, já se sabe, vem o "desconforme por essa forma".

Quinta-feira, 5 de abril

Hoje de manhã cedo mamãe pôs uma trouxa de roupa com um pão de sabão na cabeça de Cesarina e mandou-a para o Rio Grande. Deu-lhe umas bananas e disse: "Vá comendo estas bananas enquanto não chegarmos. Passe na casa de Júlia, leve Maria Hilária e vão as duas para perto do Glória. Não quero você perto das lavadeiras; elas são muito bisbilhoteiras. Vocês me esperem lá nas lapas, que logo que eu acabe o almoço e as meninas de arrumar a casa, vamos todos e levamos sua comida. Vão ensaboando o que puderem antes da nossa chegada".

Cesarina foi. Arrumamos tudo às carreiras. Mamãe fez o almoço. Renato e Nhonhô arranjaram os alçapões, o visgo e os anzóis. Almoçamos e descemos para o Glória. Nhonhô levou também um cesto com os trens para a merenda, café, queijo, farinha de milho, bananas, vasilhas e tudo.

Para nós, descer para o Rio Grande, o Beco do Moinho ou a Palha é o mesmo que subir para o céu. Fomos encontrar Cesarina já com a roupa quase toda estendida para quarar.*

Eu levei um romance que me emprestaram chamado *Fabíola*, para ir lendo, mas nem o abri. Renato levou anzóis para nós, pois hoje estava Cesarina para ajudar na roupa e nós poderíamos ajudá-lo na pescaria.

Eu já nem gosto de contar a esquisitice que se dá comigo. Nunca pesquei um lambari com vara; só na saia ou na peneira. Penso que vou ter a maior alegria no dia em que pescar um só

---

* Quarar: corar.

que seja. Renato me explica tudo bem. Eu fico com a vara na mão tempos esquecidos e não sai nada; o lambari belisca o anzol, come a isca e vai-se embora. Renato pescou mais bagres que lambaris e Nhonhô não pegou nem um passarinho. Eu, quando desisti de pescar, fui passear e apanhar sempre-vivas. Depois tomamos banho no Glória, lavamos os cabelos e subimos já com as roupas enxutas.

Sexta-feira, 6 de abril

Não sei para que se dá presente aos ricos. Aos pobres é que se deve dar.

Quando eu era pequena, as negras da Chácara me contavam a história de um moço que gostava da princesa, mas o rei não queria que eles casassem e proibiu que ele entrasse no palácio. Uma fada sua madrinha lhe deu uma carapuça que ele punha na cabeça e ficava invisível. Ele então pôde entrar no palácio e acabou casando com a princesa. Quando eu me deitava, na hora de dormir, ficava fazendo castelo de ter uma carapuça dessas, que me fizesse invisível, para entrar nas casas dos ricos e roubar o seu dinheiro para repartir com os pobres. A pena que eu tinha dos meninos pobres era tanta, que até hoje me lembro de um caso daquela época.

Eu e Luisinha costumávamos levar para merenda na Escola duas ou três bananas cada uma ou duas broas ou cuscuz de fubá. Ainda não havia padaria na cidade; Seu Alex é que trouxe agora para aqui essa novidade. Nós passávamos para a Escola pela porta de uma lenheira que tinha dois negrinhos de uns dois ou três anos. Os meninos eram tão quietinhos, que a mãe ia buscar lenha no mato e os deixava na porta da casa onde morava, que estava caindo, e ali eles ficavam. Eu não podia passar sem repartir com eles a merenda que mamãe me dava. Luisinha me via fazer aquilo sempre, sem prestar atenção. Mas um dia, não sei por quê, me deu uma fome na Escola e ainda faltava muito para voltarmos para casa. Cheguei a Luisinha e lhe pedi que me desse uma banana das dela, que eu estava esfomeada. Ela disse que já tinha comido e me mostrou as cascas. A gente tinha de deixar as cascas na caixinha, para trazer quando acabasse a Escola, porque a mestra não queria que se jogasse no terreiro. Então eu disse a Luisinha que me desse umas cascas porque eu, mastigando, podia passar a fome. Ela chegou em casa e contou. Mamãe disse: "É por estas coisas que ela é tão magra assim. Se há de comer o que lhe dou, vai dar aos outros". Mas daí em diante me dava sempre merenda maior.

Lembrei-me disso porque hoje Siá Mariazinha foi à Chácara. Vovó perguntando por que ela anda tão sumida, respondeu: "Então a senhora não sabe, Dona Teodora, que pobre é desconfiado? Eu já tenho mandado tantas coisas para a senhora: meus franguinhos, minhas abóboras, meus ovos, sem a senhora retribuir nada, que eu fiquei aborrecida e sumi assim. Hoje é que eu não tive outro remédio senão voltar, porque estou precisando de uma ajudazinha da senhora".

Segunda-feira, 9 de abril

Mamãe foi com meus irmãos passar três dias na Boa Vista, e eu, para não perder as aulas, vim ficar no Jogo da Bola. Se eu já gostava de tia Agostinha, agora a estimo ainda mais. Tenho tanto desejo de ajudá-la! Com pouca coisa ela remedeia, e nem isso eu posso. Mas sofro de ver como ela luta às vezes por um níquel, como hoje. As galinhas vinham bicar a almofada de renda, alvoroçadas de fome, e ela disse: "Estou rezando, minha filha. Daqui a pouco aparecerá dinheiro para o milho".

Batem à porta, eu vou atender; é um menino com duzentos réis para comprar ervas. Despeço o menino e volto. Tia Agostinha pergunta quem tinha batido. Quando respondi o que era, ela disse: "Corra atrás do menino e chame que eu arranjo as ervas. É o dinheiro que eu pedi para o milho das galinhas".

O menino voltou, tia Agostinha foi à horta, que estava rapada, e arranjou as ervas. Mandou logo comprar um prato* de milho para as galinhas e ficou tranquila.

Lembro-me também de uma aflição que eu vi tia Agostinha passar por quinhentos réis, e não pôde arranjar.

Dona Vicentina era professora de piano de Glorinha, por seis mil-réis por mês. Um dia Dona Vicentina veio dar lição, de tarde, e pediu a tia Agostinha que lhe adiantasse dois mil-réis. Ela respondeu que era impossível. Dona Vicentina baixou para um mil-réis; impossível. Então ela disse: "Veja se lhe é possível me arranjar ao menos quinhentos réis, Dona Agostinha. Hoje as minhas filhas me pediram que lhes mexesse o tutu de feijão com farinha, pois já enjoaram de fubá".

Tia Agostinha respondeu: "Estou nas suas condições, Vicentina. Pode acreditar".

Quinta-feira, 12 de abril

Padre Neves me disse outro dia, quando eu lhe contei que um primo me havia dito que o homem vem do macaco, que é um grande pecado ouvir essas coisas. Eu não tinha visto, na História Sagrada, a história de Adão e Eva? Eu calei. Mas se Padre Neves conhecesse o macaco que tem aqui na vizinhança, até ele era capaz de acreditar. Esse macaco é mais inteligente do que muitos meninos que eu conheço. A dona dele é Siá Ritinha, que furta as galinhas dos vizinhos.

Ela gosta muito de mamãe e meu pai, e nós ficamos sabendo que é ela que furta as galinhas por isto: as nossas ela não gosta de furtar, mas já sabemos, quando vamos recolhê-las que falta alguma, já podemos esperar a visita de Siá Ritinha. Ela pega a galinha, põe debaixo do balaio e vem nos visitar. Só espera, no meio da conversa, mamãe lhe dizer:

---

* Medida de dois litros.

— Siá Ritinha, hoje me furtaram uma galinha assim assim.
Ela responde:
— É uma pouca-vergonha, Dona Carolina, desta gente aqui da vizinhança. As minhas eles já comeram todas.
— As suas também? — diz mamãe.
Ela se despede e vai soltar a nossa galinha. Se for de outro, está no papo.

Eu penso que ela educou o macaco para furtar também. Ele não nos deixa em paz. Mamãe já disse que se não tivesse medo de Siá Ritinha desconfiar, ela lhe dava veneno. Se mamãe descuida um instante com a cozinha aberta, ele furta o que encontra. Já nos furtou queijo, toicinho, carne e até o coador de café. Há poucos dias ele trouxe também para o terreiro da nossa casa um pedaço de toicinho que furtou nalguma parte. De Siá Ritinha afianço que não foi.

Meu pai tem no terreiro um pessegueiro damasco que dá pêssegos lindos; mas ninguém tem licença de apanhar nem um. Ele espera que fiquem bem maduros para ele mesmo apanhar e nos dar. Nós vivemos namorando os pêssegos. Agora descobrimos um jeito e temos comido muitos. O macaco, que se chama Chico, sobe no pessegueiro e nós lhe pedimos: "Chico, joga aqui um". Ele joga; e assim vamos comendo os pêssegos de cima, sem meu pai dar por falta.

O pior furto do macaco foi de meu terço tão bonito, que eu ganhei no dia da minha primeira comunhão e já tinha havia tanto tempo! Quando chovia e eu não podia sair de casa, eu punha o terço na chuva, pois me ensinaram que é melhor do que rezar para Santa Clara. Uma tarde estava chovendo e meu pai tinha prometido nos levar aos cavalinhos, eu pus o terço na chuva na esperança dela ainda passar a tempo de nós irmos. Pois a chuva não passou e eu fiquei sem meu terço.

Os fundos da casa de Mestra Joaquininha dão para o nosso quintal. Ela nunca apanhava os cachos de banana antes de estarem maduros. Mas nós descobrimos pedir ao macaco as bananas e ele nos atirava em quantidade. Agora a mestra já manda apanhar os cachos antes de amadurecerem.

Chico persegue toda a vizinhança e se ele não fosse de Siá Ritinha ela já o teria matado.

Terça-feira, 17 de abril

Hoje deu-se comigo uma coisa tão horrível que eu fiquei triste o resto do dia.

Todas as alunas da Escola já estão com o uniforme de fazenda azul. Algumas demoraram a fazer mas todas já fizeram. Foi a melhor invenção que eu já vi até hoje. Era muito difícil para nós termos sempre vestido pronto para a Escola; umas andavam bem-vestidas, mostrando sua riqueza e outras sua pobreza. Agora estamos todas iguais, graças a Deus.

Senhor Bispo, falando a uma colega do quarto ano que gostou da ideia do uniforme na Escola e perguntando se era bonito, ela prometeu levar lá algumas alunas para ele ver. Como eu moro para baixo do Palácio, Maria Pena disse: "Não deixe de me esperar na saída da Escola. Eu quero levar você e outras que moram perto do Palácio para o Senhor Bispo ver os uniformes". Acabadas as aulas ela chamou umas alunas e fomos para o Palácio. Chegando lá fomos logo subindo, eu escorreguei, rolei a escada um bom pedaço e meus livros se espalharam. Eu me levantei, pus-me a ajuntar os livros e dei por falta de minha geografia novinha. Fiquei tão triste de ter perdido meu livro que Maria Pena teve uma ideia e disse: "Vou procurar nos livros de todas; pode ser que alguma tenha apanhado por engano". Foi correndo os livros e o meu estava metido no meio dos de V... Maria Pena tirou-o, entregou-me e ninguém falou mais nada.

Estou boba até agora.

Quinta-feira, 19 de abril

Estive hoje toda a tarde na casa de tia Agostinha, no Jogo da Bola. Estava lá, na pedreira, nosso professor Seu Sebastião.

Ele é muito alegre e ri toda hora que acha uma coisa engraçada. Vê-se que ele é muito feliz. Também não podia deixar de viver alegre se leva uma vida tão boa. Trabalha a semana inteira e, quando tem um feriado ou domingo, ele pendura a espingarda no ombro, monta no seu cavalo e sai com seus cachorros para o campo atrás das codornas. Hoje eu passei a tarde vendo-o fazer uma coisa que eu não sabia, apesar de eu viver muito no campo e conhecer berne tanto como carrapato. Quando nós apanhamos um berne mamãe usa para tirá-lo uma porção de meios e cada qual pior. Um deles é um pedaço de toicinho amarrado em cima do berne para ele entrar dentro. Nunca em nossa casa nenhum berne entrou no toicinho. Outro é um pedaço de fumo. Faz-se tudo e o berne vai crescendo na mesma. Hoje eu vi Seu Sebastião tirar uma porção de bernes do cachorro dele num instante, de modo muito fácil. Espremia o berne e ele saltava longe, deixando o cachorro com um buraco no corpo e aliviado das ferroadas. Quando eu tiver algum berne não faço mais o processo de mamãe. Não sei se irá doer. Se não doer, estou mestra de tirar berne, não só de cachorro como de gente.

Segunda-feira, 23 de abril

Hoje fomos entrando da Escola, Renato jogando os livros para um lado e correndo atrás dos ovos das galinhas dele, que são duas. Antes de sair ele as tinha apalpado e visto que estavam com ovos; não os encontrando ele voltou e perguntou a mamãe. Ela não os tinha apanhado. Então, sem perguntar mais nada, passou as mãos na vassoura e foi dizendo: "Vou matar essa desgraçada e é já!" e saiu correndo atrás da gata com a vassoura. Ela, mais esperta do que ele, fugiu, e ele atrás como doido. Mamãe então perguntou: "Quem lhe disse que foi a gata?". "Quem havia de ser? Pois não foi ela que comeu os pintos de Helena?" Mamãe disse: "Pinto não é ovo. Isto pode muito bem ser um teiú que anda por aí e que Sá Ratinha disse que anda chupando os ovos dela. As cascas estão lá?". Renato disse: "Não. Por isso é que estou pensando que foi a gata. Se fosse teiú, bebia o ovo e deixava a casca". "Então vá ver se o portão está aberto. Isso está me parecendo arte de algum menino da rua que entrou aí debaixo do sobrado, eu sempre cá por dentro, e furtou os ovos."

Renato foi ver, o portão estava aberto e ele desconsolado com o furto dos ovos que contava comer fritos no jantar. Ele parece também com teiú para ovos. Quando está em casa não deixa a galinha pôr o ovo sossegada; muitas vezes ele o puxa da galinha, quando ela está botando.

Quinta-feira, 26 de abril

Eu, de pequena, tinha inveja muitas vezes, mas hoje não tenho.

Agradeço muito isto a vovó. Foi ela que me corrigiu.

Eu sou a mais pobre da minha roda. Vejo a diferença da minha vida e das outras e não as invejo. Se elas soubessem os meus serviços em casa e na Chácara teriam pena de mim; no entanto eu gosto muito de todos eles. Em casa tenho de passar as roupas a ferro, fazer a arrumação e nas quintas-feiras arear a metade da casa. A outra metade é de Luisinha. Tenho de lavar meu uniforme e passá-lo. Também arrumação da cozinha nas quintas-feiras é minha. Eu mesma é que peço a mamãe para me deixar esse trabalho.

Na Chácara ajudo a apanhar jabuticabas e espremer para fazer vinagre, a apanhar café, a colher frutas. Ajudo a fazer molhos de verduras para vender, a fazer velas e outras coisas mais. Gosto de todos estes serviços, mas o melhor de todos é fazer velas, que é no terreiro com vovó assistindo. A gente vai metendo os pavios no sebo e pondo no varal. Quando secam, faz-se a mesma coisa outra vez até a vela ficar da grossura que se quer. Eu sou a mais ligeira e vovó fica satisfeita de ver como eu ando depressa. Vovó é a única pessoa que não quer me ver trabalhar muito; ela só gosta que eu estude.

Não sei por que até hoje todo o mundo diz que tinha pena

dos escravos. Eu não penso assim. Acho que se fosse obrigada a trabalhar o dia inteiro não seria infeliz. Ser obrigada a ficar à toa é que seria castigo para mim. Mamãe às vezes diz que ela até deseja que eu fique preguiçosa; a minha esperteza é que a amofina. Eu então respondo: "Se eu fosse preguiçosa não sei o que seria da senhora, meu pai e meus irmãos, sem uma empregada em casa". Palavra que eu tinha vontade de deixar as coisas correrem aqui em casa sem eu fazer, só para ver. Mas não posso.

Eu sei por que mamãe deseja que eu seja preguiçosa; é para viver metida em casa com ela, como Luisinha. Isto é impossível. Só essa ideia me horroriza. Às vezes eu fico pensando o que seria de mim se adoecesse e tivesse de passar uma semana inteira em casa, como o pobre de João Antônio que adoeceu no Seminário e está na Chácara de cama, há quinze dias. Também a Chácara é muito grande e bem mais alegre do que aqui em casa.

Terça-feira, 1º de maio

Naná é linda. Eu me lembro até hoje do desapontamento que tive um dia em que Naná adoeceu. Eu tinha sete anos e era mais tola do que sou hoje.

Naná adoeceu e Inhá mandou me chamar para ir lhe fazer companhia. Depois entrou Dr. Teles. Ele tinha chegado naqueles dias e não me conhecia. Olhou Naná corada de febre na cama e disse: "Que menina bonita! Como se chama?". Inhá respondeu: "Maria Orminda". Dr. Teles disse: "Esta menina devia chamar-se Helena". Inhá disse: "Olhe uma Helena aí perto". Ele me olhou e virou a cara como quem diz: "Esta não merece o nome". Eu confesso que desapontei.

Naná vem sempre à Chácara passar as tardes comigo e vovó agrada muito todos que gostam de mim. Fica só comigo: "Leva Naná para passear na horta. Leva para o jardim". Dá-lhe doce, frutas e não descansa. Eu chamo Naná: "Vamos brincar no gramado para vovó te deixar em paz".

144

Iaiá tem antipatia de mim, por vovó gostar de mim e ter birra de Nico Boi Pintado que ela criou como filho. O mesmo que Iaiá diz a vovó quando fica me agradando e dando as coisas, vovó diz a Iaiá: "Este menino vai ficar perdido. Você vive só capeando-o". Iaiá dana, mas não pode desforrar em vovó e desforra por cima de mim.

Eu sei que Naná é bonita e eu não sou; mas não sei por que Iaiá pensa que me inferna ficar comparando a nós duas. Vovó hoje notou que ela fala é para me infernar e perguntou: "Henriqueta, você acha mesmo a Naná essa beleza ou fala só para fazer inveja à outra?". Iaiá respondeu: "Ora, minha mãe, por quê? Então não se pode mais falar na beleza de uma menina como a Naná, que a senhora fica com raiva?". Vovó disse: "Não estou com raiva, não; mas você sabe que o Renato vive só falando a esta tolinha que ela é feia e ela acredita. Eu vivo pelejando para lhe tirar isso da cabeça e você não perde ocasião de falar na boniteza das outras perto dela". E virando para mim: "É tudo mentira, minha filha; você é que é bonita. Nenhuma tem sua graça, sua inteligência, sua bondade. Você é a primeira menina de Diamantina. Fique certa disso". Eu disse: "Vovó, não gosto de ouvir a senhora falar assim, porque sei que a senhora pensa que eu tenho inveja. Pode ter certeza, vovó, que eu só tive inveja das outras quando era pequena; assim mesmo só quando elas iam de virgem. Deixe Iaiá falar. Não se importe não, vovó".

Que tia enjoada, esta Iaiá!

Sexta-feira, 4 de maio

São os dias mais divertidos para mim estes que passo na Palha. A fábrica de lapidação tem muita gente, a casa tem muitos cômodos e os campos são lindos. Como tudo ali é bonito e alegre!

Na quarta-feira já esperei cedinho, com tudo preparado, que Jeninha viesse pedir a mamãe para levar-me, segundo o seu costume. Mamãe consentiu e fomos, reunindo-nos à família dela que estava no Cruzeiro do Rosário à nossa espera. Como sabe se divertir a família de Jeninha! É tão diferente da minha! Os meus passam a maior parte do tempo rezando.

Às vezes fico pensando que é bem difícil a gente ir para o céu e perco até as esperanças. Eu vejo vovó fazer tanta coisa para Nossa Senhora e para o Divino que chego a pensar que já passa a adulação. Na Chácara as negras vivem só fazendo rendas, para enfeitar os altares; as bordadeiras bordando capas de seda para todas as Nossas Senhoras. Já vi vovó mandar fazer capas para as Senhoras da Luz, do Carmo e das Mercês e até para Nossa Senhora do Rosário que é dos pretos. Para o Divino Espírito Santo eu tenho de levar, todo ano, uma quantidade de cera debaixo da bandeira. Este ano foi tanta cera, que até minha prima Glorinha teve de me ajudar a carregar. E as missas? Se vovó me desse o dinheiro que gasta em missas, eu estaria rica. Não sei se será pecado o que estou escrevendo aqui. Por seguro eu contarei tudo ao padre.

Estava falando da Palha e tomei outro rumo. Este ano o mastro e a Santa Cruz estiveram do outro mundo. Como fizemos tudo bem-feito na Santa Cruz! O Cruzeiro da Palha é assentado no alto da serra e os enfeites de bambus e bananeiras, a iluminação das lamparinas e as flores fizeram muita vista. Eu ajudei bastante e diverti-me com tudo. Levantamos o mastro com música e fogos, pulamos a fogueira, tiramos muita sorte.

À noite eu não quis dançar. Isto serviu para que as moças da fábrica dissessem que eu estava com desprezo de dançar no meio delas. Eu não tenho desprezo de dançar com elas. O que eu quis foi evitar que me tirassem para dançar alguns homens que estavam lá.

Sábado, 5 de maio

Terça-feira eu fui visitar Cecília e como tinha de voltar para fazer a redação, que é a única coisa obrigatória na Escola, eu lhe disse: "Não posso me demorar com você, porque ainda não fiz a minha redação e amanhã cedo eu vou para a Palha, passar dois dias, e não terei tempo".

Ela respondeu: "Por isto não. Eu lhe empresto meu livro, você copia uma carta num átimo e leva".

Peguei no livro e fiquei deslumbrada! Perguntei onde ela o tinha comprado. "Quanta carta bem escrita e bonita! É por isso que vocês levam umas cartas tão bonitas. Ah, se eu também pudesse comprar este livro!" Cecília respondeu: "Não precisa. Quando você quiser eu lhe empresto". Eu disse: "Então eu vou querer todo dia. Você bem podia levá-lo à Escola, porque eu copiava lá mesmo e estava no feito, com as noites só para estudar".

Ela concordou. Copiei uma carta que achei uma beleza, dobrei bem dobradinha e meti no seio. Vim para casa numa grande satisfação. Só pensava na hora em que Seu Sebastião lesse a carta na aula, como ele costuma fazer quando acha uma coisa bem escrita, e me elogiasse: "Como você está escrevendo bonito! Parabéns!".

Entreguei a carta ontem. Hoje, quando cheguei à aula, ele estava com a ruma de redações em cima da mesa e foi chamando cada aluno pelo nome, para entregar a sua, como é costume. Quando chegou a minha vez: "Helena Morley!", olhou para o meu lado e parou um instante. Fiquei com o coração aos pulos, esperando o elogio. Ele gritou alto: "Onde é que você descobriu o manual?". Os alunos caíram na gargalhada.

Que maldade de Seu Sebastião!

Segunda-feira, 7 de maio

Não sei se será maldade minha ter gostado do que vi ontem. Penso que eu devia ter ficado triste de ver uma moça tão bonita como Quita cair assim no meio da igreja, desmaiada. Mas não posso deixar de contar aqui que gostei muito da novidade. Nunca tinha visto ninguém dar ataque e achei tudo tão divertido. Gostei tanto de ver a pressa com que Chiquinha se levantou do meio da igreja, pegou Quita, jogou no ombro, desceu as escadas do Bonfim e foi pô-la na casa de Américo de Matos, na cama deles. Os rapazes é que deviam tê-la carregado e no entanto ficaram todos com cara de bobos. Também eles tinham razão, pois me disseram que o ataque foi por Quita ter visto Luisinho tão perto do altar onde Padre Neves ia fazer o mês de Maria, ela sabendo a birra que o padre e todos os parentes têm dele. Ela foi que nos acompanhou ontem no órgão, por Biela estar doente. Acabada a bênção na Sé, onde cantamos todas no coro, ela nos convidou para o mês de Maria na Igreja do Bonfim. Fomos entrando e ela vendo o namorado e caindo de ataque. Eu fiquei espantada com tanta novidade e admirada da força de Chiquinha; mas ela é gorda e alta e Quita é pequena e magra. Pôs Quita no ombro como se fosse uma criança e saiu pela rua afora.

Gostei da sorte que Quita teve de ter tanta coisa bonita para mostrar, quando começaram a lhe abrir as roupas. Anágua, corpinho, colete, camisa, tudo muito bonito. Todas nós invejamos tanta coisa bonita que ela tinha escondida. Saí de lá pensando o que seria de mim se tivesse um ataque como ela, eu que não tenho nada bonito para os outros verem. Falando nisso a mamãe, ela disse: "Joãozinho costuma dizer que a gente deve andar sempre prevenida para o caso de ter um ataque na rua, mas eu nunca pensei nisso. É a primeira vez que eu acho razão no que ele diz". Eu disse a mamãe: "Antes de abrirem as roupas dela e aparecer tanta coisa bonita eu estava com inveja do ataque e achando muita poesia em tudo. No fim eu dei graças a Deus de não ter sido eu". Luisinha teve logo ideia: "Quando você tiver muita roupa branca bonita, você pode também fingir um ataque como ela. Eu penso que deve ser fácil". Eu respondi: "Fácil é, mas para quem não ri tanto como nós duas. Qual de nós seria capaz de fingir um ataque muito tempo? Deixa isso para as outras".

Quinta-feira, 10 de maio

Bateram na porta de manhã, e como é quinta-feira eu estava já passando as roupas a ferro. Abri a porta, era Seu Juca

Parrudo. Mandei-o entrar e levei-o até a horta onde meu pai estava chegando terra às plantas. Ele entrou e larguei o ferro, porque não perco conversa de gente grande, principalmente de homem. E fiz muito bem, porque fiquei sabendo uma coisa que eu tinha muito desejo de saber.

Seu Juca criou uma menina muito bonitinha que se chama Maria da Conceição. Ela era minha colega na escola de Mestra Joaquininha e um dia outra menina brigou com ela e chamou-a de "Maria do Esgoto". A mestra pôs a outra de castigo para não faltar à caridade com as suas colegas, dizendo: "Que culpa tem a Maria de a terem jogado no esgoto?". Então as outras me contaram como ela foi encontrada mas eu não acreditei, pensei que era história.

Seu Juca foi entrando e dizendo a meu pai: "Que bom encontrá-lo aqui! Eu vinha atrás de umas salsas que me ensinaram que é muito bom para as urinas. Ontem é que o Sebastião Coruja me disse: 'Se você não encontrar na horta do Alexandre, não encontra mais em parte nenhuma. Só lá é que ele não passa sem essas coisas'. E ele tem razão deveras. Como está tudo bonito! Você é mesmo de outra raça, meu caro. Nós também temos horta e não fazemos como você. Mas deixe estar que eu vou seguir seu exemplo".

Meu pai lhe deu as salsas e mamãe lhe perguntou: "Como vai a Maria da Conceição?". Ele respondeu e daí ele mesmo procurou jeito de contar a história de Maria que eu pensei que ele não gostasse de lembrar.

Ele disse que ele e a mulher tinham tido só um filho, o José. Quando este cresceu, eles viviam tristes, os dois, desejando um filho pequeno ou uma filha, e Deus então se lembrou deles e mandou Maria de uma forma muito esquisita. Eles tinham se deitado, com a casa toda fechada, quando a mulher disse que estava ouvindo um choro de menino debaixo do assoalho. Ele respondeu que era cisma dela. Então ela disse: "Pois ponha o ouvido aqui e veja se é cisma". Ele pôs o ouvido e escutou gritos de uma criancinha. Correu à cozinha, trouxe o machado e levantou as tábuas do assoalho. Depois pegou numa enxada, abriu o encanamento que passava debaixo da casa e foi tirando as pedras até dar com a pobrezinha, que vinha rolando desde a Rua do Carmo até ali na Rua do Bonfim. A menina estava toda cortada de cacos de vidro e suja de imundícies. Ele apanhou-a e a mulher lhe deu um banho de água com sal e arnica. A menina não morreu porque foi presente do céu, que Deus lhe mandou.

Quinta-feira, 17 de maio

Tia Agostinha é a criatura melhor que eu já vi. Ela, se pode estar fazendo bem aos outros, está contente. Por isso tem sempre a casa cheia de parentes e de hóspedes. Eu a estimo como a nenhuma outra tia.

Ela teve um convite para a festa do Divino, no Curralinho, de umas amigas de lá que costumam hospedar-se com ela. Convidou-nos a mim e a Luisinha para irmos em sua companhia. A notícia correu e quando chegou o dia os primos todos estavam prontos para irem conosco. Minha tia ia dizendo: "Não posso levar todos para a casa de Seu Júlio, coitado. Levo para lá só minhas filhas, Helena e Luisinha". Eles disseram que o imperador do Divino, Seu Rodrigo Pimenta, é muito rico e mora lá e que se arranjariam em casa dele.

Domingo seguimos todos a pé, como de costume. Chegando ao Curralinho tia Agostinha disse às amigas: "Suas hóspedas são estas. Os outros vão para a casa do Rodrigo Pimenta".

O arraial estava cheio. Havia muita gente. Seu Rodrigo tinha preparado um grande almoço para todos que fossem à festa e os primos aproveitaram. Nós ficamos em casa de Seu Júlio e almoçamos feijão, arroz e galinha. Saímos a passeio para ver a festa e voltamos para jantar: arroz, feijão e galinha.

De noite, quando já estávamos acomodadas, bateram na porta e eram os primos pedindo também pousada, porque não tinham encontrado onde dormir. Estávamos arranjando dois colchões dos nossos para lhes dar e dormirmos juntas nos outros, quando apareceram as moças da casa e não deixaram, trazendo os colchões delas.

Segunda-feira no almoço a mesma coisa, em maior quantidade: arroz, feijão e galinha. No jantar achamos as pernas das galinhas grandes demais. Tia Agostinha disse: "Amanhã, se os galos não cantarem esta noite, teremos de sair cedo, antes do almoço".

No terceiro dia, não tínhamos ainda nos levantado, minha tia foi ao quarto nos dizer: "É o que eu pensei ontem, minhas filhas. Foram-se os galos".

Voltamos cedo para Diamantina e eles não insistiram muito para ficarmos. Coitados! Deixamos a casa deles limpa.

Quinta-feira, 24 de maio

Quando meu pai teve aquela sorte no serviço do Bom Sucesso, há dois meses passados, mamãe instou com ele para pôr uma venda, para o dinheiro render e comermos mais barato. Meu pai a princípio se opôs dizendo que ele não queria ser vendeiro. Mas mamãe o convenceu de que podia arranjar um homem sério para tomar conta, e toda semana, quando ele viesse da lavra, iria fiscalizar.

Meu pai acabou concordando como sempre, e toca a procurar o homem sério. Foi indagando até encontrar um velho pachorrento, morador no alto da Rua da Luz, chamado Seu Zeca, que vivia de fazer cigarros de palha para vender. Depois alugou um cômodo que tinha sido venda, atrás da casa de Seu Cadete, e já tinha prateleira, balcão e tudo, até balança. O cômodo é perto do rancho dos tropeiros, ótimo. Isaías foi fazer o sortimento. Comprou um cargueiro de rapaduras, uma bruaca de feijão, outra de farinha, arroz, um balaio de toicinho, um barril de azeite muito claro, outro de cachaça, uma saca de sal, goma muito boa, milho, fubá, queijos e tudo, até palmito. Num átimo a venda ficou pronta e Seu Zeca foi tomar conta, ganhando vinte mil-réis e almoço na nossa casa, porque ele mora muito longe.

Tio Joãozinho foi ver a venda e saiu rindo de meu pai: "Você foi tirar o bobo do Zeca de seu negocinho de cigarros, para tomar conta de sua venda. Você precisa é de um sujeito esperto, que saiba negociar. Com aquele eu duvido; só vendo o resultado". Meu pai respondeu: "Os espertos me roubam. Eu não posso estar à testa".

Seu Zeca é um velhote cheio de manias. Não come carne-seca, couve picadinha, torresmo, pepino e tudo, como nós. Só come carne com quiabo, arroz, angu e umas coisas assim, tudo muito cozido, dizendo que sofre de gases. Nós não entendíamos que doença era essa até uns dias atrás.

Um destes dias estávamos na mesa e Seu Zeca virou para mamãe: "A senhora dá licença, Dona Carolina?". "Pois não, Seu Zeca", disse mamãe. Ele saiu para o corredor e começamos a ouvir umas coisas que não posso escrever. Eu e Luisinha apertamos a boca para não rir, mas foi impossível; destampamos no riso. Mamãe ficou furiosa, nos ralhando, e Seu Zeca disse: "Eu sou um homem doente, meninas; se eu não livrar os gases, eles sobem pra o peito e me afrontam".

Mamãe nos proibiu de almoçar na mesa e estamos comendo na cozinha. Mesmo assim, só de espiar Seu Zeca pela fricha da porta, não paramos de rir.

Hoje ele trouxe a mulher, Siá Margarida, para conversar com mamãe. Como é quinta-feira e passamos o dia em casa, escutamos a conversa dela e vínhamos para o meu quarto rir. Ela veio dar explicações dos gases de Seu Zeca. Disse a mamãe que ele está incomodadíssimo com o castigo que tomamos por causa dele. "Ele não pode comer fora de casa, Dona Carolina. Cebola, repolho, batata-doce, comida temperada, tudo isso vira gases na barriga dele. Se ele curte durante o dia, como tem feito aqui, é um sofrimento para nós dois. Ele chega em casa afrontado, com a barriga parecendo um zabumba. Eu lhe faço um chá de erva-doce bem forte e só assim os gases saem e ele fica aliviado. Eu vim pedir à senhora para aumentar uns dez mil-réis no ordenado dele e ele levará para a venda sua caçarolinha de comida do jeito que ele está acostumado e assim ficaremos descansados".

Mamãe concordou. Siá Margarida passou o dia até cinco horas, fez biscoitos de polvilho, jantou e foi-se embora. Ela nos convidou a irmos à casa dela que é no alto da Luz e tem muita fruta.

Terça-feira, 29 de maio

Juro que é a primeira vez que já vi uma tia fazer uma coisa tão malfeita! Mas eu confesso que gostei demais. Tia Clarinha mora em Montes Claros. Desde que casou, foi para lá. De vez em quando vem visitar vovó. Escreve quando está para vir e Dindinha arranja o quarto para esperá-la. Desta vez ela escreveu que vinha mas não marcou a data e Dindinha descuidou de lhe preparar os cômodos. Também pensou que poderia arranjar no dia, pois tendo a Chácara tantos cômodos com um cheio de catres, colchões e travesseiros e tanta negra em casa, que custava arrumar um quarto?

Mas essa tia quer ser tratada como rainha. Ela chegou e todos nós corremos para recebê-la. Depois dos abraços foi logo perguntando pelo quarto dela. Dindinha respondeu: "Esperamos que você avisasse o dia de chegar. Mas não se incomode que se arranja num instante. Entre para o quarto de Henriqueta enquanto arrumamos".

Penso que a raiva toda foi por ter encontrado o quarto dela ocupado por Iaiá Henriqueta, que está passando tempos na Chácara. Ela foi logo dizendo: "Eu não vim aqui para dar trabalho a vocês; pensei que dava prazer. Desde que é trabalho, vou ficar com Agostinha". Saiu pela porta, montou de novo na besta e foi com toda a cavalhada para a casa no Jogo da Bola. Só deu tempo a vovó de exclamar o tal "forte coisa!" do costume.

Dizem vovó e minhas tias que ela foi sempre assim, e que pau que nasce torto nunca se endireita.

Só a mim é que ninguém desengana de endireitar.

Sábado, 2 de junho

Uma das coisas melhores para mim é a ceia na porta de Dona Juliana de noite. Raquel ajunta a comida que sobra do jantar numa panela, mexe com farinha e à noite sou sempre eu que tenho de subir para buscar a travessa de mexido para a porta da rua. Este mexido a gente come sempre entre sete e oito horas. Quando eles inventam jogar víspora, que vai até depois de dez horas, Dona Juliana manda dar canjica ou leite com farinha de milho.

Ontem Laurinda trouxe a terrina de leite para a mesa e disse: "Hoje não há canjica. Tomem leite com farinha de milho". Vieram as tigelas, uma colher de sopa e a farinha. Quando Laurinda destampou a terrina, deu um grito e uma gargalhada. Depois com dois dedos pegou no rabo de um ratinho que estava estourando de cheio. Mostrou a todos e só se ouviu um "oh! oh!" de tristeza geral.

Laurinda e João César exclamaram: "Que sorte! Nós é que vamos aproveitar". Puseram a terrina, que podia ter uns três litros de leite, perto deles e beberam todo, estalando a língua.

Que horror!

Quarta-feira, 6 de junho

Agora estou vendo que foi Deus que ajudou a vovó, de tia Clarinha não ter ficado na Chácara. Ela trouxe um neto de sete anos chamado Arício, que é pior do que Judas. Eu já tremo só de olhar para o tal demônio. Só de lidar com o capetinha já estou compreendendo por que há assassinos no mundo.

Ninguém tem um minuto de sossego com o diabinho e não se pode falar nada que tia Clarinha fica uma fúria. Ele só gosta de fazer maldades. Já tirou todos os ninhos de beija-flor, tico-tico e pássaro-preto que vínhamos escondendo no quintal; mas esta maldade, em vista do que fez com a galinha de pintos de Naninha, não é nada. Ele teve raiva de Naninha, correu ao terreiro, pegou um pinto, apertou na mão e veio mostrá-lo a Naninha ainda com as tripinhas para fora. Apertava o pinto rindo e com gosto. Não virá a ser um assassino?

Há certas horas que eu tenho tanto ódio, que desejo fazer com ele como ele fez com o pinto. Hoje na mesa foi uma dessas horas. Se há galinha na mesa, tia Clarinha há de lhe escolher em primeiro lugar as partes de que ele gosta e que são sempre as minhas: asas e fígado. Hoje veio uma grande travessa de ovos fritos e caberia um para cada pessoa. O demônio só quis as gemas e tia Clarinha tirou três gemas e pôs no prato dele. A mim coube uma clara. Que ódio eu tive!

Uma das coisas de que o diabo também mais gosta é de levantar a saia da gente para ver se estamos de calças, na vista dos homens.

Que seria se esse demônio estivesse na Chácara? Ao Jogo da Bola não vamos todos os dias; mas na Chácara de vovó, quase que vivemos lá.

Vovó merecia mesmo que Deus a livrasse do capeta que tia Clarinha trouxe, e foi por isso que ela fez aquela coisa tão sem razão. Foi Deus que a mandou fazer.

Segunda-feira, 11 de junho

Seu Manuel Matias veio convidar meu pai para entrar com umas praças no serviço da barra da Lomba, onde ele encontrou uma formação muito boa. Mamãe acha que o lugar já foi lavrado por meu avô e mandou meu pai perguntar a vovó. Ele voltou da Chácara zangado com vovó e mamãe não pôde tirar-lhe a razão porque é mesmo como ele disse.

Eu estava na Chácara descascando goiaba para fazer doce, na sala de jantar, quando meu pai entrou, cumprimentou vovó e sentou perto dela. Depois ele disse: "Minha sogra, eu fui convidado para entrar com umas praças num serviço na barra da Lomba e vim conversar com a senhora".

Vovó perguntou: "Como é a coisa, meu filho?".

Ele diz: "É ali na Lomba, do lado de lá da barra".

Vovó interrompe: "Reginalda! Toca esta galinha que está entrando na sala". E voltou-se para meu pai: "Como é mesmo, Alexandre?".

Meu pai começa outra vez: "É aquele lugar do lado de lá do rio, onde tem uma laje".

Vovó: "Rita! Olha esta menina aqui, ela pode cair!". E vira para meu pai: "Como é que você ia dizendo, meu filho?".

Meu pai repetiu e entra Andresa com a cesta de ovos. Vovó diz: "Deixa a cesta aí. Quantos ovos as galinhas botaram hoje?". Depois diz a meu pai: "Onde estávamos, Alexandre?".

Meu pai começou de novo. Afinal vovó não se lembrava se o serviço estava lavrado.

Eu sei que vovó é assim mesmo. Até a reza ela interrompe para perguntar a Dindinha qualquer coisa.

Sexta-feira, 15 de junho

Desde que tia Clarinha está no Jogo da Bola, eu tomei medo de ir lá. Com este meu gênio forte, eu tenho receio de um dia perder a paciência, dar muito no Arício e tia Clarinha brigar comigo.

Naninha esteve me dizendo na Chácara: "Vale a pena você ir lá em casa agora, para ver como ele está educado. Está uma cera". "É verdade?", disse eu. "Que é que você fez?" Ela disse: "Eu aproveitei uma hora que tia Clarinha não estava, tranquei-me com ele no quarto, de chicote na mão, fiz uma cara de assassina e ameacei-o de lhe dar uma surra, se ele continuasse a bulir comigo. Ele ficou apavorado e pediu pelo amor de Deus. Aí eu disse: 'Então, peste, fique sabendo: você está guardado! A primeira vez que me fizer qualquer coisa eu te lavro de chicote! E não vá dizer nada a tia Clarinha, senão você me paga!'".

Hoje passamos a tarde lá e Arício, com uma varinha na mão, mexia com todos menos com Naninha. Certa hora tia Clarinha disse: "Gente! estou estranhando este menino. Ele amola a todos menos Naninha. Não sei o que ela fez para ele ficar gostando dela assim". Naninha respondeu, olhando para ele: "Ele sabe, não é, Arício? Eu lhe prometi uma coisa boa se ele ficasse bonzinho, porque eu não posso suportar menino ruim".

Conosco ele continuou; não deixou ninguém sossegar. Mas eu também espero uma ocasião para fazer com ele como Naninha fez. Já vi que ele é medroso e gostei de saber. Não sei como se pode trazer uma peste daquelas para a casa dos outros. Tia Agostinha é um anjo de bondade, mas nós todas vivemos num ódio constante. Eu fico planejando dar ao menos no demônio um beliscão com vontade, mas não tenho coragem com medo de tia Clarinha. Se ela estivesse na Chácara com Arício, Nico com certeza lhe daria uma lição. Mas no Jogo da Bola, temos de esperar com paciência que tia Clarinha vá embora.

Domingo, 17 de junho

Ontem houve o aniversário de tia Aurélia e toda a família foi.

Depois do jantar os grandes ficaram na sala e nós no salão do forno. Ninguém gosta de festa em casa dos tios que moram no meio da cidade, porque não se tem lugar bom para brincar. Quando enjoamos de brinquedos de prendas, inventaram então contar histórias. Cada um tinha que contar a sua inventada ou acontecida. Eu logo pensei na minha e fiquei quieta, esperando as dos outros. Inventada não saiu nenhuma; a nenhum de nós vem nada na cabeça. Glorinha contou uma acontecida em Itaipava, quando ela era pequenina. Uma mulher que não acreditava em Deus fez umas linguiças para comer na Sexta-feira da Paixão e elas viraram cobra na gamela. Sinhá contou o caso de uma menina no Biribiri que sumiu na hora do jantar. O pai e a mãe ficaram quase doidos à procura dela. Todos já estavam desanimados pensando que ela tinha caído no açude e afogado. Afinal, já muito tarde, abriram a fábrica e encontraram a menina dormindo tranquila atrás de um fardo de algodão. Assim cada um ia contando a sua e esticando o mais possível quando era curta. Quando chegou minha vez eu comecei:

"Era uma vez um homem que vivia minerando e um dia achou um caldeirão virgem, tirou muito diamante e ficou rico. Ele morava na fazenda e teve oito filhas, sete muito obedientes e uma muito ruinzinha. Esta, desde pequenina, era muito cheia de vontades e ninguém a governava, nem mesmo a mãe e o pai. Se não queria ir à escola, sumia para o campo e era uma luta para pegá-la. Quando era trancada no quarto só faltava jogar a porta no chão para abrirem. Pancada? Quem lhe batia? Esta menina foi crescendo assim diferente de todas. Era também mais inteligente do que as outras. Quando chegou a idade de casar, o pai lhe falava nos noivos que apareciam e ela dizia: 'Não caso porque não quero'. A mãe dizia: 'Esta vai me dar trabalho; ninguém sabe o que ela quer'. Para as outras o pai escolhia o noivo e elas aceitavam; esta não. Passado algum tempo ela começou a mudar de gênio e ficar triste. A mãe ficou preocupada de vê-la tão quieta, sempre calada, e sem saber por quê. Nessa ocasião morreu um irmão delas no Rio de Janeiro de febre amarela, e ela sofreu tanto que a mãe ficou pensando que ia perder dois filhos em vez de um. Trancou-se no quarto com a janela fechada só chorando, sem aceitar comida de jeito nenhum. Na fazenda eles até esqueceram a morte do outro para só pensarem nela. Foi um custo para ela se consolar e sair do quarto. Depois de certo tempo morre o pai. Todos na fazenda sentiram muito e a moça volta de novo para o quarto escuro para chorar e sem comer. Aconteceu a mesma coisa que da outra vez. A mãe e as irmãs tiveram de deixar de chorar a morte do marido e do pai para só cuidarem dela. Ela estava nisso mais de um mês quando apareceu na fazenda um primo para a pedir em casamento. A mãe foi lhe dizer, só por dizer. Não acreditava que ela aceitasse, tão infeliz estava, coitada! A mãe entrou no quarto e vendo a moça virada para a parede, tão triste, lhe disse: 'Minha filha, eu vim lhe falar só por descargo de consciência, não quero forçá-la, mas fulano está aí, veio pedi-la em casamento e quer ouvir de você a resposta'. Ela deu um pulo da cama perguntando: 'É verdade?'. Levantou-se, lavou o rosto, foi para a sala e não se lembrou mais de chorar a morte do pai. A tristeza dela era paixão recolhida pelo primo."

Todos vinham me ouvindo com atenção e nesse ponto os filhos de tia Aurélia protestaram: "Essa não serve! Essa é a história de mamãe!".

Segunda-feira, 25 de junho

Não posso me deitar sem escrever aqui o susto que tomamos hoje.

Todos estão dizendo que foi milagre; e foi mesmo.

Ontem viemos festejar S. João e o aniversário de tio Joãozinho, na Boa Vista. Houve fogueira, fogos, mas era pouca gente porque o rancho novo não está acabado e houve pouca animação. Hoje estávamos sentados na frente da casa, a família inteira, numas tábuas que tio Joãozinho mandou colocar como bancos. Estivemos rezando. Como aqui não há oratório, Dindinha disse que podíamos rezar mesmo sentados à porta. Ela tirou o terço e quando acabou enrolou-o no braço. Depois tirou a ladainha e todos respondemos. Continuamos conversando e apreciando o luar. Dindinha, sentindo que o terço estava muito frio, vai ver o que era. Dá um grito e sacode o braço, atirando uma coisa para longe, dizendo: "É uma cobra!". O luar estava como dia. Fomos ver: era mesmo uma cobra e Seu Manuel Camilo matou-a.

Como se explica que a cobra não mordesse Dindinha? Só mesmo por milagre.

Quinta-feira, 28 de junho

Nunca andamos encontrando tanta cobra aqui na Boa Vista como agora.

Desta vez já é a segunda. Diz meu tio que é porque ele não mandou capinar à roda do rancho. Viemos antes de estar acabado o rancho grande, porque era aniversário de meu tio, que cai no dia de S. João. Ele mandou cobrir dois quartos, às pressas, com capim, para nos hospedar. Tenho gostado muito e achado muita graça em tudo confundido como está.

O rancho velho é muito pequeno. Só tem um quarto para meu tio e meu pai e outro menor para Siá Etelvina, cozinheira. Ela ficou lá cozinhando e nós lá vamos almoçar, jantar e tomar café.

Siá Etelvina é uma fúria. Ela dana quando estamos aqui porque o trabalho dobra. Desta vez, além das tias, vieram cinco primos e Zulmira. Não há comida que ela faça que chegue para nós. Hoje até Zulmira furtou uma lata de sardinhas das que meu tio guarda nos paus do forro do quarto dele.

O rancho está todo aberto e nem portas tem. Meu tio pôs umas tábuas na sala para os meninos e nós, as meninas, dormimos com as tias, todas juntas, no quarto. Está um pagode. Só o que atrapalha é Siá Etelvina que, se tio Joãozinho não fosse à cozinha ver as panelas, nos matava de fome.

O rancho novo é num lugar lindíssimo e perto das gabirobeiras; sai-se na porta, já se encontra gabiroba. Hoje estávamos todos na frente do rancho sentados nas tábuas e Ester num cupim. Meu pai, que não larga a manguara de três-folhas, estava sentado em frente de Ester. Sem chamar atenção, ele levantou-se calado e soltou uma bordoada na cabeça de uma jararaca que estava armando o bote para o pé de Ester. Se fosse outra pessoa que visse gritava e Ester pisava na jararaca. Como foi meu pai, que é o homem mais calmo do mundo, ele foi certinho à cabeça da cobra e matou.

Quinta-feira, 5 de julho

Mamãe e minhas tias combinaram irmos todos à Pedra Grande almoçar lá. É um lugar tão bonito! Coisa engraçada; já notei que todo lugar onde a gente vai, fica achando que é mais bonito do que o outro. Mamãe quando descobre um bom passeio, fica naquele toda a vida. Nem sei como ela hoje concordou em ir à Pedra Grande.

Ficamos todas as primas tristes de ver a maldade que nossos irmãos fizeram de lavar os pés na água do Pau de Frutas, que é a que vem para a gente beber na cidade. Beatriz até chorou de pensar que o pai dela estava bebendo daquela água na cidade. Minhas tias a consolaram dizendo que até chegar cá já estava limpa. Estivemos sabendo também que morreu um burro dentro do rego e ficou lá até apodrecer. Eu acho aquela água muito porca. Se eu pensasse não bebia dela nunca. Mas a gente faz tudo é sem pensar, graças a Deus.

O almoço foi tão grande que deu também para o jantar. Tia Aurélia levou a comida de angu. Mandou o negro da casa, Osório, levar o tabuleiro com frangos de molho pardo, lombo de porco, arroz, feijão, ervas e tudo. Mamãe e as outras tias já tinham levado os cestos com as coisas frias.

Voltamos às cinco e tanto e chegamos quase de noite. Minhas tias andam tão devagar que parece que estão paradas.

Segunda-feira, 9 de julho

Hoje fomos almoçar no Jogo da Bola. Estavam lá dois hóspedes amigos da casa. O homem chama-se Anselmo Coelho, é bonito e simpático, casado com uma mulher horrorosa de feia e fanhosa, chamada Toninha. Perguntei às primas por que um homem tão bonito casou com aquela feiura, e elas disseram que ele ficou viúvo de uma mulher bonita e, morando no Itaipava, encontrou esta professora e como não lhe dava despesa, casou-se.

Na mesa eu notei o pouco-caso do homem pela mulher, e já fui ficando com pena da pobre coitada. Depois do almoço ficamos à mesa e a conversa caiu por gosto dele na primeira mulher. Ele decantava tanto a graça, a beleza, a simpatia da primeira mulher que eu ficava olhando a pobrezinha com pena dela. Ele dizia: "Mas era tão ciumenta, que me fazia sofrer. Quando eu tenho saudades dela, sempre procuro lembrar-me dos ciúmes. Ela não podia me ver sair sem querer ir comigo. Se acontecia eu precisar ir sozinho para um negócio, antes de eu chegar à porta já ela tombava de ataque". Contava tudo e acrescentava: "Tenho saudades até dos ataques".

Depois de algum tempo olhou o relógio e disse: "Estou na hora. Preciso ir". Foi se levantando para sair e a boba da mulher feiosa corre e lhe segura o braço, procurando imitar a outra. Ele vai saindo e dizendo: "Deixa disso, Toninha. Deixa de bobagem!". E a mulher agarrando-lhe o braço e ele seguindo. Nós ficamos na mesa disfarçando para não desapontar o homem. De repente ouvimos um barulho e o baque de um corpo na porta da rua. Corremos todos e estava a pobre da feiosa estirada no chão, com uma cara horrorosa, e o marido cutucando-a com o pé e dizendo: "Levanta, tola! Deixa de fazer papel. Levanta! Não me envergonhe!". Dizia isso sempre cutucando a mulher com o pé, sem se abaixar. Naninha disse: "Coitada! Ela está de ataque". Ele respondeu: "Está querendo fazer o que eu contei que a outra fazia. Mas podem deixá-la aí, que não é nada. Daqui a pouco ela se levanta". E foi seguindo.

Esperamos um pouco que ela abrisse os olhos. Como não abria nós a carregamos, duas nos braços, duas nas pernas, quase arrastando no chão, pusemos na cama e corremos para ir lá fora.

Tia Agostinha nos disse: "Vocês vão vendo, desde meninas, que os homens não fazem caso de mulheres idiotas. Ele a tratava bem, mas hoje fez o que vocês viram".

Quinta-feira, 12 de julho

Siá Ritinha entrou e como eu gosto de ouvir prosa procurei jeito de ficar perto.

Mamãe foi-lhe perguntando como ia Inhá.

— Vai indo, Dona Carolina. Como sempre muito ocupada.

— Seus pintos vingaram, Siá Ritinha?

— Estão que faz gosto. Para um doente eu já podia matar algum, se quisesse. Vamos deixá-los ficarem mais crescidos. E a sua horta, Dona Carolina, está bonita?

— Vai indo. Com este tempo, não se pode plantar verduras. Eu tenho agora é pepino, abóbora e chuchu.

Siá Ritinha: — Tenho recebido o que a senhora nos tem mandado, e muito agradecida. A senhora mesma não sabe o que tem nos valido. Inhá ainda disse: "Nós somos bem felizes de termos por vizinhos umas pessoas como Dona Carolina e Seu Alexandre. Só dão à gente prazer". E por falar em vizinhos, Dona Carolina, a senhora já soube do que aconteceu a Siá Antoninha?

Mamãe: — Não. O que foi?

— Não tem visto que as filhas não cantam mais ao luar na pedreira da porta e que a casa está toda fechada como se fosse morte?

Mamãe: — Não. Eu quase nunca chego à janela, e quando chego é só para olhar para o lado do cruzeiro, para ver se vem chuva. Nunca olho para aquele lado. Mas que houve?

— A senhora não soube que a filha estava pra casar?

— Não. Eu só sei das coisas que a senhora me conta, Siá Ritinha. Eu não saio de casa, como a senhora vê, a não ser para a missa e para a Chácara de minha mãe.

— Pois então vou lhe contar tudo desde o princípio. A Mariquinhas ajustou casamento com Sebastião de Seu João Sampaio. Só se vendo a empáfia da lambisgoia. Passava com o moço pela nossa porta, que parecia uma rainha. Todos na vizinhança admirados, pois ele é rico, como a senhora sabe, e entrar na família de Antoninha! Era de se esperar. Ela passava se requebrando tanto e tão cheia de si que nós até saíamos da janela, muitas vezes, de tanta antipatia. Pois não é que agora acabamos de saber que o rapaz, não sei o que houve, largou a moça aí e fugiu para a Conceição?

Mamãe: — Coitada da Antoninha! Que desgraçada ela deve estar!

Coitada de Mariquinhas, que desapontamento! Apesar de ela ser do quarto ano já notei que ela não aparece na Escola há muitos dias.

Domingo, 15 de julho

Hoje domingo poderia ter estudado as lições e feito meus exercícios, mas mamãe nos levou desde cedo para a Chácara e passou o dia no jogo da politaina com minhas tias até tarde. Nós na mesma brincadeira de sempre, os primos todos.

Hoje deu-se uma coisa bem aborrecida para nós todas. Mamãe e minhas tias acharam que nos deviam mandar, todas as primas, visitar Seu Carneiro pela morte da mãe dele. Mas antes de irmos, nos recomendaram que tivéssemos modo e que fizéssemos cara triste. Naninha também, como mais velha, não cessava de recomendar: "Não façam cara de riso. Lembrem que é visita de pêsames". Só isto bastou para dar-se o pior que podia acontecer.

Chegamos, subimos a escada, e batemos palmas na entrada da sala. Seu Carneiro veio abrir a porta vestido de sobrecasaca comprida e disse, com voz fanhosa: "Podem entrar; façam o favor". Nesse instante eu, que já vinha engasgada de vontade de rir, pus a mão na boca para me conter, mas não foi possível. Dei uma risada tão espremida que as outras não puderam resistir e descemos todas escada abaixo, num frouxo de riso que não parava mais. O homem ficou de pé, no alto da escada, nos olhando espantado e sem saber o que era aquilo. Saímos pela rua afora rindo e Naninha me xingando.

Estou pensando agora é no meu encontro com as filhas dele, que são minhas amigas e hão de querer que eu lhes explique a causa daquilo. Vou procurar inventar uma história qualquer para lhes contar.

Quinta-feira, 19 de julho

Estou hoje cansada pois foi um dos dias em que tive mais trabalho. Mas poderei deixar de contar ao meu caderno amigo o que me aconteceu ontem? Imagino que Diamantina inteira não teve hoje outro assunto a não ser: "Vocês viram ontem Helena e Luisinha dançarem a noite inteira com a tia delas no caixão?". Só sinto não falarem a mim própria, pois eu explicaria. Mas também que caiporismo o nosso! Tia Neném levou o mês inteiro morrendo e deixou para dar o último suspiro ontem.

Eu sei muito bem que a tia Neném é a irmã mais velha de meu pai e que ele a estima muito. Mas confesso que não posso chorar a morte de uma tia inglesa que eu não conhecia. Ela vivia doente há muitos anos na fazenda e nenhum sobrinho a conhecia. Quando meu pai soube que ela estava passando mal foi para lá, há uns oito dias. Nós já estávamos convidadas desde antes para o casamento de Leontina. Era a primeira festa a que eu ia assistir. O vestido cor-de-rosa foi o primeiro vestido bonito que já tive. Como podia perder tudo isso?

Depois, não sei como se espalhou a notícia pela cidade. Meu pai só escreveu a mamãe, que estava também preparada para ir ao casamento e desistiu; mas ela mesma achou triste que nós deixássemos de ir, tendo recebido a notícia na última hora. Combinou conosco: "Vocês vão com suas primas e eu não comunico hoje a ninguém a morte de Neném. Guardo a notícia para amanhã". Mas sou tão caipora que fui pondo o pé na casa da noiva e logo recebendo os pêsames. Foi até maldade do pessoal. Mas eu fui corajosa de mentir com a cara limpa. Ia respondendo a todos com a maior calma: "Pêsames de quê?". "Da morte de sua tia." "Quem lhe disse isso? Não é verdade. Meu pai está na fazenda e não mandou dizer nada a mamãe." Mas o pessoal não me deixou em paz senão depois de se convencerem que eu estava mais disposta a divertir-me do que a chorar a morte de uma tia desconhecida.

Oh, que noite agradável! Apesar da insistência de todos em procurarem toldar a minha alegria não o conseguiram. Foi a primeira vez que entrei num baile. Como é bom dançar! E como eu acertei logo com todos os passos! Se eu não tivesse ido ontem ao casamento, não me consolaria nunca de o ter perdido. É tão rara uma festa assim! Depois penso que ninguém guardará lembrança por muito tempo da falta de sentimento que tivemos de mostrar. Seria melhor que tia Neném tivesse morrido depois do casamento e que pudéssemos nos mostrar mais sentidas. Mas Deus não quis. Que fazer?

Sábado, 21 de julho

Estivemos todos até agora à roda do fogareiro, conversando. É um dos prazeres que eu tenho, quando meu pai está em casa, ficarmos todos, com este frio, à roda do fogareiro ouvindo histórias do tempo antigo e torrando amendoins. Eu gosto mais das histórias de mamãe, apesar de serem muito repetidas como as de meu pai.

Hoje a conversa caiu sobre inteligência na família. Para meu pai ninguém tem a minha inteligência. Ele tem certeza que eu seria considerada águia se não fosse vadia e não tivesse tantos primos e primas para me tomarem o tempo e não me deixarem estudar. Nisto eu lhe dou razão. Não sou águia mas não faria o papel que faço na Escola onde é raro ter uma nota boa num exercício. E assim mesmo eu confesso aqui no meu caderno, escondido, que é mais pela simpatia que alguns professores têm por mim do que mesmo pela minha ciência.

Os considerados inteligentes da família são os filhos de tio Conrado. Nenhum deles é mais inteligente do que nós não; mas o pai é metódico, a casa tem ordem e eles podem estudar. Meu pai diz que o mais inteligente lá é Leontino. Eu então contei um dia em que também achei Leontino mais inteligente do que os outros primos. Estava a família reunida na Chácara e nós, os netos menores, fomos pedir a Reginalda que nos contasse histórias. Reginalda é a negra que sabe mais histórias, e uma delas, a da pulga, me tem sido útil até hoje. A pulga macha saiu de casa para a sua vida e, despedindo-se da mulher, disse: "Se me apertarem no dedo, adeus até mais logo; se me apertarem na unha, adeus até mais nunca". Reginalda explicava: "Por isso é que não se deve apertar a pulga com o dedo e jogar fora, porque ela não morre. Deve-se matar com a unha, bem morta". Esta é a história mais certa que eu já ouvi.

Reginalda foi contando todas as histórias que sabia, mas nós não a deixamos em paz; queríamos mais. Então ela contou uma de uns urubus que estavam em cima de uma árvore e sujaram na cabeça de uns tropeiros que estavam deitados debaixo. Eu vi que era inventada na hora e tão idiota que me levantei e Leontino me acompanhou, mas não falamos nada um com o outro. No dia seguinte, muito cedo, abri a janela do meu quarto e vi Leontino sentado na porta, esperando. Corri para abrir a porta pensando que ele quisesse entrar, e ele foi dizendo: "Não vou entrar não. Vim só saber se você descobriu também que a última história que Reginalda contou ontem foi inventada". Eu respondi: "Decerto. Você não viu que eu me levantei?". Ele disse: "Então eu vou hoje de noite à Chácara com mamãe, e quero que você me ajude a falar com Reginalda que vimos que a história foi inventada. Senão, ela fica pensando que somos bobos como os outros, e continua a inventar histórias para nos contar e eu acho isso um desaforo".

Combinei com ele e de noite fomos tomar satisfação a Reginalda. Mas ficamos desapontados dela sustentar que tinha mesmo inventado a história, pois já tinha contado todas as que sabia e nós estávamos querendo mais.

Quinta-feira, 26 de julho

Eu estava com a pena na mão pensando o que havia de escrever, pois há dias não acontece nada. Tem chovido a semana toda, só hoje estiou. Fui à janela para ver se olhando o céu e as estrelas me vinha alguma coisa à cabeça. Nada. Passa um enterro que subia do Rio Grande. Pensei: Vai me dar assunto? Não, pois se não sei quem é.

Volto para dentro, pensando em copiar só o exercício dos *Ornamentos da Memória* e dizer ao professor amanhã que não tive tempo para a redação. Quando viro as costas vejo mamãe desorientada com meus irmãos que dormiam a sono solto, pelejando para pô-los em pé enquanto o defunto passava. Sofri isso também quando pequena. Fiquei contente porque achei um assunto.

A superstição em Diamantina — Desde pequenina sofri com a superstição de todos os modos. Se estávamos à mesa treze pessoas, sempre eu é que tinha de sair. Pentear o cabelo de noite, em nenhuma hipótese, pois se manda a mãe para o inferno. Varrer a casa de noite faz a vida desandar. Quebrar espelho traz desdicha. Esfregar um pé no outro, andar de costas e outras coisas de que não me lembro agora, tudo faz mal. De algumas elas nos dão explicação do mal que fazem. De outras não. Assim, por exemplo, se a visita está demorando, vira-se a vassoura para cima, atrás da porta, ou joga-se sal no fogo e ela vai embora. Sal no fogo eu acredito que faz efeito se a visita escuta estralar, porque sabe o que significa.

Engraçado é que todos sabem que superstição é pecado, mas preferem levar o pecado ao confessionário a fazerem uma coisa que alguém diz que faz mal.

Uma vez eu perguntei a vovó: "A senhora não gosta de pecar, e como sabe que superstição é pecado e tem tanta superstição?". Ela respondeu: "São coisas que a gente nasceu com elas, minha filha. Quem viu provas, como eu, de treze pessoas na mesa, e dentro do ano morrer uma; e também de um espelho que caiu e quebrou-se em casa de Henrique e lhe sucedeu tanta desgraça, sem querer vai tomando medo. Os padres todos dizem que é pecado, mas eu duvido que eles também não acreditem. É uma coisa que a gente já nasce sabendo que a voz do povo é voz de Deus". Eu falei: "Eu sei de mim que não vou acreditar nessas coisas, vovó. Se é pecado é porque Deus vê que é absurdo". E ela disse: "Sim, minha filha, não digo que você deva acreditar em muitas delas, que acho até uma bobagem. Mas algumas são certas e você não deve abusar. Com treze pessoas na mesa e espelho quebrado não se pode facilitar".

Vou fazer catorze anos e já raciocino mais de que todos da família. Comecei a tirar conclusões desde dez anos ou menos, eu penso. E juro que nunca vi uma pessoa da família de mamãe pensar nas coisas. Ouvem uma coisa e acreditam; e aquilo fica para o resto da vida.

São todos felizes assim!

Sábado, 28 de julho

Minhas tias reúnem-se sempre na Chácara de noite e Dindinha costuma mandar fazer para todos um judeu de comidas de angu. Ora é frango com quiabo ou de molho pardo, ora caruru com carne de porco ou tomatada. Na Chácara se faz muita couve no almoço e no jantar, porque tem muita gente de cozinha. Generosa então inventou, da cabeça dela, cozinhar os talos de couve com as peles do toicinho e faz um guisado de que nós também gostamos muito.

Ontem estávamos todos na sala de jantar ceando, quando foi entrando pela casa adentro uma mulher com uma rapariguinha atrás. Entraram sem cumprimentar nem olhar para ninguém e foram seguindo para a cozinha. Mamãe e minhas tias disseram ao mesmo tempo: "É Maria Pequena!" e correram para a cozinha e nós atrás delas.

Quando entramos na cozinha Maria Pequena disparou a chorar, contando o que tinha sofrido na Mata do Rio, ela e Aída, filha dela. Disse que os senhores lá eram muito maus e que as filhas deles punham pimenta nos olhos de Aída quando ela estava com sono e não queria trabalhar de noite. Contava chorando essas e outras maldades que a gente não pode acreditar. Vovó lhe disse: "Não chore. Com ajuda de Deus você voltou de novo e agora vai ser feliz; pra que chorar à toa?".

Essa Maria Pequena, eu já conhecia a história dela antes de

ela aparecer. Mamãe conta que queria ficar com ela no inventário de vovô, mas que ela saiu com a filha para tio Geraldo. Ela é mulata e diz mamãe que era bonita. Não sei o que houve, a mulher de tio Geraldo, que morava na fazenda, tomou birra da escrava e mandou vendê-la para a Mata do Rio. Mamãe, quando soube, mandou meu pai atrás do homem que a comprou pedir que a vendesse para ela. Vovó também ficou muito triste e mandou oferecer para comprá-la mais caro. Mas o homem disse que já tinha despachado os escravos desde muitos dias e que eles já estavam muito longe.

Este caso foi um acontecimento triste na família. Ninguém gostava de falar nele perto de vovó, que ficou aborrecidíssima. Mamãe o contava muitas vezes, reprovando tio Geraldo ter deixado a mulher dele fazer isso.

Maria Pequena disse que levou estes anos todos depois da liberdade ajuntando dinheiro para voltar e que não tinha esperança de encontrar vovó ainda viva.

Vovó disse que agora ela fica descansada sabendo que Maria Pequena também está amparada.

Sábado, 4 de agosto

Hoje estivemos conversando a respeito da falta de sorte aqui de casa. Todos que abrem seu negócio em pouco tempo estão arranjados. Outros começam com quitandas e ganham dinheiro. Só na lavra mesmo é que meu pai arranja alguma coisa.

Nós quando passávamos pela venda achávamos muito esquisito: tudo acabando, e Seu Zeca sem comprar mais sortimento. Meu pai veio da lavra e eu fui a primeira a lhe falar da venda, que estava se esvaziando e Seu Zeca nem a sortia, nem mandava dinheiro para mamãe. Meu pai disse que ele era muito sério e que ia ver o que havia. Foi e Seu Zeca disse que tinha muito dinheiro para receber no fim do mês; que, recebendo, faria sortimento e prestaria contas. Meu pai descansou e voltou para a lavra.

Passei por lá esta semana e só vi nas prateleiras as garrafas de vinagre de jabuticaba que mamãe mandou, o barril de azeite com uma poça no chão, os sacos quase vazios e Seu Zeca alisando palhas em cima do balcão com um caramujo. Fiquei achando esquisito, pois já passaram tantos dias do fim do mês e a venda continuou vazia.

Hoje meu pai chegou da lavra e foi ver o resultado. Seu Zeca vendeu tudo fiado e ninguém pagou um vintém. Fiou até de Chico Guedes, até de Moisés de Paula que não tem onde cair morto. Meu pai viu que era inútil continuar. Mandou para casa alguma coisinha que servia e vendeu o resto a Seu Sebastião Coruja pelo preço que ele quis e assim mesmo sem dinheiro, para pagar com as compras que mamãe fizer.

E lá se foi o dinheiro da venda. Meu pai e mamãe fizeram tenção de nunca mais pensar em negócios.

Sexta-feira, 10 de agosto

Este ano a novena das Mercês tem estado muito influente. Tem tido muita gente.

A juíza é uma prima de mamãe, Cristina Ferreira, que tem um narigão, e nós tratamos por Zizica. Ela mora na Fábrica de Santa Bárbara com a sobrinha dela, Virgínia, que dá escola. A outra sobrinha, Zulmira, que está aqui estudando na Escola Normal, é mesmo que filha porque foi criada por ela.

Um mês antes da festa Zulmira vinha só falando que Virgínia escrevia sempre, contando as coisas que estavam ajuntando para trazer: quatro leitões, cinco perus, galinhas, patos, doces, sequilhos, tudo em quantidade para darem uma ceia todas as noites, depois da novena, aos parentes e amigos. Nós andávamos todos ansiosos esperando uma festa com tanta coisa boa e, desde que começou a novena, temos acompanhado a música todas as noites à casa da juíza e ficado lá até tarde, à espera das comedorias. Se eu disser que já passaram quatro dias de novena e ainda não tomamos lá uma xícara de café, não minto.

Lucas meu primo é muito engraçado e mau. Tia Agostinha,

mãe dele, cria um menino muito engraçadinho, filho de uma que foi escrava dela e morreu. Ele é enfezadinho e quase cego mas muito inteligente. Diz versos e corta jaca* muito bem e tem sempre uma resposta engraçada. Este menino é mesmo que o lenço para minha tia; não o larga um instante. Onde ela está, está o José sentadinho ao lado. Lucas levou o menino para o quarto e o fez decorar uma porção de versos para recitar na casa de Zizica, à noite, e lhe recomendou que não dissesse nada a ninguém senão ele apanhava.

Estava ontem na casa de Zizica a parentada quase toda; poucos faltavam. Certa hora Lucas bate palmas e grita: "Silêncio! Zezinho vai recitar, cortando jaca". Todos calaram. Sai para o meio da sala o menino cortando jaca e recitando:

> *Ando e corro de baixo para cima,*
> *E só vejo o nariz de Siá Cristina.*
> *Já estou com uma grande indigestão,*
> *Produzida pelos quatro leitão.*

Nesse ponto minha tia levantou-se e puxou-o pela mão, dizendo: "Idiota! como recita uma bobagem destas!". Todos na sala caímos na gargalhada e Zizica, que eu não sei se fazia papel, perguntou: "O que é mesmo que o menino estava dizendo, que eu não entendi?". Todos responderam: "É bobagem do menino".

Eu senti que Zulmira não estivesse presente naquela hora. Ela pouco aparece desde que começou a novena, envergonhada das mentiras que pregou.

Sábado, 18 de agosto

Meu pai e mamãe sempre conversam em casa sobre a mania de vovó e Dindinha nunca passarem sem um crioulinho para

---

* Cortar jaca: espécie de sapateado, arrastando os pés.

criar e gostarem tanto como se fosse branco. Cada uma tem sempre o seu. Se aquele cresce já vem outro para o lugar.

Vovó sempre cria negrinhas e Dindinha negrinhos. Quando são pequenos eu não me admiro, porque eu também gosto muito de menino pequeno e acho muita graça no Joaquim que Dindinha está criando agora. Ela o manda fazer gracinhas para nós e ele é muito engraçadinho. Mas gostar de negrão é que eu acho uma coisa esquisita.

Nestor é um negrão muito entonado e faz muita jeriza na gente a liberdade que ele toma na Chácara. Abre os armários de Dindinha e tira o que ele quer. Dindinha já o pôs no ofício de sapateiro mas ele não para na tenda; está sempre em casa.

Eu aproveitei uma hora que vovó estava sozinha para lhe perguntar se ela também não tinha raiva da liberdade de Nestor. Ela disse: "Eu também não gosto, minha filha, mas não posso deixar de dar razão a Chiquinha. Ele nasceu logo depois que a filha de Chiquinha morreu e serviu para distraí-la. A Clarinha morreu e meses depois a ama também morreu e deixou o Nestor ainda mamando. Nós gostamos porque Chiquinha, que vivia no quarto chorando, saiu para criar o Nestor e hoje ele está em lugar de filho. Mas de uma hora pra outra ele sai de casa e nos deixa em paz. Eu já estou ouvindo falar que ele quer assentar praça de soldado de polícia e estou aconselhando Chiquinha pra deixar. Deixe as coisas como estão, minha filha. Tudo passa".

Quinta-feira, 23 de agosto

Siá Ritinha entrou e mamãe lhe disse: — Pode se assentar aqui mesmo, Siá Ritinha. Helena escreve mesmo com conversa; já está habituada.

— É mesmo, Siá Ritinha — disse eu. Pode ficar aí com mamãe e não se incomode de eu lhe dar as costas, que não me atrapalha com os meus exercícios.

Mas a conversa me atrapalhava, porque eu fiquei escutando e fingindo que estava escrevendo.

Mamãe perguntou: — Como vai Inhá, que eu não tenho visto?

Siá Ritinha respondeu: — Está bem, mas sempre cheia de costuras, sem tempo nem de chegar à janela.

— E o macaco, que não tem aparecido? Está doente?

— A senhora não soube, Dona Carolina, o que aconteceu?

Mamãe: — Não. O que foi?

E Siá Ritinha continuou: — Um malvado, que ainda não pudemos descobrir quem foi, pelou-o todo com água fervendo, coitadinho. A senhora nem avalia o que temos sofrido. É isso também que tem posto Inhá num estado, coitada! A senhora sabe que Chico para ela não é bicho, é filho. Imagine agora a senhora um filho seu pelado de água fervendo, e ainda por cima a gente sem saber quem foi, para tirar uma desforra. Se nós soubéssemos, Dona Carolina, eu lhe juro que Inhá não estava sofrendo assim sem se vingar, pode ter certeza. O pobrezinho nem sei como pôde chegar em casa. Foi entrando tão de mansinho e triste de cortar o coração. Inhá, quando viu, nem posso lhe explicar o que foi. Ela ficou gaga, sem poder falar uma palavra. Eu é que pude socorrer o coitadinho e lhe passei um pouco de banha por cima da queimadura. Nem sei se ele vai ser mais o que era. Aquela inteligência, aquela viveza toda foi-se. Agora é só olhar para a gente com uma cara tão triste, de cortar o coração.

Mamãe disse: — Coitado do Chico, tão esperto, tão inteligente.

Siá Ritinha: — É para a senhora ver, Dona Carolina. Um bichinho daqueles encontrar um desgraçado que tivesse coragem de lhe fazer o que fez. Sossego ninguém tem aqui neste mundo. A gente sofre de toda maneira. Estive dizendo a Inhá: "Você havia de ganhar um bichinho como este, para a gente tomar-lhe essa amizade toda e hoje estar neste sofrimento. Mas sofrimento a gente não evita. Deus deu este talvez para não dar outro".

Mamãe confirmou: — É isso mesmo, Siá Ritinha. Deus sabe o que faz. É melhor não ficarem sofrendo muito pelo bicho; pode Deus dar um castigo maior.

— Maior não pode, Dona Carolina. Pode é nos dar outro por cima deste.

Eu não pude fazer os exercícios, mas fiquei sabendo por que sumiu o pobrezinho do Chico que nos distraía tanto e nos jogava tantos pêssegos e tantas bananas que não podíamos odiá-lo, apesar dos furtos que ele fazia em casa. Com certeza foram os vizinhos de quem ele furtava o toicinho e a carne, que fizeram isso.

Pobre Chico! Como deve estar sofrendo, coitadinho!

Sábado, 25 de agosto

Eu acho engraçado na nossa família a mania de sossego que todos têm. Meu pai, vovó e todos só pedem a Deus sossego.

Hoje eu passei na casa de tio Conrado e estavam uns pobres na porta. Ele, de dentro do balcão, me deu o dinheiro para ir repartindo para os pobres: um vintém para cada um e dois para Pai Filipe. Eu lhe perguntei por que só Pai Filipe ganhava dois e os outros um. Ele respondeu: "É porque os outros dizem: 'Que Deus lhe acrescente', e Pai Filipe sempre diz: 'Deus lhe dê sossego, meu amo!'". Fiquei vendo mais uma vez que todos na nossa família, que vivem no maior sossego, não querem outra coisa.

Quando vejo Pai Filipe de saco nas costas pedindo esmola, eu me lembro do sofrimento que Mãe Tina me fazia passar quando eu era pequena. Ela dizia que Pai Filipe andava de saco na cacunda para carregar meninos e que ela já tinha visto uma vez o saco com uma menina dentro. Que Pai Filipe ia de porta em porta pedindo esmola, batia no saco, e dizia: "Canta, canta, meu surrão, que te dou com meu facão!". A menina de dentro do saco cantava:

> *Ó senhora desta casa,*
> *Tenha pena e compaixão*
> *Desta pobre desgraçada*
> *Que está dentro do surrão.*

A dona da casa então tinha pena e dava esmola. Mãe Tina dizia que a menina tinha sido roubada.

Eu tinha tanto horror de Pai Filipe que me lembro da agonia que eu sofria nos sábados, quando ele passava na nossa porta pedindo esmola. Eu me trancava dentro do armário e ficava lá suando de medo.

Terça-feira, 28 de agosto

Fiz anos hoje e vovó tinha me dito que levasse minhas colegas para merendarem comigo. Vovó mandou pôr na mesa doces, sequilhos, passas e vinho do Porto e agradou tanto minhas amigas, que todas voltaram encantadas com ela.

Na mesa ela perguntou: "Quantos anos, minha filha, treze?". Eu respondi: "Não, vovó, catorze. A senhora não sabe?". Ela disse: "Pensei que eram treze. Você nasceu ontem". Vovó bem que sabia, mas ela gosta de diminuir a idade da gente.

Ela mandou que minhas amigas fossem à horta e apanhassem o que quisessem. Encontramos algumas frutas maduras e um pé de camélia que estava cheinho. Todas apanharam muita camélia e gostaram muito de tudo. Gostaram muito de vovó e me invejando ter uma avó tão amável e tão simpática.

Vovó, coitada, quando pensa que uma pessoa gosta de mim, não sabe o que há de fazer para agradar. Mesmo uma pessoa de quem ela não faz caso, se me trata bem; cai no gosto dela, como aconteceu com um genro, tio Antônio Lemos, que eu nunca a tinha visto elogiar. Ele chegando à Chácara, eu corri para abraçá-lo e vovó vendo como ele me agradou e disse que me queria bem, ela mudou logo com ele. Quando ele saiu ela disse a Dindinha: "Ele não é má pessoa, Chiquinha. Ele tem sentimento. Viu como ele gosta da menina?".

Isso tem três ou quatro anos. Foi antes de ele mudar de Diamantina. Mas eu guardei na cabeça. Eu guardo muito tudo.

Quinta-feira, 30 de agosto

Estou convencida de que aqui em Diamantina reza vale mais do que proteção ou trabalho. Comigo e toda a nossa família nunca falha. É só a gente rezar uma oração bem forte, com muita fé, e vai logo servida. Mas hoje eu verifiquei que, em casa de gente muito boa como Seu Juca Neves, é só pedir que Deus atende, mesmo sem reza.

Hoje eu me levantei e fui para a chácara de Seu Juca Neves almoçar com Catarina, para ela me ensinar um ponto de crochê que eu não sabia. A chácara de Seu Neves é o lugar mais agradável de Diamantina. Em qualquer parte em que se esteja está-se bem. Catarina disse: "Vamos procurar um lugar bom para ficarmos". Saímos para o quintal e encontramos um ponto ótimo onde nos sentamos numa pedra, debaixo de uma árvore. Daí a pouco a Júlia, uma cria da casa, chegou e disse: "Dindinha, a cozinheira mandou dizer que o toicinho não chega para o almoço". Catarina respondeu: "Peça a papai; ele está por aí".

Seu Neves estava de enxada na mão, capinando um canteiro. Júlia deu o recado e voltou de novo para Catarina: "Ele diz que não tem dinheiro, mas não importa que Deus dará". Eu disse a Catarina: "E se Deus demorar, Catarina, como vai ser? É melhor eu ir embora. Não acha?". "Por quê?", disse ela. "Então você não pode comer do que nós comemos?" Mas eu fiquei com medo que Deus não mandasse o dinheiro para o toicinho, porque a mim ele só tem dado ideias para arranjá-lo.

Ficamos fazendo crochê e Catarina me contando a bondade de Deus para com eles. Eu estava realmente com inveja. Não tinha passado muito tempo e já vinha Seu Neves com o dinheiro para o toicinho. Catarina lhe perguntou: "Donde veio, papai?". "De Deus", respondeu ele. Eu curiosa quis saber: "Onde o senhor encontrou Deus para Ele lhe dar o dinheiro?". Seu Neves respondeu: "Ele mandou por linhas travessas. Pedro Moreira estava me devendo uns atrasados de aluguel de pasto, e Deus o fez me pagar hoje".

Segunda-feira, 3 de setembro

Sexta-feira tio Joãozinho esteve na cidade. Veio buscar dinheiro e outras coisas de que precisava. Como tinha um cavalo desocupado, lembrou-se de me levar com meu pai no dia seguinte. Eu fui, e sendo obrigada a andar duas léguas calada, pois meu tio não tinha conversa, fui fazendo castelos. Fiz o castelo de achar um diamante grande e ficar rica, e a coisa foi crescendo tanto pelo caminho que quando cheguei a Boa Vista eu estava milionária. Eu nem sabia mais que fazer com tanto dinheiro.

Chegando lá, em vez de ir para o rancho com meu tio, toquei para a lavra para fazer surpresa a meu pai.

Fui apeando e correndo para a lavadeira; meu pai até tomou susto, coitado. Ele estava assentado debaixo da barraca fiscalizando o serviço, com os pés tão inchados que só naquela hora eu caí na realidade. Disparei a rir e contei a meu pai os meus castelos. Ele também riu e me disse: "Desde que isto te distrai, vá continuando a fazê-los, não faz mal. Mas fique sabendo, minha filha, nunca pense em muito dinheiro, que não dá felicidade a ninguém e às vezes até tira. Peça a Deus só que não nos deixe faltar o necessário. Não somos tão felizes? Você se trocaria por qualquer de suas amigas ou primas ricas?". Quis que meu pai montasse no animal e eu viesse a pé, mas ele não quis. Então eu vim com ele a pé até o rancho, ele segurando a rédea do cavalo.

Apesar dos conselhos de meu pai, eu não podia deixar de pensar que, se encontrasse mesmo um diamante grande, não o deixaria andar aquela distância, todos os dias, com os pés tão inchados, coitado. Ele é tão bonzinho!

Sábado, 8 de setembro

Hoje foi a festa de Nossa Senhora do Amparo. Como não tínhamos frequentado as novenas combinamos ir à festa; e antes eu não tivesse ido. Não gosto de ver coisas tristes, e hoje, à saída da igreja, houve uma coisa tão triste que me aborreceu o dia todo.

A meninada fica sempre na porta das igrejas esperando soltarem os fogos do ar para apanharem as varetas. Não sei por que eles brigam e lutam tanto e correm longe atrás daquelas varetas. Para que serve aquilo?

Estava a meninada na frente da igreja e quando acabou a missa cantada e íamos saindo, atacaram uma girândola. Os fogos todos queimaram ao mesmo tempo. Um fogo do ar, em vez de subir alto, deu uma volta e se enfiou no corpo de um menino, como se fosse um punhal. O pobrezinho caiu. A mãe, que estava no meio do povo, quando viu aquilo correu e debruçou-se em cima do filho gritando, com exclamações de cortarem o coração. Uns homens que estavam perto carregaram o menino rua acima para a farmácia de Chico Lessa. A mãe acompanhou chorando como louca. Não sei o que aconteceu depois, nem se o pobrezinho morreu. Mas não tive prazer o resto do dia.

Quarta-feira, 12 de setembro

Por que minhas colegas se incomodam tanto com minha vida? Não sei por que, pois se nunca me deram nada, e não me dariam se eu precisasse. Que vontade eu tenho de lhes responder: "Não se intrometam comigo; tratem de vocês". Sempre vem uma amiga com um recado do irmão ou do primo ou de um rapaz para mim. Fininha me levou uma poesia que o irmão me fez. Eu vou dizendo a todas que não quero ter namorado, que não gosto de ninguém e que me deixem em paz. Hoje elas começaram a bulir comigo e me chamar de facão. Mariana disse: "Você já tem catorze anos. Se não for ajeitando o seu desde já, de mais velha ninguém quererá e você ficará para tia. Você assim vai virar facão". Respondi: "Mas se eu quero virar facão, que tem você com isto?". Ela disse: "Se quer, está bem; mas nós nos incomodamos porque gostamos de você. É só por isso". Biela disse: "Vocês não compreendem Helena; ela quer se casar tanto como nós, mas é orgulhosa, quer peça fina. Afianço que se lhe aparecesse um doutor ela não mandaria para o bispo". As outras disseram: "Então ela que fique mamando no dedo. Doutor aqui não há; só se ela está esperando os primos que estão estudando no Rio. Depois, qual é a diferença de doutor para os outros? Não são todos homens?". Eu ouvia tudo calada. Para encurtar a conversa eu disse: "Não se incomodem tanto comigo, minhas amigas; lembrem-se do ditado: Casamento e mortalha no céu se talha".

Segunda-feira, 17 de setembro

Vou desabafar-me aqui do desapontamento, da raiva, da tristeza que sofri anteontem no casamento de prima Zinha. Ela é filha de meu tio rico e o casamento foi um acontecimento importante.

Meu tio mandou vir do Rio de Janeiro os cortes de seda para as filhas. Todas as minhas primas se prepararam também com seus vestidos de seda. Mamãe comprou dois cortes de lãzinha cor-de-rosa para mim e Luisinha. Tia Madge tomou o meu para fazer e o de Luisinha foi para outra costureira.

Tia Madge chegou do Rio há pouco tempo e desde a sua chegada não tive mais sossego. Tenho de andar de guarda-sol para não me queimar, que as meninas do Rio não têm sardas. Tenho de andar de cabelo solto porque as meninas do Rio andam de cabelo solto. É constantemente a mesma amolação: as meninas do Rio se vestem assim, se penteiam assim. Não me importaria que o vestido fosse feito como o das meninas do Rio. Só queria que fosse cor-de-rosa.

Tia Madge levou o corte e não me chamou para provar. Fui à casa dela todos os dias como costumo, e nada de ver o vestido. Uma vez tomei coragem e perguntei por ele. Ela respondeu: "Não se incomode. Você irá ao casamento mais bonita do que as outras".

Anteontem era o casamento. Eu e Luisinha fomos à casa de Dudu nos pentear e saímos entusiasmadas com o penteado que nos punha umas mocinhas. Luisinha enfiou o vestido dela e fomos à casa de tia Madge; nada de ver o meu. Tia Madge disse: "Não precisa pressa, minha filha. Ainda é cedo". E pegando num pente disse: "Sente-se aqui. Você é uma menina e como quer se pentear como moça?". Molhou-me o cabelo, desmanchou-me os cachos e jogou meu cabelo nos ombros. Depois se levantou e trouxe o vestido: um vestido de lã azul-marinho simples e só com uma fila de ilhoses atrás, trançados de fita encarnada, abotoando.

Acho hoje que o vestido é bonitinho; mas aquela hora eu tive um de meus engasgos de raiva e não pude conter as lágrimas. Sem poder dizer uma palavra, fui beijando a mão de minhas tias e correndo para a rua. Luisinha me seguia calada. Subi o Burgalhau, entrei na Cavalhada Nova e enfiei pela Rua Direita acima correndo e cega de raiva. Não enxergava nada. Vovó já está, há dias, na casa de tio Geraldo à espera do casamento. Fui entrando para o quarto dela e caí em cima da cama num pranto de choro que a assustou. Ela só dizia: "Que é que aconteceu, meu Deus!". Luisinha entrou e vovó lhe perguntou: "O que é isto?". Luisinha respondeu: "É porque ela estava esperando o vestido cor-de-rosa e tia Madge a vestiu com este".

Eu me desabafo é com vovó. Sinto que só ela me compreende. Vovó então começou com as coisas dela: "É uma luta minha mais de Madge com esta menina! Ela não compreende que nós só queremos o bem dela. Ela quer sempre ficar igual às feiosas em tudo". Nessa hora eu levantei a cabeça, ainda engasgada, e disse: "Eu sou a mais horrorosa, a mais magrela, a mais burra de todas, vovó, e tenho que ficar sempre inferior em tudo. Que inveja eu tenho de Luisinha, porque tia Madge não gosta dela!". Vovó disse: "Deixe de chorar à toa, minha tolinha. Algum dia você me dará razão e à sua madrinha, tão boa para você. Vá lavar o rosto e vamos para a sala. Todos já estão lá". Então eu lhe mostrei os cabelos e disse: "Eu hei de entrar na sala com este cabelo de doida do hospício, vovó?". Ela repetia: "Está lindo, menina". Eu disse: "Vovó, a senhora é que não sabe o que estou sofrendo. Eu estava esperando meu vestido cor-de-rosa com tanta alegria e hoje vestir de viúva, vendo as outras todas de cor-de-rosa, azul-claro e tudo? Não, vovó, isto foi maldade demais de tia Madge. Não quero mais que ela se interesse por mim não, vovó. Chega!".

Só sinto é não poder brigar com tia Madge para ela me deixar em paz de uma vez.

Quinta-feira, 20 de setembro

As Pitangas são as moças mais simpáticas e alegres da Escola e são muito queridas das outras, porque têm dois irmãos também simpáticos e inteligentes que só tiram distinção nos exames.

A vida delas é diferente. O pai mora no Retiro fazendo manteiga e queijos, e quando vem à cidade é só para desapontá-las, falando burrices na vista das visitas. A mãe vive entrevada no fundo de uma cama e elas não têm criada. Quem faz todo o serviço é um menino, irmão mais moço. Por isso elas vão sempre jantar em casa das outras, mas nunca convidaram as colegas para jantar ou merendar em casa delas.

Elas vão muito à casa de tia Agostinha. Lucas é namorado de Miloca, e Naninha namorada do irmão delas Joaquim Heitor.

Ontem Naninha e Lucas me chamaram para irmos à casa delas pois Jacinta, apesar de mais velha, gosta muito de mim. Quando chegamos, todos correram para dentro para se arranjarem, e ficou Jacinta para nos receber. Eles recebem visita na sala de jantar e as galinhas andam por toda a parte. Sentamos no banco e em cima da mesa havia dois sujos de galinha e no meio estava a farinheira. Jacinta não se apertou. Tirou uma colher de farinha e cobriu os sujos, fazendo dois montinhos. Depois sentou-se e começou a conversar. Eu já com vontade de rir mas graças a Deus me contive. Daí a pouco entraram os outros na sala e Jacinta foi saindo para ir se arranjar melhor lá dentro. Miloca, vendo os dois montinhos em cima da mesa, pegou na colher, apanhou a farinha e pôs de novo na farinheira. Depois, com as costas da mão limpou bem a mesa, dizendo: "Que desmazelo de Jacinta, deixar isto aqui assim!". Naninha olhou para mim com cara de raiva, já com medo de meus frouxos de riso. Mas numa hora assim, para poder me conter, eu fico pensando numa coisa triste: Mamãe de perna quebrada, Luisinha estendida no caixão, e assim evito de rir.

Jurei não voltar mais ali porque penso que riso comprimido deve fazer mal. Também na saída eu me desforrei. Naninha disse que nem pôde conversar direito, porque ficou o tempo todo com medo de eu estourar.

Sábado, 22 de setembro

Levantamento de mastro em Diamantina é uma das melhores festas. Eu gosto de assistir a todos. Mas dos mastros do Rosário e das Mercês, gosto ainda mais.

Na Chácara há um casal de negros muito engraçados. Ela chama-se Henriqueta e ele Machadinho. É uma das coisas mais engraçadas a briga dos dois, de ciúmes. Ele é um negrinho muito pequeno e horroroso de feio e a mulher mete-lhe a correia porque diz que ele namora as outras. Eu morro de rir de ver como Machadinho fica rodeando o fogão, de medo das correadas de Henriqueta.

Vovó fica furiosa de eu andar na cozinha. Mas eu já lhe disse que na Chácara a cozinha é muito mais engraçada do que a sala.

Machadinho ganha dinheiro para tocar caixa anunciando o mastro. Bate caixa o dia inteiro, e toda hora que ele passa pela horta, Henriqueta, pode estar no fundo da horta, corre para ver Machadinho tocando a caixa. Quando ele vê a mulher empina a barriga e toca com um entusiasmo que ela fica babando de contente. É um dos dias em que ela lhe guarda uma caçarola cheia de comida e não briga. Eu vejo que ela está pensando que ele é uma pessoa importantíssima.

Estes dois negros são da horta somente.

Outro dia Lucas, que é muito mau, fez com Henriqueta uma judiação que me causou pena. Machadinho tinha ido à rua buscar umas coisas e Lucas chegou perto dela e disse:

— Henriqueta, não precisa assustar que não foi nada.

Ela perguntou: — Não foi nada o quê, Seu Lucas?

Ele disse: — O boi bravo.

Ela já muito assustada perguntou: — Que boi bravo?

Ele: — O que correu atrás de Machadinho.

Sem querer escutar mais nada ela saiu correndo, como doida, pela rua afora.

Lucas começou com o riso dele de maldade e nós vimos que ele estava mangando. Chamamos Zé Pedro e mandamos atrás dela, que já estava longe.

Quinta-feira, 4 de outubro

Dia de chuva nossas tias nos prendem contando histórias. De pequenas as negras nos contavam histórias da carochinha. Hoje gosto mais das histórias do tempo antigo, principalmente do casamento de minhas tias, que era tão diferente.

Hoje Iaiá esteve lendo *Gil Blas* e nos contou histórias dele. Depois eu lhe pedi para contar a história do casamento e como ela se arranjou para gostar do marido que não conhecia.

Ela disse que tinha quinze anos e o viu pela primeira vez no dia do casamento. No princípio tinha até raiva e medo dele. Passava os dias se escondendo e só pensava num meio de se livrar daquele homem em casa. Chorava e ficava tão triste que ele resolveu fazer uma viagem e saiu para longe tratando dos doentes. Ele era doutor.

"Do caminho" — diz Iaiá — "ele me escrevia umas cartas muito bonitas, me chamando de 'minha beleza', de 'anjinho caído do céu' e me mandava de todo lugar um presente. Eu fui gostando e até ficando com saudades dele. Um dia eu estava na cozinha amassando uns biscoitos para fritar para o padre que se hospedava conosco no sábado, para a missa no domingo. Nessa hora, eu estava até pensando no doutor e desejando uma carta dele, quando ele entra pela cozinha adentro. Eu corri e abracei--o dependurada no pescoço dele na maior alegria. Lembro-me que estava com as mãos sujas de massa de biscoito e lhe sujei o pescoço e o paletó. Desse dia é que começou a nossa lua de mel."

Iaiá tratou sempre o marido por "doutor". Depois ele ficou doente da cabeça e morreu deixando um filho Pedrinho Versiani. Iaiá tem muito gosto nesse filho que é engenheiro e anda fora daqui fazendo uma estrada de ferro.

Segunda-feira, 8 de outubro

Não sei como se pode tomar um vício. Não compreendo como se possa beber até ficar tonto; depois de um cálice de vinho não tenho vontade de tomar outro. Cerveja não sei como se pode beber; amarga tanto e nos jantares eu vejo todos beberem um copo atrás do outro. Cachaça eu não suporto, nem o cheiro. É com repugnância que eu tomo a colher de cachaça com ruibarbo que mamãe nos dá às vezes, quando rangemos os dentes de noite. Jogo, não posso jogar muito tempo seguido. Se o jogo é a dinheiro e eu ganho, fico com pena de receber; se perco eles recebem o meu níquel e eu fico triste. Também enjoo logo do jogo. Mas há na família um vício de todos e eu também gosto, e estou aflita para crescer e tomá-lo, apesar de meu pai dizer que é feio. É o rapé. Quando eu estou endefluxada com o nariz entupido e mamãe me dá uma pitada, eu gosto muito. Acho também bonito uma pessoa encontrar com outra, abrir a caixa de rapé e oferecer uma pitada. Na família só Dindinha e tio Geraldo têm caixa de rapé, de ouro. A de tio Conrado é de prata. A dos outros é de uma coisa preta parecendo chifre.

Já notei que Dindinha não perde ocasião de oferecer uma pitada aos outros só para mostrar a caixa de ouro; e por isso quase a perdeu ontem na bênção do Santíssimo. Ela tirou-a para tomar uma pitada. Se havia de guardá-la no bolso, pôs no chão. Na hora de levantar o Santíssimo, quando Dindinha estava muito contrita batendo no peito, uma mulher que estava perto jogou um lenço em cima e puxou-a para si, sem Dindinha dar por fé. Acabada a bênção, nós já íamos entrando na casa de tio Geraldo, quando chegou Juca Boi com ela na mão e entregou a Dindinha. Ele tinha visto a mulher fazer aquilo e tomou-a para entregar.

Já pedi a Dindinha me deixar de herança a caixa de ouro, porque sei que vou tomar rapé como as tias. Mamãe e minhas tias outro dia ficaram pasmas da minha inclinação por estas coisas de entupir o nariz. Estávamos todos na Chácara e eu perto de vovó, na pedreira. Seu Procópio ia passando e sabendo que vovó sempre gosta de uma pitada de pó, ele tirou do bolso a cornicha de chifre, abriu a tampa com um estouro e ofereceu a vovó uma pitada. Eu também pedi uma e espirrei muito, porque rolão é mais forte do que rapé.

Meu pai sempre diz que é feio ter vício de fumo e que meu avô não admitia nem cigarro. Por isso minhas tias inglesas não tomam rapé, mas ele mesmo toma sua pitada de vez em quando. Eu já disse a meu pai que vou tomar quando crescer e não acho que faça mal. O vício que eu acho horrível é mascar fumo como as negras da Chácara. Generosa está cozinhando e mascando fumo e cuspindo para os lados. Faz o estômago da gente embrulhar. Não sei como vovó consente.

Quarta-feira, 10 de outubro

Hoje Beatriz me disse: "Vamos almoçar lá em casa porque Luisinha não veio à Escola, e você está sozinha". Eu gosto de almoçar lá, por ser pertinho da Escola e a gente poder comer mais descansada.

Hoje assisti lá a duas coisas engraçadas. Na casa da irmã de tio Conrado mora uma velha de capona, com um lenço preto amarrado no queixo, arada e bisbilhoteira como nunca vi. Ela só pensa em comer. Além disso ela tem uns modos de falar da casa dos outros, em que a gente tem de achar graça. Ela sai da missa e vai correndo às casas e tomando café em todas elas. Em cada casa ela chega e diz: "Se eu não tivesse saído da mesa da comunhão, eu dizia o que presenciei na casa de Seu Fulano. Boca! Cala a boca, boca!". Diz isso batendo num lado e noutro da boca e depois conta tudo que viu.

Ela chegou na hora em que eu estava e tia Aurélia perguntou se ela queria almoçar. Ela disse: "Aceito, Dona Aurélia. Eu só tomei café simples na casa de Seu Assis. Hum! Lá anda uma briga dele com a mulher! Boca! Cala a boca, boca!". Tia Aurélia fez-lhe um prato e mandou-a comer na cozinha. Depois do almoço as travessas foram para a cozinha, e ela vendo uma molheira grande de molho de tomate, pensou que era um guisado, tirou uma colherada e virou na boca. O molho estava muito apimentado e ela engasgou. Só se vendo a cara que ela fez. Ela voltou à sala de jantar e pediu: "Dona Aurélia, me dá um pedaço de queijo para consertar minha boca desta pimenta?". Tia Aurélia respondeu: "Não tem mais queijo, Siá Antoninha; o gato comeu todo".

Eu achei tanta graça!

Sábado, 13 de outubro

Poderá alguém compreender como é que uma pessoa que gosta muito de outra tenha jeito de aborrecê-la?

O caso de tia Madge comigo é o mais esquisito que eu já vi. Ela é minha madrinha de crisma e eu sei que ela é quase como vovó para me achar qualidades. Eu não posso lhe contar um caso que ela ri até mais não poder. Diz a todos que eu sou inteligente, espirituosa e boa. Tudo, que uma pessoa possa fazer por outra, tia Madge faz por mim. E eu posso dizer que quase todos os aborrecimentos que tenho tido na vida são causados por ela com essa mania de se interessar tanto por mim. Eu seria muito mais feliz se ela fosse como as outras tias, que nem olham o que eu faço. Mas ela, coitada, tudo que faz de bom é para me dar um aborrecimento e às vezes sofrimento.

Tia Madge não pode se conformar de me ver passar na porta dela de cabeça ao sol e quer porque quer que eu use um chapéu de sol e falava nisso todos os dias a meu pai. Como viu que meu pai não se incomodava, ela foi aos guardados antigos e arranjou duas armações de cabo de marfim, trazidas ainda por minha avó da Inglaterra e deu a meu pai para mandar pôr as capas. Meu pai foi à casa de Siá Eufrásia Boaventura, que é a encapadora de chapéu de sol, combinou tudo, voltou para a casa e disse a mamãe: "Já mandei encapar as armações que Madge arranjou. Agora tanto eu como as meninas vamos ter sossego".

Vieram os chapéus mas nós não gostamos e ficamos tristes, pois um ficou redondo como uma cuia e o outro chato. Saímos com eles e passamos na casa de tia Madge. Ela ficou radiante: "Agora, sim! Vocês não vão mais ficar cheias de sardas. Está ótimo! Vocês mostrem às colegas que estes cabos são de marfim e vieram da Inglaterra".

Nós seguimos e fomos para a Escola. Estavam os colegas na porta e Luisinha ouviu um deles dizer para outro: "Olha só o que as inglesinhas arranjaram agora!" e caíram na gargalhada. Já entramos muito desconfiadas e eu combinei com Luisinha: "Vamos escondê-los bem escondidos para as colegas não verem; depois nós consumimos com eles".

Entramos e escondemos os chapéus no armário de trabalhos. Uma colega descobriu, chamou outra e as duas saíram rodeando os salões com chapéus de sol abertos. Nunca nenhuma levou chapéu de sol à Escola a não ser em dia de chuva. Quando as colegas viram aquelas duas esquisitices caíram na gargalhada e foram todas acompanhando a passeata dos chapéus. Eu e Luisinha ficamos tremendo de medo que elas descobrissem que eram nossos e tratamos de ficar escondidas até que acabasse a brincadeira. Felizmente na Escola essas coisas não podem demorar porque os intervalos das aulas são de quinze minutos. Eu disse a Luisinha: "Você pode mais faltar à Escola do que eu. Quando tocar a sineta você dê um pulo à casa de tia Aurélia, deixe os chapéus e volte".

Quando contamos o caso a tia Madge e meu pai, eles acharam que não era motivo para não usarmos mais os chapéus de sol. Se a gente pudesse pensar como os mais velhos, a vida para os moços seria muito melhor.

Segunda-feira, 22 de outubro

Cheguei hoje cedo da Palha onde passamos desde quinta-feira. As segundas-feiras são dias bem enjoados, pois a gente sempre amanhece com mais preguiça. Mas hoje acordei na Palha às cinco horas da manhã. Não tinha ainda licença de Dona Juliana para voltar; mas vim com a cozinheira Raquel que vinha à cidade fazer compras, buscar um vestido de que eu precisava. Mamãe não me deixou voltar, dizendo que bastava de passeio e que hoje era dia de estudo.

Tivemos tantos dias de festa!

O aniversário de Dona Juliana foi festejado na Ponte Queimada, outra chácara que eles têm para lá da Palha. Havia muita gente; mesmo assim dormimos lá.

À noite vi um caso de pesadelo que eu não conhecia. Agapito levantou-se da cama dormindo e, não sei como, arranjou uma faca e queria matar Caetaninho do Palácio. Este acordou estonteado e só teve tempo de sair correndo e gritando. Nós todos acordamos com o barulho e Tião que conhecia os pesadelos de Agapito foi que o acordou. Ficamos muito assustados e sem compreender o que era aquilo.

As camas eram poucas para acomodar tanta gente, tivemos por isso de dormir vestidas e muitas numa cama. Eu, acordando de noite, estendi o braço para puxar o cobertor, e pus a mão numa barba. Fico espantadíssima e pulo da cama para ver o que era. Eram Siá Emília e Seu Serafim que dormiam também num colchão junto ao nosso, no chão.

O costume de dormir vestida, com o frio, é bom, porque tira a preguiça de se levantar. Hoje foi bastante Raquel me tocar, já eu estava de pé sem despertar ninguém. Se alguém acordasse não me deixariam vir. Ontem pedi a Raquel que me acordasse cedo e vim escondida de todos.

Sábado, 27 de outubro

Se houvesse ainda hoje adivinhadores de sonhos, como antigamente no tempo de José do Egito, que coisa boa não seria! Aquela história das sete vacas gordas e sete magras que significavam sete anos de fartura e sete de fome nunca pôde sair da minha cabeça.

As minhas mestras dessas coisas de sonho, em pequena, foram as negras da Chácara, e eu perdi a confiança nelas desde que me horrorizaram com o pecado de achar padre feio, que eu contei na primeira comunhão e que me fez passar um ano de sofrimento. De vez em quando Padre Neves se referia a isso no Catecismo, dizendo: "Este ano ninguém se confessará tolinha como o ano passado. Confessei duas meninas que me desapontaram com a tolice delas. Uma contou horrorizada o pecado de me achar feio. Outra, quando eu lhe dava a absolvição pensando que estava contrita, estava contando os botões de minha batina. Este ano vou acabar com isso. Só consinto que recebam a primeira comunhão as que estiverem bem preparadas". Eu ficava tremendo de medo que as outras descobrissem que uma das tolas era eu.

Até hoje sofro com sonhos esquisitos e não acredito na explicação que Mãe Tina me dava em pequena, apesar de ser a mais fácil de acreditar. Quando eu lhe contava meus sonhos e pedia explicação, ela dizia: "Sonho é a alma que não dorme como o corpo e fica pensando. Se a gente é boa e vive com Deus o sonho é bom; se está em pecado mortal o sonho é ruim". Não desejo que menina nenhuma sofra o que sofri com a minha alma em pecado mortal, quando tinha sonho ruim.

Contava-os a Mãe Tina e ela me punha de joelhos, rezando. O meu pecado mortal eu não sabia qual era, mas depois lembrava que devia ser inveja ou gula e me tranquilizava um pouco, fazendo tenção de me corrigir.

O que sofri de menina com medo do inferno e histórias de alma do outro mundo, lobisomem, mula sem cabeça, que as negras contavam, não desejo que outras sofram; mas a explicação dos sonhos não sai da minha cabeça. Sonho de jabuticaba significar defunto, não sei; tenho minhas dúvidas. Mas sonhar com piolho significa que se vai ganhar dinheiro. Isso eu sei porque tem acontecido a mim e outras pessoas.

Sofro muito com sonhos e um dos piores que eu tive, em pequena, foi a decepção que sofri morrendo e indo para o Céu. Que coisa horrível é o Céu dessa noite! Lembro-me até hoje da vida triste que levei no Céu até acordar. Era um terreiro enorme e muito limpo e só havia velhas de capona e mantilha na cabeça, de mãos postas rezando, sem ligarem importância umas às outras. Nem São Pedro, nem anjos, nem nada. Quando elas cansavam de estar ajoelhadas, ficavam andando de cabeça baixa, naquele terreiro muito grande, rezando. Quando eu acordei e vi que não estava no Céu, que alívio!

Este sonho eu contei a Mãe Tina e ela me explicou que foi por causa da história que ela tinha me contado, que o caminho do Céu é cheio de espinhos e o caminho do inferno é muito limpo, e no sonho eu troquei.

Sonhar que estou ouvindo a missa da Sé, no meio do povo, em fralda de camisa, é uma coisa horrível que me acontece sempre. Tenho ido muitas vezes em sonho à Escola, descalça e sem saber onde esconder os pés. É um martírio todo o tempo. Tenho tido também sonhos maravilhosos. Não têm conta as vezes que tenho voado sem asas para Boa Vista ou em cima das casas na cidade. Que coisa agradável! Já estive num palácio maravilhoso, como a menina dos anõezinhos. Já sonhei com um grande canteiro de amendoins e eu ia arrancando um pé e encontrava só níqueis e pratinhas na raiz.

Mas o sonho desta noite é que foi horrível. Sonhei que tinha virado macaca, e que apesar de muito desgraçada eu poderia me resignar de ser macaca, mas sem rabo; e o meu rabo era de um tamanho enorme!

Se Mãe Tina fosse viva, eu não precisaria pedir explicação deste sonho. Sei bem que foi por termos falado ontem, no jantar, no macaco de Siá Ritinha.

Sábado, 3 de novembro

Renato é muito acanhado. Ele não tem convivência com meninas; só com as primas. Não conversa com nenhuma das colegas da Escola e não vai à casa de ninguém fora da família. Tia Madge vivia incomodada e dizia a mamãe: "É preciso desasnar o Renato. Ele já fez quinze anos e parece um bicho do mato. Só quer andar pescando e pegando passarinhos e não aprendeu ainda a entrar numa sala. Como vai ser se ele crescer assim? É preciso metê-lo na sociedade, e eu vou tratar disso".

Quando minhas amigas vêm aqui em casa, Renato fica no quarto. Só sai quando vem Belinha. E eu desconfio que ele está gostando dela por causa das franquezas que ele faz conosco quando ela está aqui. Ele anda sempre com a gaveta cheia de frutas: ameixas, maracujás, goiabas e outras que ele arranja com os amigos que têm quintal; mas não nos dá nenhuma, é muito ridículo para nós. Só quando Belinha vem cá é que ele dá as frutas a ela e nós também aproveitamos.

Ontem tia Madge disse a mamãe: "Compadre Francelino vai dar hoje um brinquedo em casa, que é aniversário da Gegênia e me disse que levasse os seus meninos. Não deixe de mandar o Renato para desembaraçá-lo. É uma coisa muito íntima. Eu espero os meninos em casa às oito horas para levá-los".

Quando tia Madge saiu, Renato disse que não ia. Mamãe e nós todas insistimos mas ele embirrou que não ia, dizendo que a roupa dele não estava boa e que estava com os botins furados na sola. Mamãe respondeu que de noite todos os gatos são pardos e que ninguém ia olhar a sola dos botins dele. Tanto insistimos que afinal ele resolveu ir.

Fomos. Luisinha tirou-o para dançar, para acostumá-lo, e nos divertimos bastante. Depois inventaram brinquedos de prenda. Fizemos todos a roda. Quando chegou a hora de Renato pagar a prenda, Gegênia escolheu "Senhor São Roque". Puseram a cadeira no meio da sala, trouxeram a vela, mas ele não queria ir. Edmundo pegou-o pelo braço e disse: "Vamos, você está ficando rapaz e não pode fazer feio na vista das moças". E empurrou-o para a cadeira. Ele ajoelhou de costas para mim e Luisinha e mesmo debaixo do lampião belga, que iluminava bem a sala. Quando nós vimos os dois óculos na sola de Renato, apertamos a boca para não rir, mas não pudemos nos conter. As outras que estavam perto também caíram na risada. Renato desceu da cadeira sem querer saber de mais nada, disse furioso a mim e Luisinha: "Idiotas!" e saiu do quarto pela porta afora.

Quando chegamos em casa ainda encontramos Renato furioso e mamãe com muita pena dele, mas rindo também.

Com esta estreia tão triste vai ser difícil agora Renato desembaraçar-se.

Quarta-feira, 7 de novembro

Não sei se com os outros se dão também as coincidências que se dão comigo. Eu fico às vezes impressionada e sem saber como acontecem essas coisas.

Luisinha ganhou de vovó um corte de vestido no dia de seus anos. Ontem ela me aborreceu numa coisa qualquer e eu lhe disse: "Não me importa. Por isso mesmo eu derramei tinta no seu corte de vestido". Disse isso, juro, só para contrariá-la na hora. Pois ela foi correndo atrás da fazenda e a encontrou manchada de tinta! Eu fiquei pasma e apatetada. Mamãe me ralhou e me chamou de ruim e de tudo e eu tive de ouvir sem poder me defender. Isto vai ficar na minha cabeça a vida inteira. Não posso compreender como me vieram à boca aquelas palavras sem eu ter feito aquilo nem pensar em fazer, e sem saber que o corte estava manchado.

Já me tinha acontecido o ano passado uma coisa semelhante, que me faz tomar medo de mim mesma de agora em diante.

Nós estávamos no Biribiri hospedados na casa de tio Joãozinho. Um domingo, ainda não tínhamos acabado de jantar já estava tia Ritinha, apressada, nos chamando para a Bênção do Santíssimo. Largamos os pratos e fomos. A igreja de lá, que é pequena, já estava cheia e ficamos apertadíssimos. Antes da bênção o padre começou a pregar um sermão muito comprido que não acabava mais. Eu já estava cansada e suando. Certa hora eu olhei para meu pai, que estava de pé, e me veio à cabeça uma ideia de repente: "E se meu pai, que está de pé há tanto tempo, não aguentasse mais este sermão e caísse ali?". Não tinha ainda acabado de pensar e meu pai caiu no meio do povo.

Não são estas coisas um mistério?

Segunda-feira, 12 de novembro

Joviano, que já é normalista, veio contratar com meu pai lições de inglês. Tem vindo todas as tardes das cinco às seis, e tem me atrapalhado muito no estudo e também na vida em casa.

Nossa casa é pequena e todo rebuliço se escuta na sala. Eu e Luisinha temos uma infelicidade conosco; meu pai não gosta de nos ver rir muito. Mas parece até pirraça e juro que não é: quando meu pai está na lavra, só rimos quando há motivo; mas se ele está em casa, uma não pode olhar para a outra que disparamos no riso.

Depois que Joviano está vindo, meu pai recomendou que não ríssemos nem falássemos cá dentro, pois o rapaz ficava de ouvido alerta para escutar o que falávamos e não prestava atenção à aula.

Nós não fazemos barulho; mas deixar de rir, sendo proibido, é impossível. Meu pai chega a gritar da sala para acabarmos com isso.

Hoje, conversando com Maricas, irmã dele, eu lhe contei o caso e o nosso sofrimento de rirmos à toa, principalmente depois que o irmão está vindo dar lições. Ela disse: "É porque Seu Alexandre ainda não desconfiou que ele gosta mais de ouvir você rir do que das lições. Ele disse lá em casa que gostava de ver você rir e falar perto dele o dia inteiro. Não se lembra daquela bobagem que você fez no dia que a levamos para a casa com aquela chuva? Você estava com umas botinas de elásticos arrebentados e encharcadas e da porta da rua foi sacudindo as pernas e atirando as botinas no corredor. Viano falou na mesa que sabe que vai ficar solteirão, porque só se casará com uma moça que faça aquele gesto perto dele e sabe que não encontrará".

Quinta-feira, 15 de novembro

Meu pai hoje ficou, como todos da cidade, muito satisfeito com a posse do Prudente de Morais. Foi uma alegria na cidade quando chegou o telegrama e todos festejaram como se fosse coisa nossa. Mas diz meu pai que é porque ninguém aqui, a não ser os jacobinos, gosta do Floriano e não esperavam que ele largasse o lugar para Prudente, porque ele tem muita influência no Exército. Todos agora esperam que tudo vai melhorar com o Prudente de Morais. Eu sempre digo a meu pai que não pode entrar na minha cabeça que tenha alguma influência para nós aqui na Diamantina mudança de presidente. Meu pai diz que tem toda, que o governo é uma máquina bem organizada e que o presidente sendo bom e fazendo bom governo beneficia o Brasil inteiro e chega até aqui para nós. Eu lhe disse que só poderia acreditar nisso se o presidente mandasse canalizar a nossa água e consertar o nosso calçamento. Ele disse que essas coisas não são feitas pelo presidente do Rio de Janeiro, só se ele fosse um filho da terra como o Dr. Mata que nesse caso ele poderia até mandar fazer uma estrada de ferro daqui para Ouro Preto. Se há uma coisa que eu não espero aqui em Diamantina é estrada de ferro. Também disso não temos nenhuma precisão. Andar a cavalo é muito bom.

Domingo, 18 de novembro

Mamãe não sabe o que há de inventar para ganhar dinheiro, mas é tão sem sorte que tudo que faz lhe dá prejuízo. Começou fazendo rosquinhas e pão doce para vender; o tabuleiro voltou cheio e tivemos de aproveitá-los. Plantou horta para vender verdura. Quando estavam todas crescidas ela encheu um tabuleiro e mandou para a rua; de tarde voltou cheio e murcho. Faz bolo de arroz para vender na porta da igreja na missa de madrugada. Seria mais fácil para todos comprar ali do que subir até a casa de Siá Alexandrina, mamãe pensou. O tabuleiro voltou cheio e ela teve de mandar para as irmãs, para não perder. Fez limões de entrudo para vender. Emídio saiu com o tabuleiro para a rua e voltou com ele vazio e sem um real: vendeu fiado.

Nestor de Dindinha assentou praça, e querendo comer almôndegas com farinha, de noite veio com uma conversa que o negócio dava muito lucro. Mamãe fez almôndegas o mês inteiro. Nestor vinha buscar a travessa toda noite e no fim do mês não lhe trouxe nem um real. Fez pastéis de angu, carajés e queimados para a porta do teatro e nada vendeu.

Meu pai, vendo que o dinheiro não estava chegando para nada, resolveu fazer as contas dos negócios de mamãe. Quando viu o prejuízo, ele virou para ela com sua pachorra e disse: "Carolina, minha filha, não fique se matando tanto assim à toa. Esses seus negócios estão nos dando prejuízo. É melhor você ir passear na casa de sua mãe e suas irmãs e deixar de negócios".

Quinta-feira, 22 de novembro

Há dias encontrei-me com Padre Neves em casa de minhas tias inglesas e senti que ele teve tanto prazer em me ver como eu. Há muito tempo que não nos encontrávamos.

Eu fiquei no Catecismo até saber História Sagrada e Catecismo de cor e salteado. Entrei de seis anos e saí de dez. Mas fiquei todo esse tempo porque fui escolhida, com outras, para cantar no coro da igreja, acompanhadas no órgão por uma irmã dele. Cantávamos na Bênção do Santíssimo nos domingos, no mês de Maria, nalguma missa. Eu sempre gostei de Padre Neves, considerando-o um santo na terra para encaminhar as almas para o Céu. Ele não se aborreceu comigo por ter dito no confessionário que o achava feio e continuou gostando de mim na mesma.

Hoje voltei à casa de minhas tias e tia Madge disse: "Padre Neves outro dia, depois que você saiu, lhe fez tanto elogio que eu fiquei contente. Ele disse que você é uma das meninas mais simples, melhores e mais inteligentes com que ele tem lidado. Você deve ficar satisfeita de uma pessoa como ele falar assim e deve continuar dando a todos a mesma impressão". Eu respondi: "Impossível, tia Madge. É muito diferente a gente deixar de lidar com os santos e entrar no inferno para lidar com os capetas. Na Escola a gente tem de ficar ruim e viver horrorizada com tanta ruindade. Eu mesma não sei como a senhora é tão boa, tendo frequentado a Escola. Eu vou sair dali uma demônia, bem contra a minha vontade". Tia Madge disse: "Eu entrei para lá velha e você é criança; é muito diferente. Mas você não fique misturada com as ruins".

Voltei com as palavras de tia Madge na cabeça e satisfeita com os elogios de Padre Neves. É uma das boas coisas da vida a gente querer bem a uma pessoa e ser correspondida.

Quando eu estava no Catecismo tinha tanta admiração por Padre Neves e tanta amizade, que o melhor dia para mim era o sábado, dia em que nos reuníamos em casa dele para os ensaios de canto. Esperávamos lá até que a irmã dele nos chamasse à casa do pai, que era pegada, e onde havia o piano. Lembro-me até hoje do gosto que ele tinha em nos obsequiar com doces e biscoitos, sem conseguir que chegassem para todas, por causa da gana das meninas mais aradas. Lembro-me da tristeza que eu tive com umas passas que ele fez na casa de Seu Juca Neves. Secou as uvas e fez umas passas. No sábado ele nos disse: "Eu vou buscar para vocês umas passas que eu fiz. Não são boas como as que vêm de Portugal, mas para comer servem". Foi buscar e trouxe uma bandeja, para ir repartindo um bocado para cada uma. As meninas avançaram e ele mal pôde segurar a bandeja na mão. O chão ficou estrelado de passas e elas apanhando e pisando. Eu não pude provar nem uma e fiquei triste, não só porque gosto muito de passa como porque queria experimentar as feitas por ele. No grupo havia meninas de toda classe, até filhas de soldado e pretas. Mas Padre Neves achava graça em tudo isso.

Domingo, 25 de novembro

Este conselho que meu pai me deu de deixar de contar às amigas a minha vida e os meus segredos e escrever no caderno é na verdade bom por um lado e ruim por outro. Bom porque depois do desapontamento que Glorinha me fez passar contando a vovó que eu apanhei o pêssego do saquinho, que eu lhe contei em segredo, não precisei de lhe contar mais nada. Escrevo tudo neste caderno que é o meu confidente e amigo único. Mau porque me tem tomado tempo que eu não podia perder. Eu sou a única menina da Escola que escreve tudo que pensa e que acontece, nas cartas e redações para Seu Sebastião. Sei que ele não se incomoda e até gosta, mas mesmo assim há muita coisa que eu não tenho coragem de levar para ele. E depois que tomei este hábito de pôr no caderno o que me acontece tenho que escrever, mesmo sem preparar as lições. Hoje vou contar aqui uma coisa que eu não quero escrever para Seu Sebastião e que só confiarei a este caderno, que me guardará ainda por uns dias o segredo e depois mamãe terá que saber. Estou em vésperas de exame e já disse a mamãe muitíssimas vezes que eu não posso apresentar-me nos exames com o uniforme já tão desbotado e remendado no cotovelo e ela sem se incomodar. Mamãe é muito boa, eu sei bem disso. Juro que não a trocaria por nenhuma mãe do mundo. Mas este sistema dela de não sair de casa a não ser para a Chácara de vovó me traz muito prejuízo e aborrecimento. Eu sei que se me comparasse com as outras e visse o meu uniforme como está diferente, ela providenciaria. Mas ela não vê ninguém a não ser vovó, as tias e as negras da Chácara. Tenho muitíssima fé nas minhas orações a Nossa Senhora. Sempre que me vejo num aperto, rezo um terço e umas orações fortes que aprendi agora e posso sossegar que ela me ajuda na certa. Estou convencida que este pensamento que me veio à cabeça ontem foi de Nossa Senhora. Ela não teve outro jeito a dar e me inspirou este. Como eu poderia me lembrar de uma coisa destas? E depois a ideia me veio ontem depois de eu lhe ter pedido com a maior contrição que me arranjasse um meio de ter um vestido para os exames.

Mamãe tem na gaveta um broche de ouro que sempre meu pai diz que é para mim. Eu não faço mais caso do broche depois que meu pai vendeu o brilhante. Não gosto de pedra falsa e mesmo pedra falsa ele não tem. Já lhe disse que o desse a Luisinha. Como se explica que ontem, justamente na hora em que eu acabava de rezar, me veio à cabeça a tal ideia? Mamãe diz que este mês não tem dinheiro para me dar uniforme para o exame. No outro entrarei nas férias e não preciso mais. Se eu lhe falar em vender o broche a um ourives eu sei que ela não concordará e o esconderá de mim. Já refleti muito desde ontem e vi que o único meio de ter vestido é vendendo o broche. Vou dormir ainda esta noite com isto na cabeça e vou conversar com Nossa Senhora tudo direitinho. Se ela não me tirar da cabeça a ideia, está certo que terei o vestido para o exame. Todos da casa dormem e só eu fico acordada até as onze horas.

Depois deste conselho de meu pai de conversar com o caderno a minha vida piorou e penso que emagreci ainda mais.

Todas as minhas colegas falam de minha magreza e eu queria que elas tivessem as minhas obrigações para ver se não seriam magras também. Se eu pudesse dormir bem, comer descansada, sei que engordaria. Mas há muito tempo não tenho meia hora para o almoço.

Agora vou parar aqui, ajoelhar e conversar de novo com Nossa Senhora sobre a minha vida. Só ela poderá me ajudar. Amanhã contarei aqui, meu caderno amigo, o que resolver sobre o broche furado sem brilhante no meio.

Terça-feira, 27 de novembro

Realizei afinal o tal projeto de tirar o broche e vender.

Será isto que se chama furto? Penso que não, pois a ideia me foi dada por Nossa Senhora.

Mas eu confesso que fui bem corajosa. A ideia ficou-me na cabeça pregadinha dois dias seguidos. Hoje eu me levantei cedo e a primeira ideia que me veio foi o demônio do broche. E tudo veio em meu auxílio. Meu pai tem uma gaveta com campainha onde guarda tudo e o tal estava na gaveta. Aproveitei a hora em que todos estavam na cozinha, fui dando a volta à chave devagarinho para não fazer barulho e apanhei o broche. Levei-o a Seu Mendes. Ele pesou e me deu trinta mil-réis. Achei que ele me logrou, penso que valia mais; mas à vista do dinheiro fiquei tão contente que nem reclamei. Da tenda fui à casa da costureira e lhe entreguei o dinheiro para me fazer o vestido.

Estou radiante com a ideia que tive: vou fazer um vestido de lã azul, de casaco, com um colete branco, que pareça uniforme e sirva também para passeio. Avalio já como vou ficar elegante! Mamãe só saberá da venda do broche quando o vestido chegar. Estou tão feliz que até já sei o que vou lhe dizer. Eu receberei o vestido e mostrando a mamãe lhe direi: "Este é comprado com o dinheiro do broche que meu pai disse que é para mim depois de moça. Depois de moça já terei a minha cadeira de professora ou um marido, e não precisarei de broche furado. Agora é que ele me serviu". Sei que mamãe vai me perguntar por que eu não lhe falei antes de dar o passo. Eu lhe responderei: "É porque sei que a senhora não deixava e eu precisava do vestido para os exames".

Sábado, 1º de dezembro

Chegou hoje o meu vestido. Como eu gostei e fiquei contente!

Tudo aconteceu como eu esperava. Mamãe e meus irmãos quando o viram chegar correram para vê-lo, sem compreenderem. Eu fui logo contando a mamãe o que tinha feito e fiquei espantada dela nada me dizer, e mais admirada ainda dela entrar no quarto, tirar trinta mil-réis, dar a meu irmão e lhe dizer: "Vá à tenda do ourives e lhe diga que eu me arrependi de mandar vender o broche e que me mande de volta". Renato foi e voltou dizendo que o ourives já o havia desmanchado e não podia mandá-lo. Eu sei que é mentira de Seu Mendes. Ele não seria tolo de desmanchar uma joia bem-feita como aquela. Sei que ele colocou um brilhante e vendeu ou vai vendê-lo ainda. Mas pouco me importo com o resultado. Estou contentíssima com o meu vestido e com a sorte que vou dar na Escola. Um dia depois do outro sempre chega. Bem razão tem meu pai de dizer que: "Nem sempre o infeliz chora". O remorso que eu poderia ter desapareceu depois que mamãe arranjou os trinta mil-réis para reaver o broche. Já vinha pedindo a mamãe o vestido há um mês. Estou muito contente comigo. Sei que vou arranjar a minha vida melhor. Estou mais esperta.

Segunda-feira, 3 de dezembro

Hoje já fui com o meu vestido à Escola. Sei que está bonito pela inveja que causou. As colegas logo disseram: "Isso nunca foi uniforme nem aqui nem na China. O diretor é que devia ver isso e suspender. Daqui a pouco estão fazendo até uniforme de seda na escola. Você já não fez de lã com colete de fustão?". Palavra que eu tive medo que elas fossem reclamar ao diretor e ele viesse mesmo me proibir o vestido.

Às vezes eu mesma fico pasma de como me vem inteligência para certas coisas. Foi tudo Nossa Senhora. Ela viu que eu precisava ao mesmo tempo de um uniforme e de um vestido e me inspirou tudo direitinho. O vestido foi tirado todo da minha cabeça, sem ver um figurino. Como eu podia ter tido uma ideia tão boa! Acabados os exames estou no feito. Um dia eu ponho o vestido com colete e gravata; quando quiser variar visto a saia com uma blusa branca ou de cor, e ninguém me passa mais na frente.

Estou gozando a inveja que causei às colegas quando passei na loja do Mota, na vinda para o almoço e na volta, e eles vieram para a porta me olhar. Tião veio de lá de dentro me cumprimentar pelo vestido. O diretor passou por mim duas vezes, viu e não disse nada. Foi um sucesso!

Quarta-feira, 5 de dezembro

Eu tenho muita pena dos meninos quando vão crescendo aqui nesta terra. Ninguém pode inventar uma coisa para ganhar dinheiro que os outros não invejem logo. Meus irmãos são vítimas.

Renato teve um negócio que lhe dava uns cobres. Ele não é nada tolo, descobre sempre um jeito qualquer. Ele costumava ganhar dinheiro catando ouro nas enxurradas ou procurando na terra, debaixo do sobrado. Mas o melhor foi sempre para ele o negócio de lambaris. Nunca vi tanta sorte para pescar como ele tem. Fazia às vezes dois mil-réis por dia. Também pegava passarinhos e vendia. Em tudo isso ele teve quem lhe tomasse os fregueses. Começou a fazer cigarros de palha para vender, melhores que os de João Quati, e já outros imitaram. Este foi o negócio de que nós mais gostamos e até o ajudávamos a alisar as palhas com caramujo. Ele ia ao barracão, trazia muita palha e eu nas férias me distraía alisando-as e amarrando os maços de cigarros que saíam bem-feitinhos.

Mamãe, para ele não ficar à toa e na esperança de ele aprender a negociar, mandou alugar um cômodo e pôs umas coisas, feijão, arroz, farinha, rapadura, queijo e o mais que é preciso para uma vendinha de principiante. Renato, se havia de ficar sossegado, começou a querer encher a venda de garrafas para fazer vista. Pediu a mamãe para fazer vinagre de jabuticaba e champanha de ananás e mandar para a venda. Mamãe fez. Mandou uma porção de garrafas sem imaginar o que podia acontecer.

Meus tios gostavam de se reunir lá, de noite, para jogar truque. Há dias, com o calor que fez, as garrafas fermentaram e as rolhas começaram a saltar com um tiroteio que assustou os jogadores. O vinho de ananás e o vinagre se esparramaram pela venda e meus tios tomaram tudo na roupa e na cabeça. Foi um custo para Renato poder salvar as rapaduras e o açúcar para não melarem. A venda quebrou. Também estamos nas vésperas de ir para a Boa Vista, para as férias.

Na nossa família os homens só sabem ganhar dinheiro na mineração. Para comércio nenhum tem jeito.

Domingo, 9 de dezembro

Ontem foi a festa de Joaquim Angola. Este negro fugiu de um senhor muito mau do Serro e foi esconder-se num quilombo perto da Lomba. Os negros lhe levavam comida de noite. Quando andaram por lá uns soldados caçando negros do mato, ele correu e caiu de joelhos nos pés de vovó, pedindo que o comprasse. Ela fez meu avô comprá-lo e ele ficou na Lomba, casou e teve muitas filhas. Isto foi há muitos anos no dia de Senhora da Conceição e as filhas de Joaquim Angola costumam festejar este dia. Uma delas, Júlia, casou com Roldão e elas aproveitaram para fazer uma festa maior.

Elas convidaram muitos conhecidos e a festa foi na senzala antiga. Enfeitaram de bambus, bananeiras e folhagem o cômodo grande que era antigamente das escravas fiarem e fazerem renda. Fizeram um leitão enfeitado, empadas, galinhas, doces de toda qualidade. Vovó deu o vinho, eles compraram a cachaça. Houve mesa para nós cá dentro e para os negros lá fora.

Eu engoli o jantar depressa e fui para a senzala. Palavra que nunca vi uma festa tão divertida. Da África ainda há na Chácara mais três que são Benfica, Quintiliano e Mainarte. Eles cantavam umas cantigas da terra deles, viravam e reviravam batendo palmas e iam dar uma embigada numa negra. Os negros de cá invejaram os velhos que sabiam as cantigas da África e que dançavam com mais entusiasmo. Depois se assentaram na mesa como nós e fizeram saúdes. Todos eles têm suas calças e camisas brancas. Joaquim Angola estava de rebentar de contente.

Eu gosto de ver como os negros da Chácara são felizes. Mamãe diz que quando vovô morreu, cada filho (eram doze) ficou com os escravos de sua estimação e vovó trouxe os outros, que eram uns dez ou doze, quando se mudou para Diamantina. Como não havia que fazer para eles e vovó nunca vendeu nenhum, pôs os negros na horta e as escravas ficaram fazendo renda e trocando pernas pela casa. Eu ainda me lembro de quando chegou a notícia da Lei de Treze de Maio. Os negros todos largaram o serviço e se ajuntaram no terreiro, dançando e cantando que estavam livres e não queriam mais trabalhar. Vovó, com raiva da gritaria, chegou à porta ameaçando com a bengala dizendo: "Pisem já de minha casa pra fora, seus tratantes! A liberdade veio não foi pra vocês não, foi pra mim! Saiam já!". Os negros calaram o bico e foram para a senzala. Daí a pouco veio Joaquim Angola em nome dos outros pedir perdão e dizer que todos queriam ficar.

Vovó deixou, e os que não morreram ou casaram estão até hoje na Chácara. Também com a vida que eles levam...

Quinta-feira, 13 de dezembro

Hoje mamãe e tia Agostinha combinaram irmos visitar Dona Elvira, no Burgalhau. O marido dela foi sócio de tio Justino num negócio de bois e ela ficou amiga de tia Agostinha, e quando mudou para aqui vai sempre ao Jogo da Bola.

Fomos todas. Dona Elvira parecia ser uma mulher asseadíssima. Ela fala muito errado porque morou toda a vida na roça, mas a casa dela é bem-arranjada. Os bancos e mesas são limpos como novos. O assoalho dói nos olhos, de claro. Ela estava em casa com um vestido muito limpo e os meninos, prontos para irem para a escola, só se vendo como estavam asseadinhos. Como se compreende que com esse asseio todo ela é tão sem nojo?

Quando chegamos ela foi nos recebendo com muita alegria, nos mandou entrar para a sala de jantar e foi nos mostrando a horta, os canteiros de flores e tudo. Na cozinha, que estava um brinco de asseio, ela nos mostrou um caldeirão que fervia no fogão e disse: "Parece que eu adivinhava a visita das senhoras. Foi Deus que me deu ideia de pôr no fogo este caldeirão de canjica com amendoim para obsequiar as senhoras". Quando ouvi essas palavras não pensei mais senão na canjica.

Chega a hora, ela abre o armário e tira uma terrina funda, de uma asa só, que achei esquisita. Mas como passou depressa, ninguém reparou direito. Quando ela trouxe a canjica da cozinha e pôs na mesa, nós olhamos uma para a outra sem compreender. Eu nunca visto na minha vida uma vasilha daquelas na sala. Todos comeram a canjica menos eu. Dei desculpa que não gostava.

Quando saímos, Naninha me disse: "Boba, você perdeu. Você não viu que ela pensava que aquilo é vasilha de comida? Se ela pensasse que é para outra coisa não punha na mesa. Ela é muito asseada".

Domingo, 16 de dezembro

Hoje tia Madge passou em casa, depois do jantar, para me levar com ela à casa das Amarantes, na Rua da Romana. Foi visitá-las e lá estiveram conversando sobre uma irmã delas, chamada Biela Neto, que veio a Diamantina há uns cinco ou seis anos e se hospedou na chácara de D. Nazaré, no alto da Gupiara, aonde eu fui nessa ocasião com tia Madge. Lembrando hoje essa visita ela esteve me contando a riqueza de D. Nazaré e as grandes festas que ela dava. Em uma delas tia Madge esteve quando era mocinha, com meu avô que foi levar um inglês que passou em Diamantina nessa ocasião. A festa foi um casamento e durou três dias, dia e noite. Quando uma banda de música cansava, vinha a outra tocar. Comidas e bebidas não tinham conta. Na sala de jantar estava uma bacia grande onde os homens esvaziavam o resto dos copos, e quando enchia jogava-se fora e trazia-se de novo. Diz tia Madge que o tal inglês ficou impressionado com a riqueza dos vestidos, a fartura de comidas e bebidas, a alegria de todos e disse que nunca podia supor encontrar um lugar tão civilizado tão longe do Rio de Janeiro. De volta para a Inglaterra ele escreveu um livro onde contava a história da festa e falava em vovó e meus tios.*

Hoje a Chácara da Gupiara está abandonada e a casa se estragando. Só mora lá um homem chamado Pedro Neto, que vive no quarto há muitos anos sem sair, e não fala. Ele não é mudo, ouve tudo que se diz mas só responde por sinais. Dizem que de anos em anos ele fala umas palavras e torna a ficar calado. Que esquisitice!

Eu me recordo da ida com tia Madge à Chácara da Gupiara quando eu era pequena, para visitar essa Biela Neto. Ela mandou-me logo chamá-la de tia, dizendo que era mesmo que

---

* Alusão provável ao Capitão Richard Burton, que nas *Explorations in the Highlands of Brazil* realmente descreve uma reunião festiva a que esteve presente (em 1867) na Chácara da Gupiara.

irmã de tia Madge. Depois chamou a filha, Nazinha, uma menina muito linda da minha idade, para me conhecer e irmos brincar. Ela me tomou pela mão com toda simpatia, dizendo: "Vamos brincar". Levou-me para a frente da casa e começaram as perguntas: "Que pintinhas são essas que você tem na cara?". Eu respondi: "São sardas". "O que é que faz isso na gente?" "Dizem que é o sol." "Você gosta de ficar pintadinha assim?" Aí eu não pude mais responder. Olhou-me a botina e disse: "Por que é que sua botina é furadinha assim?". Eu respondi: "É porque o verniz caiu". "Você acha bonito assim?" "Não." "E por que não trocou por outra?" Eu nunca tinha tido desapontamento de nada, fiquei desapontada de responder: "Porque não tenho outra". Ela disse com um encanto que eu nunca tinha visto em menina daquela idade: "Coitadinha!". Não gostei do "coitadinha", mas ela era tão linda que eu não pude deixar de me sentir satisfeita de ter-lhe causado aquela pena.

Depois ela me perguntou: "Quais os brinquedos que você sabe?". Eu fui falando os que sabia e ela dizendo: "Para brincarmos só duas, este fica sem graça. Inventa outro". Eu olhei para o chão, vi umas pedrinhas brancas e redondas e disse: "Vamos inventar fazer de galinhas e pôr ovos". Ela disse: "Muito bom! Vamos". Então eu corri, apanhei uma porção de pedrinhas, escondi na moita de capim e começava a cantar como galinha. Ela vinha e apanhava os ovos. Depois ela disse: "Inventa outro". Eu propus brincarmos de comidinha. Ela disse: "Como é este?". Eu expliquei que era brinquedo de cozinhar; que a gente cozinha, faz as comidas, põe na pedreira servindo de mesa e às vezes, se é de verdade, come. Ela disse que esse estava muito bom e perguntou o que era preciso. Eu respondi: "Se a comidinha é de verdade, a gente precisa arroz, toicinho, carne e tudo para fazer. Se é de mentira a gente tem de fingir". Ela: "Então vamos fazer de verdade". Foi pedir à mãe que lhe arranjasse panela e comidas. A mãe não concordou dizendo que sujava e queimava as mãos. Então fizemos comidinha de mentira. Fomos as duas. Apanhamos umas plantinhas cheirosas que têm um botãozinho branco parecendo arroz e umas folhas para fingir de ervas e ficamos distraídas nisso muito tempo. Depois ela disse: "Vamos ver o meu tio mudo". Entramos num quarto e estava um homem que não falava e se pôs a conversar com ela por sinais e perguntando coisas a meu respeito. Eu respondia tudo e ele apontava para mim e depois para a cabeça, querendo dizer que eu era inteligente. Foi a única vez que eu vi Seu Pedro Neto. Ele estava sentado na cama, perto de uma mesa com uns livros e depois de algum tempo fez sinal com a mão para sairmos.

Passamos lá o dia e eu encantada com a graça e a beleza da menina. Na saída ela disse à mãe: "Pede a tia Madge para trazê-la sempre aqui, mamãe. Ela é tão boazinha e sabe tanto brinquedo". Depois virando para mim: "Você vem, sim?". E acrescentou: "Mesmo que tenha acabado de sair o verniz de suas botinas não faz mal; vem assim mesmo".

Hoje a tia dela contou a tia Madge que ela está no colégio, no Rio, e está ficando uma mocinha muito linda e eu fiquei pensando como ela não estará hoje e com tanto desejo de vê-la de novo.

Quinta-feira, 20 de dezembro

Meu exame de Música ontem foi uma surpresa para todos. Quem havia de imaginar que eu me sairia assim? As minhas colegas não admitem nada em mim. Às vezes eu desejo ter força de vontade, estudar um pouco e mostrar a todas elas do que sou capaz. Mas é melhor assim. Ninguém gosta de ver que outros têm mais inteligência. Eu vejo como elas são com Clélia e Mercedes. Talvez elas todas gostem de mim por me julgarem diferente do que realmente sou.

Voltando ao exame de Música. Naninha, que é a prima mentora de mamãe, lhe disse um mês atrás: "Helena pode fazer os outros exames porque tem muita memória e decora os pontos nas vésperas; mas no de Música ela não passa. Ela é desafinadíssima. Se eu fosse a senhora tomava Seu Modesto Rabequista para lhe dar lições até o exame". Vovó logo disse: "Carolina! Mande amanhã mesmo chamar o Modesto".

Estudei todo o mês passado com Seu Modesto. Chegou o exame, me caiu *Tantum ergo*; eu abri a boca e tirei distinção. Estou até convencida de que eu daria uma cantora.

O triste é que eu não dou importância a distinção em certos exames como de Música e Ginástica. Eu queria uma distinçãozinha era em Português e Aritmética. Mas em Português eu até hoje não consegui fazer nem uma cópia dos *Ornamentos da Memória* sem erro. Nas redações, análise e o mais, nem se fala. Mas passei plenamente em Geografia e simplesmente nos outros e dou graças a Deus. Do primeiro ano estou livre.

A distinção em Música já chega para dizer ligeiramente às minhas tias inglesas, que são as únicas que perguntam: "Tirei uma distinção na Escola". E agora vamos para Boa Vista. Que bom!

1895

Quinta-feira, 2 de janeiro

Não admito que exista uma mulher tão disposta como mamãe para andar e trabalhar.

Em Diamantina ela não visita ninguém fora da família, mas além do trabalho todo da casa, que ela faz sozinha quando não podemos ajudá-la, ela nunca deixa de sair de noite para ir à Chácara ou ao Jogo da Bola.

Ela tem um gênio tão trabalhador que não deixa meus irmãos em paz. Eu achava tanta graça quando estávamos na Diamantina, de ver mamãe amolar bem uma faca, pegar num pau de lenha, entregar a meus irmãos enquanto eles faziam o quilo do almoço e dizer: "Vão fazendo palitos com isto que não impede a digestão".

Agora que estamos na Boa Vista, meus irmãos não têm folga. Cedinho já vão encher a cozinha de lenha e trazem ao mesmo tempo palhas de coqueiro e varas de três-folhas. Vão deixando a lenha na cozinha e saindo para acender a fogueira e limpar as varas. Nhonhô, que é menor e mais desajeitado, se incumbe de tirar a casca das varas. Renato trata de fazer as vassouras que ele vende a duzentos réis em Diamantina, e as gaiolas e alçapões, tudo para vender. As gaiolas ele vende já com o passarinho dentro e não têm preço certo; é conforme o freguês. Assim como as bengalas.

Renato é de uma pachorra incrível, mas faz tudo direitinho. Tenho inveja dele quando se levanta e nos pergunta: "Querem alguma coisa para Diamantina? Hoje vou para lá levar umas coisas para vender". Arruma um feixe de varas e vassouras, põe no ombro, pega a gaiola de passarinhos com a outra mão e cedinho mete o pé na estrada. De tarde já está ele de volta com os cobres.

Se ele gostasse de estudar como de trabalhar, poderia dar gente.

Terça-feira, 5 de fevereiro

Mamãe, vendo que Luisinha não passou de ano, resolveu nos pôr, as duas, no Colégio das Irmãs. Eu fiquei satisfeita pois gosto de toda novidade. Mamãe nos preparou, fez o enxoval e era ontem o dia marcado para a nossa entrada. Eu sei que essa invenção foi ideia de tia Aurélia, para ter companheiras para as filhas que iam entrar também. Não sei para que meter aquelas duas tão sossegadas no Colégio. Elas vivem só estudando e não saem nunca de casa. Ainda se meu tio quisesse que elas dessem para irmãs de caridade eu compreendia. Mas ele não quer.

Como era ontem o dia marcado para a entrada, resolvi, antes, sair me despedindo das amigas. Entrava ora numa ora noutra casa, deixando as amigas todas admiradas da resolução de mamãe. Deixei para ir por último à casa de Ester e Ramalho. Aí eu tive de mudar inteiramente de ideia, pois Ester e Ramalho não concordaram de maneira alguma com a minha internação no Colégio. Fiquei radiante de ver como os dois me julgam diferente do que me acham meus parentes e mesmo mamãe. Ester me disse: "Não pense nisto! Você com o regime das Irmãs vai perder esse gênio alegre e expansivo: vai ficar sem graça e virar outra. Não seja tola, bata o pé e não vá". Como eu lhe dissesse que não tinha esperança de estudar aqui fora, ela respondeu: "Você pensa que menina estudiosa vale você, apesar de vadia? Não mude o seu gênio e seu modo em nada. Fique como você é, não entre para o Colégio". Prendeu-me para almoçar e sempre repetindo os mesmos conselhos, tanto ela como Ramalho.

Saí da casa deles e fui pensando pela rua afora: "Ester é muito minha amiga e estudou no Colégio das Irmãs. Eu sei que o meu gênio e meu modo não mudariam. Cada um é como nasce.

Mas eu poderia talvez perder o gosto que tenho por tudo na vida e ficar como Luisinha e minhas primas que são tão chocas".

Resolvi não entrar e não disse nada a mamãe. Fomos todos para o Colégio e eu deixei a minha roupa para ir depois. No parlatório as Irmãs vieram nos receber. Eu deixei minhas primas e Luisinha entrarem e, disfarçando, saí pela porta, fui descendo a Rua da Glória e esperei pelo pessoal bem embaixo. Tio Conrado, eu vi pela cara dele que vinha furioso comigo mas engolindo a raiva. Tia Aurélia me perguntou como eu havia feito uma coisa daquelas! Mamãe só me disse: "Quem vai perder é você mesma, minha filha, quando vir sua irmã muito estudiosa, com bom modo, muito santinha e você aqui fora fazendo de rebeca de toda função".

Vou seguir o conselho de Ester. Vou matricular-me no segundo ano da Escola e estudar. Não hei de repeti-lo como aconteceu no primeiro.

Quinta-feira, 7 de fevereiro

Hoje fomos ao Colégio visitar Luisinha. Voltamos todos tão aborrecidos que perdemos o prazer o resto da tarde.

Nunca supus que Luisinha, Beatriz e Hortênsia, tão obedientes sempre, fossem capazes de fazer o que fizeram. Choraram e se lamentaram todo o tempo no parlatório. Na hora de entrarem foi até um espetáculo das três. Nenhuma queria entrar e tiveram de ir agarradas à força. Luisinha, sempre foi acomodada e boazinha, gritava alto para as Irmãs ouvirem: "Helena, você é que foi ladina de não querer vir para aqui! Isto aqui é que é o inferno!".

Tio Conrado e tia Aurélia voltaram tão tristes com o espetáculo das meninas, que prenderam mamãe em casa deles para lhes fazer companhia e se distraírem um pouco.

Já falei com mamãe para tirar Luisinha, pois assim não adianta ela ficar. Estiveram nos contando a vida que levam no Colégio e tive pena delas, coitadinhas. De madrugada, com este frio todo, têm de se levantar, ir para a missa e passar uma hora ajoelhadas no chão duro. Quando voltam da missa tomam uma água de café com cuscuz e vão para o estudo. A comida dizem elas que é insuportável. Banho frio e Irmãs implicantes, impossíveis de aguentar.

Que bom eu não ter entrado!

Segunda-feira, 11 de fevereiro

Hoje fui chegando para o almoço e encontrando Nhonhô na porta da rua com uma asa de meu curió na mão e dizendo: "Olha o que a gata fez; comeu seu curió". Eu não posso dizer o que senti, mas caí na cama com os livros na mão, soluçando tão alto que mamãe veio correndo da cozinha, pensando que tinha havido alguma coisa.

Chorei até me desabafar e depois quis saber como tinha acontecido aquilo, pois eu tinha posto a gaiola num lugar em que gato nenhum seria capaz de subir. Mamãe que não sabia a que ponto eu estimava os passarinhos, ficou muito incomodada porque a culpa tinha sido dela. Hoje ela quis me adiantar um pouco o serviço tratando dos passarinhos, deixou a gaiola na mesa da cozinha e enquanto foi à horta buscar umas folhas de alface, a gata pegou o curió e comeu.

Eu trouxe da Boa Vista os passarinhos que peguei lá desta vez e tomei amizade a eles, para agora me acontecer isto. Nestas férias eu invejei meus irmãos e quis imitá-los. Armei alçapão e peguei um sabiá e um curió. Peguei também na arapuca uma pomba-rola que eu dei a meus irmãos e trouxe só os dois. Quando eu chego para o almoço é que cuido dos passarinhos. Se não há fartura de laranja, guardo metade da minha para o sabiá.

Mamãe, coitada, é a primeira vez que cuida, e aconteceu isto.

Esta gata já está me dando muito aborrecimento, mas meu pai lhe tem amizade e gosta de falar que ela é civilizada, que só come frango assado. Nós já devíamos saber que ela é de má raça pois teve uma porção de gatinhos e matou todos. Já é a segunda que ela me prega; comeu os meus pintos e agora meu curió. Se eu tivesse coragem pedia às vizinhas enforcadeiras de gato que a enforcassem; mas meu pai sentiria, porque ela faz umas coisas malfeitas e outras bem-feitas. Não deixa em casa um rato, uma barata, aranha, nada, nada. Engraçado é como ela é esperta. Pega o rato, mata, vai com ele na boca e joga no terreiro; não come. Parece até ensinada.

Mamãe ficou admirada de eu cair no pranto por causa de um curió. Eu também me admirei. Não sabia que gostava dele tanto assim. Já vi que a gente se acostuma com um bicho e lhe toma tanta amizade como se fosse mesmo uma pessoa.

Quinta-feira, 14 de fevereiro

Antigamente a quinta-feira era o nosso bom dia da semana, já nos levantávamos alegres e felizes para irmos para o campo. Hoje é o nosso dia mais triste.

Eu e mamãe voltamos da visita a Luisinha no Colégio tão aborrecidas que não conversamos uma com a outra, com medo de cairmos no choro. Estou convencendo mamãe a tirar Luisinha do Colégio. Estive hoje lhe dizendo que não deve acompanhar tia Aurélia na educação que dá às primas; que elas ficando lá sem Luisinha acabarão se acostumando, pois sempre levaram vida retraída. Mas Luisinha que sempre viveu em liberdade, de casa para a Chácara, brincando na rua, passeando no campo e na Boa Vista, não pode se acostumar com prisão. A mudança é grande demais.

Mamãe fez uns pastéis de carne e mandou levar para Luisinha, que se queixa de não poder suportar a comida do Colégio. Hoje mamãe lhe perguntou se havia recebido os pastéis, e ela disse: "A senhora me mandou? Agora é que estou vendo o meu logro. A irmã pôs em frente de outra menina e foi ela que os comeu, com as que estavam perto. Eu bem pensei: Aqueles pastéis estão parecidos com os que mamãe faz".

Estou vendo bem que mamãe não vai deixar Luisinha naquele sofrimento. Não é só ela; nós também sofremos.

Domingo, 17 de fevereiro

Amanhã vão começar as aulas da Escola Normal. Tenho certeza que vou empacar no segundo ano como aconteceu no primeiro. Eu fico triste de pensarem que sou burra sem ser; mas que hei de fazer? Nem me queixo mais. Mamãe quando compra algum livro é sempre para os dois, para mim e Renato. Ele não gosta de estudar e não deixa também que eu estude; ficamos brigando o tempo todo até eu desistir. Se pego num livro ele logo diz: "É este que eu vou estudar". Se não lhe dou o livro não adianta, porque ele me atormenta o dia inteiro até eu cansar e deixar. Além disso, tendo a Chácara para ir todos os dias e os serviços de casa para fazer, não me sobrará muito tempo para estudar.

Meu pai diz que se eu prestasse atenção às aulas eu aprenderia. Sei disso muito bem, mas tive a infelicidade de cair na roda das meninas mais vadias da Escola. Elas não deixam a gente sentar nos bancos da frente nem prestar atenção às lições. Já fomos desde o primeiro ano consideradas vadias e tem de ser assim até o fim. Também que me importa? A Escola é tão alegre e eu passo ali os dias tão feliz que não faz mal.

Amanhã já tenho de começar a escrever diariamente a carta ou redação da Escola e copiar o exercício dos *Ornamentos da memória*. Nós na Escola poderemos sair sem saber Geometria, Francês, História e tudo mais; mas sairmos sem saber escrever uma carta, eu duvido. Eu gosto muito de escrever; é a única coisa em que cumpro os deveres da Escola. Também Seu Sebastião depois da aula fica na porta à espera, e todas temos de ir saindo e entregando o exercício e a redação. Nenhuma tem coragem de afrontar o professor de Português, porque vemos que ele se esforça o mais que pode em nosso benefício.

Quinta-feira, 21 de fevereiro

Tia Carlota é a tia que nos faz rir, não pelo espírito, que não tem nenhum, mas porque é muito diferente das outras irmãs.

Ninguém na família se preocupa consigo. Todas as minhas tias só se ocupam dos maridos e dos filhos. A pessoa delas não vale nada. Nunca vi mamãe ou qualquer de minhas tias comer uma coisa antes dos maridos e dos filhos. Se alguma coisa na mesa é pouca, elas nem sabem o gosto.

Mamãe eu ainda acho que é mais abnegada que as outras, porque além dos cuidados com os filhos, é a que tem mais agarramento com o marido. É até falado na família. Quando eu reclamo o pouco-caso que ela faz em si e a preocupação conosco e com meu pai, ela responde: "Você verá quando for mãe. Você não sabe o ditado: 'Desde que filhos tive nunca mais barriga enchi'? É a pura verdade. Minha vida são vocês e seu pai. Se vocês comem, eu fico mais satisfeita do que se fosse eu".

Dindinha perdeu o marido e a filha muito cedo e é o mesmo cuidado com vovó e com todos, não se lembra de si.

Vovó não é como as filhas, mas é porque as filhas só vivem para cuidar dela, pensar na comida dela e evitar-lhe aborrecimentos. Os cuidados dela são só comigo.

Tia Carlota é muito diferente. Ela é a mais feia e foi casada com um professor do Serro, um velho que podia ser pai dela, e até hoje costuma contar o gosto que o marido tinha de vê-la decotada com os braços de fora. Ela é gorda e gosta muito de comer, e diz que não se deita sem uma barra de chocolate em cima do tamborete, perto da cama, para comer se acorda durante a noite. Ela conta que todo dia antes de deitar-se, come um prato de carne-seca ou de porco frita, mexida com ovos, para não enfraquecer. Ela tem dentadura, e quando vem à sala milho cozido ou pequis ou outra coisa assim, ela tira a dentadura para comer.

Ela não enxerga quase nada e eu tive de lhe copiar a missa inteira em letras do tamanho de um bago de milho. Ela decorou toda, e eu tive de ficar de livro aberto na mão, enquanto ela recitava de cor, e estava certinho.

Em tudo ela é diferente. Na casa da gente é muito amável; mas na casa dela esconde tudo que tem. E nós temos de disfarçar para lhe roubarmos as jabuticabas, pêssegos e laranjas.

Ontem soubemos que ela estava com o pessegueiro carregado e combinamos, as primas, ir visitá-la para arranjar pêssegos. Ficamos olhando o pessegueiro, elogiando-lhe a beleza e como estava carregado, e ela sempre dizendo: "Estão verdes". Eu disse: "Estou enxergando uns maduros. A senhora quer que eu apanhe?". Ela disse: "Não. Só apanharei bem maduros".

Resolvemos então despedir-nos. Para nos consolar ela nos mandou esperar o café. Olhamos uma para outra, na linguagem que nós entendemos, que era de dar tempo para arranjarmos os pêssegos enquanto ela fazia o café.

Ela mora sozinha e tudo na casa é sujo e empoeirado. Da casa dela só comemos as frutas. Desde que entramos tínhamos visto muito cisco pelo chão e em cima da mesa. Para fazer o café ela trouxe a rapadura, rapou na ponta da mesa, depois pegou numa colher, apanhou a rapadura misturada com o cisco, pôs na caneca e saiu para a cozinha. Nós deixamos tudo só de maldade. Quando veio o café nós disfarçamos, chegamos à janela e atiramos fora.

Saímos sem pêssegos, mas valeu a visita porque nos rimos muito.

Sábado, 23 de fevereiro

Todos na Escola dizem que Zinha é maluca. Ela parece ter trinta anos, muito feia, a pele parece escama de peixe, o cabelo duro como rabo de cavalo, dentes do tamanho de um dente de alho grande e toda desengonçada. Eu pensava que as colegas diziam que ela é doida por ser tão mal-arranjada. Mas hoje eu estava bem quieta no segundo ano, sentada perto de Luísa, quando ela teve a infeliz ideia de aconselhar Zinha a se pentear e não andar com o cabelo tão emaranhado. Não precisou mais nada para Zinha desandar numa descompostura que não acabava mais. Achei engraçado ela gritar para a outra: "Pensa que sou da sua igualha? Sabe lá você quem é meu pai, para ter a audácia de vir me aconselhar? Eu, com este cabelo, valho vocês todas aqui, sua cachorra! Eu sou filha de Dinis Varejão!". Ouvi tudo e fiquei pensando nos pobres meninos que ela vai ensinar. Não haveria meio de impedir os doidos de serem professores? Há tanto serviço que os doidos podiam fazer.

Passando na Chácara eu contei o caso e tio Joãozinho disse: "Aqui em Diamantina não se poderia separar os doidos. Basta fazer uma cerca ao redor da cidade. Isto aqui é um verdadeiro hospício". Em casa meu pai disse: "Um dos que ficavam dentro da cerca era ele, que não é dos mais equilibrados".

Quarta-feira de Cinzas, 27 de fevereiro

Como foi bom o carnaval este ano!

Penso que o carnaval é sempre o mesmo, mas todo ano eu acho aquele melhor do que o outro.

O que deu maior animação ao carnaval este ano foi a presença de Seu Luís de Resende. Ele trouxe do Rio muita fantasia e enfeites bonitos que nunca tivemos aqui.

Quando passa o carnaval, fico achando muito grosseiro o nosso brinquedo, pensando na sorte que a gente tem de não se machucar muito, e faço tenção de me corrigir. No ano seguinte sou das mais influentes e repito a mesma coisa. Poderá haver nada mais estúpido do que jogar um homem vestido no tanque do chafariz? Deve ser horrível porque eles se machucam e as roupas encolhem. Por isso é que sempre saem brigas.

Precisamos deixar brinquedos tão grosseiros. O limão de entrudo já é bem divertido e não devemos passar dele, a não ser para coisa mais civilizada. Só me aborreço no carnaval à noite, quando as primas todas vão ver o baile no teatro e eu não vou. Não sei quando chegará o dia de mamãe e meu pai consentirem que eu vá ao baile de máscaras. Se não fosse vovó também não consentir, eu juro que arranjaria meio de ir. Mas vovó gosta tanto de mim e me fala com tanta amizade, que eu não tenho coragem de desobedecer. O ano atrasado eu quis ir e ela me deu duas chineladas, mas eu vi que não foi para doer, foi só para fingir; também eu já tinha mais de doze anos. Foi a primeira e única vez que ela levantou a chinela para mim. Assim mesmo ontem a inveja foi tanta, quando eu vi todas as primas saírem para o teatro todo iluminado e a música tocando, que eu chorei e bati o pé e ela teve de zangar-se deveras.

Mas depois de uma zanga de vovó eu posso contar com um presente qualquer.

Sexta-feira, 1º de março

Acabei de traduzir a fábula de La Fontaine da rã que queria ficar do tamanho do boi e não tive tempo para as outras lições. Fiquei pensando por que exigem estas coisas de nós na Escola, se todas ali só estudamos com tenção de ser professora. Que precisão eu teria de fábula de La Fontaine se for professora no Bom Sucesso, Curralinho ou mesmo em Diamantina?

Passei quatro anos na escola de Mestra Joaquininha, que é uma das melhores e não me lembro de ter visto lá nada que nos esforçamos para aprender na Escola Normal. Isto é, as outras se esforçam. Não posso dizer que eu seja esforçada; seria até uma injustiça feita a Iaiá Leite, Mercedes, Clélia e outras.

Consola-me a ideia de que, depois de nós diplomadas, vai dar tudo no mesmo e afianço que eu é que vou tirar melhor partido, porque não vivo me matando tanto como elas.

Mercedes esteve me contando que nunca teve tempo de arrumar o quarto, nem ao menos de fazer a cama. Quando eu lhe contei o que faço em casa ela me respondeu: "É por isso que você não estuda".

Domingo, 3 de março

Chegou na Chácara, há dias passados, um mocinho simpático, conhecido de Iaiá, que veio de Bocaiuva em viagem para Teófilo Otoni. De passagem por aqui foi procurar Iaiá para se hospedar com ela.

Quando chegou, horrorizou a todos o estado dele. Estava muito magro e amarelo como açafrão. Contou que tomou uma febre que se chama tremedeira, que não lhe saiu mais do corpo. Ia mudar de terra à procura de saúde, pois lhe disseram que essa febre só se cura assim, saindo do lugar onde se apanhou.

Iaiá morou por aqueles lados e conhece a todos lá. Mandou o rapaz entrar para a sala e começou a lhe perguntar notícias de todos e de tudo. De repente dá a tremedeira no pobre; eu corri, trouxe um travesseiro e ele deitou-se no sofá. A febre subiu alto, pusemos-lhe em cima um cobertor e o pobre tremeu até suar. Todos ficamos incomodados, mas Iaiá que foi mulher de médico e morou lá, sabia tratar. Mandou comprar umas pílulas de sulfato e foi dando ao rapaz. Ele ficou mesmo na Chácara, no quarto dos fundos, só tomando leite e caldo.

Hoje foi o primeiro dia que Iaiá mandou matar um frango para o pobre. Mandou-lhe no almoço, com muito medo de ele piorar, um prato com uns pedaços de frango e um arrozinho bem cozido. Rita foi buscar o prato e o trouxe limpinho, sem um osso. Iaiá lhe disse: "Volta, vai apanhar os ossos que o rapaz é roceiro e com certeza os jogou no chão". Rita foi e voltou rindo do pobre coitado, e contando que ele tinha comido os ossos também.

Vovó disse: "Veja, Henriqueta, a fome com que ele está. É melhor você deixar de medo e mandar lhe dar mais comida. Se esses ossos não lhe fizerem mal, você pode perder o medo. Vamos ver".

Terça-feira, 5 de março

Hoje passou aqui em casa uma pretinha de Boa Vista, minha afilhada.

A mãe tinha que vir à cidade e trouxe-a para me visitar. Deve estar com uns cinco anos, mas parece ter três, de tão mirradinha que está e acanhada. Não disse nada e nem ao menos respondia às perguntas. A mãe diz que ela é assim mesmo, muito sossegada. Mas para mim aquilo é pancada ou falta de comida.

Quando eu batizei essa menina eu poderia ter uns dez anos, e mamãe ficou tão entusiasmada comigo nessa ocasião que me lembrei disso hoje. Mamãe dizia a meu pai: "Não sei a quem esta menina puxou. Na minha família nunca vi nenhuma esperta como ela; na sua também nunca ouvi dizer". Meu pai dizia: "Ela tem alguma coisa de minha irmã Alicinha, quando era pequena".

Esta admiração dos dois foi porque achei que precisava fazer o enxoval da menina antes de nascer, pois já estava convidada para madrinha, desde antes. Como eu não tinha nem um real, lembrei-me de arranjar roupas velhas com pessoas da família e fui desmanchando e fazendo o enxoval, copiado de um menino da vizinhança. Passei uma temporada em casa sentadinha, depois que chegava da Escola, fazendo tudo à mão, pois não tínhamos máquina de costura. Para o vestido do batizado vovó foi ao fundo dos baús tirar seda do tempo dela, e eu fiz com tanto capricho que ela gostou e deu por bem pago o trabalho que teve de procurar. Vovó mostrava a todos o meu trabalho e falou-se algum tempo, na família, no meu capricho e força de vontade.

Não posso também esquecer o gosto que Renato teve nesse dia. O homem que foi ser padrinho comigo tinha um filho também crescido, mais velho do que nós. Ele e Renato saíram passeando juntos, e daí a pouco entrou no rancho às gargalhadas, contentíssimo: "Sabe? Fulano (não me lembra o nome do menino) vinha me dizendo que está com pena do pai dele ir de braço para a igreja com uma menina tão feia".

Não me importei nem um bocadinho, porque já estava acostumada a ver Renato falar da minha feiura. Foi ruindade dele ficar contente, mas hoje eu não posso tirar a razão do menino. Naquele tempo eu tinha mais sardas do que hoje e andava com o cabelo muito liso, untado de enxúndia de galinha e com uma trança muito comprida caindo nas costas.

Quinta-feira, 7 de março

Hoje era dia de ir visitar Luisinha no Colégio. Desde cedo mamãe fez umas rosquinhas para levar-lhe. Depois do almoço passamos na casa de tia Aurélia, para irmos com ela e tio Conrado.

As primas já estão se acostumando no Colégio, mas Luisinha está se queixando de dor no estômago e nós a achamos mais magra. Diante disso eu insisti com mamãe para trazê-la para casa para consultar com Dr. Teles. A Superiora quis fazer dúvida e disse que não era preciso trazer Luisinha porque o médico podia ir ao Colégio como vai sempre ver outras meninas. Mas mamãe a trouxe assim mesmo. Mamãe espera meu pai chegar para resolver o que deve fazer. Eu vou dizer a meu pai para deixar Luisinha cá fora e sei que ele concorda. Ela é muito sossegada, não sai tanto como eu e não precisa de ficar presa contra a vontade. Colégio é para as meninas de fora que não têm família aqui. Luisinha diz que não volta nem amarrada e que vai pedir a meu pai para voltar para a Escola Normal mesmo como ouvinte, se não puder mais arranjar matrícula.

Segunda-feira, 11 de março

Estou há dois dias como dona de casa e só agora estou vendo a vida como é fácil, a gente sabendo levá-la.

Meu pai está na Sopa; foi abrir um serviço novo. Ele escreveu a mamãe que o Dr. Vincent, o engenheiro que está provando a lavra, trabalha até nos domingos e por isso ele não poderia vir esta semana. Mamãe foi fazendo logo cara triste e eu lembrei por que ela não ia vê-lo. "Como?" — disse ela. "Eu poderei deixar vocês três sozinhos?" Eu respondi: "Por que não, mamãe? Precisamos ir aprendendo a nos dirigir. A senhora pode ir e deixe a casa por minha conta, que eu afianço que porei Renato na linha". Mamãe concordou: "Vocês são todos bonzinhos mesmo e eu vou ter confiança. Também eu sei que quem guardará vocês é Deus".

Mandou Renato alugar dois animais de Seu Antonico Caixeiro só por um dia, que meu pai os mandaria de volta no mesmo dia por um camarada. Foi-se mamãe com Nhonhô e eu fiquei como dona de casa.

Dividimos bem as obrigações. Eu lhes disse: "Negócio de acender fogo para fazer comida é com vocês, se quiserem. Tenho muitas casas que me darão café de manhã com prazer. Para almoço e jantar também não me faz falta comida de sal. Quando eu não quiser sair para jantar fora, vou comendo pão com manteiga, banana com queijo e estou pronta". Renato retrucou: "Isto é só para me obrigar a fazer comida, porque você sabe muito bem que eu não vou nisso de jantar banana". Eu disse: "Pois então faça".

De manhã já acordo com Renato rachando lenha para fazer café. Luisinha que não se queixa mais de dor de estômago arruma a casa. Eu faço minhas obrigações em meia hora e a vida está ótima. Tenho estudado e escrito como nunca. Quando mamãe chegar vou ensiná-la a fazer como eu, e ela vai ter descanso.

Uma coisa me veio agora à cabeça: é obrigar mamãe a fazer estas estripulias de vez em quando; em vez de meu pai vir, ela ir vê-lo. Tenho pena de vê-la trabalhar tanto!

Terça-feira, 12 de março

Aqui em casa todos têm o mesmo apelido toda a vida; menos eu. Os meus mudam, penso que de mês em mês, tanto em casa como na Escola. De pequena, aqui em casa, eu era "Ovo de Tico-Tico" por causa das sardas. Fui crescendo, ficando alta e magra e virei "Frutuosa Pau de Sebo", uma mulher comprida e amarela que tem esse nome. Aprendi a brigar com Renato e a não admitir que ele me governe como quer, e o apelido mudou para "Aninha de Bronze", uma mulher brigona da cidade.

Na Escola, do mesmo modo. Meu primeiro uniforme tinha uma saia curta na frente e comprida atrás; tomei o apelido de "Galinha de Postura Caída". Um dia dei uma carreira na chuva, para não me molhar, e os colegas mudaram o apelido para "Relâmpago". Briguei com Seu Emídio na aula de Aritmética e tomei o de "Tempestade". Mas o que pegou mesmo foi o de "Tempestade", e meu pai achou que estava muito assentado.

Meus irmãos têm o mesmo apelido sempre. Renato é "Gato", Nhonhô é "Peru", Luisinha é "Pamonha". Creio que só na nossa família é que se usa isso. Não vejo esse sistema nas outras casas. Em casa de tio Conrado os meninos até tomam castigo por causa dessa história de apelidos, mas eu acho que isso é pior. Aqui em casa não é preciso brigar de atracar. A gente fala o apelido antes do outro e está vingada.

Quinta-feira, 14 de março

Mamãe mandou da Sopa, para nos ajudar, uma mulher que é a melhor coisa deste mundo. Ela se chama Maria da Quitéria, já esteve alugada em outras casas na cidade e conhece quase todo o mundo. Só quer nos servir e nos tirar de dificuldades; parece um presente do Céu. Estamos numa boa vidinha porque ela não nos deixa trabalhar.

Hoje João Felício veio aqui e disse que ia jantar conosco para nos fazer companhia, porque meu pai e mamãe estão fora. Fiquei gelada. Mamãe só nos deixou o indispensável para os dias que estiver fora, e sem um real em dinheiro. Sem saber o que responder-lhe, eu disse: "Deixe-me saber de Maria se posso convidá-lo". Cheguei à cozinha e disse: "Maria, imagina que

João Felício quer ficar para jantar. Nem sei o que devo dizer-lhe". Ela respondeu: "Pode convidar e deixe por minha conta". Ainda insisti e disse: "Não caio nessa, Maria; o que é que você poderá fazer?". Ela respondeu: "Vá convidar o moço e deixe por minha conta, que eu arranjo. Vá descansada". Voltei para a sala e disse a João Felício: "Falei a Maria e ela disse que você pode jantar. Eu não me responsabilizo, pois mamãe pretendia voltar logo e não nos deixou coisa boa". Na mesma hora eu vi Maria passar no corredor e ir para a rua. Fiquei mais animada pensando: "Ela vai comprar fiado". Na hora do jantar ela chegou à porta e disse: "O jantar está pronto". Entramos. Eu fui com o coração pequeno como uma noz. Até hoje nunca ninguém tinha feito uma coisa para mim sem eu ter providenciado tudo e deixado às vezes pronto, se é convite para jantar. Chegando à sala ela trouxe uma sopa de arroz com repolho. Depois pôs na mesa um frango ensopado com macarrão, lombo de porco com batatas fritas, arroz e feijão. Na sobremesa, goiabada de minhas tias, que é o melhor doce de Diamantina, chamado "goiabada das inglesas", com queijo. Tinha além disso uma garrafa de vinho de Seu Sebastião Rabelo. Fiquei tão pasma que não pude compreender nada. Jantamos nós quatro: eu, Renato, Luisinha e João Felício. A alegria minha era tanta que me parecia estar num grande banquete.

Às oito horas João Felício foi-se embora para me dar tempo de estudar as lições. Em vez de estudar vim aqui escrever o acontecimento. Quando ele saiu eu corri à cozinha e tinha vontade de beijar Maria. Fui lhe dizendo: "Obrigadíssima, Maria! Conta o que você fez para nos dar aquele jantar tão bom". Ela respondeu: "A gente tendo expediente não se aperta, e é o que Deus me deu com fartura. Eu dei um pulo na casa de Dona Madge e contei o nosso aperto. Ela me deu três mil-réis e goiabada. Eu comprei o vinho, a carne de porco e o macarrão. O resto tinha aí". Eu perguntei: "E o frango? Onde você achou?". Ela disse: "Pois não tem aí no quintal tanto frango dos vizinhos amolando a gente? Eu peguei um e fiz". "Maria, isto é um pecado!", disse eu, "Como é que você faz uma coisa destas?" Ela respondeu: "Pecado? Pecado eu nasci sabendo que é a gente furtar e não poder carregar".

Sexta-feira, 15 de março

Hoje houve uma grande festa na nossa linda Diamantina. Inauguraram a administração dos correios com muitos fogos, muitos empregados, numa casa muito grande de Seu Antoninho Marcelo. A Rua do Bonfim ficou cheia.

Se me dessem a Diamantina para dirigir, a última coisa que eu poria aqui seria repartição de correio. Não posso compreender como um serviço que Seu Cláudio, aleijado, que precisava ser carregado por um preto e posto em cima do cavalo, fazia tão bem, levando na garupa o saco com as cartas e jornais, precisa agora de uma repartição tão aparatosa, com tanto homem dentro. Meu pai diz que tudo isso é política, só para dar empregos. Mas não seria melhor que em vez de administração de correios eles pusessem luz nas ruas para a gente, nas noites escuras, não estar andando devagar com medo de cair em cima de uma vaca? E encanar a água? Isso também não seria mais útil? Sem carta ninguém morre, mas a água do Pau de Fruta, que corre descoberta, tem matado tanta gente que podia estar viva. Diz que a febre tifo vem da água. Tudo isso melhoraria muito mais a cidade do que repartição de correio. Mas eu por mim confesso que preferia mil vezes morar em qualquer dos lugares que eu conheço, como Boa Vista, Bom Sucesso, Curralinho, Biribiri ou Sopa. Eu gostaria muito mais de viver em qualquer deles do que na cidade. Eu nasci para o campo!

Segunda-feira, 18 de março

Poucas são as vezes que entro em casa que mamãe não repita o verso:

> *A mulher e a galinha*
> *Nunca devem passear;*
> *A galinha bicho come,*
> *A mulher dá que falar.*

E depois diz: "Era por minha mãe nos repetir sempre este conselho, que fomos umas moças tão recatadas. Vinham rapazes de longe nos pedir em casamento pela nossa fama de moças caseiras".

Eu sempre respondo: "As senhoras eram caseiras porque moravam na Lomba. E depois, a fama foi o caldeirão de diamantes que vovô encontrou. Moça caseira, a senhora não vê que não pode ter fama? Como? Se ninguém a vê?".

Mas ontem foi uma das vezes que sofri as consequências de andar muito na casa dos outros.

Estávamos todos reunidos na porta de Seu Antônio Eulálio, quando se lembraram de mandar buscar almôndegas de tia Plácida. Vieram as almôndegas em cima da farinha e ótimas. Comemos mesmo na porta da rua. Nesse instante chegaram Thiers e João César e exclamaram: "O quê? Estão comendo almôndegas de tia Plácida?". E João César disse: "Nós é que não vamos mais a elas. Imaginem que há poucos dias nós reunimos uns rapazes e fomos lá cear. Ela ia tirando os pratos e talheres e trazendo outros. Certa hora eu, olhando para o corredor, vi tia Plácida levantar a saia, limpar os talheres na anágua e trazer para a mesa. Eu, que não sou dos mais nojentos, não pude mais comer".

Fiquei logo com o estômago embrulhado e triste, ouvindo essa história, pois as almôndegas de tia Plácida são o recurso que temos à noite, quando nos vem fome na rua ou mesmo na casa dos outros.

Quinta-feira, 21 de março

Seu Guilherme dentista é o homem mais enjoado do mundo. Se a gente tem a infelicidade de precisar tratar de um dente com ele, tem de suportar o carinho que ele faz, que arrepia mais do que um sapo na cama. Ele não é capaz de falar nada sem diminutivo. "Pode fazer o obséquio de abrir a boquinha para eu ver o dentinho?" E fica nisso de boquinha, dorzinha, dentinho, que não acaba mais. Fui procurá-lo, só uma vez para ele me ver um "dentinho", e não voltei nem voltarei mais, ainda que tenha algum dente furado, porque quase desfaleci na cadeira de antipatia dele.

Mas a mulher dele e as filhas são simpáticas. Ontem Dona Rosa foi à casa de tio Geraldo participar o contrato de casamento de Angelina. O pessoal na sala estava com uma falta de assunto que causava desapontamento. Eu sempre entro com minhas conversas nessas horas de silêncio, quando vejo que estão sem assunto. Mas ontem deixei tudo parado e fiquei esperando ver o que saía para quebrar o silêncio. Bibiana felizmente teve uma ideia e disse: "Que sorte de Angelina!". Dona Rosa respondeu: "Sorte? Você acredita em sorte para casamento? Eu também pensava assim; mas qual! Agora é que eu vi que casamento é só diligência".

Achei graça na resposta de Dona Rosa.

Domingo, 24 de março

Se eu tivesse coragem de explicar às minhas primas e primos o transtorno que a visita diária deles me causa, eu seria tão feliz! Mas o que me falta é coragem. Hoje por exemplo estou até esta hora, dez da noite, sem uma lição pronta. Só fiz um exercício.

Eu penso que se todos os professores fossem como Seu Sebastião, eu teria coragem de fugir dos primos; mas os outros, não sei se felizmente ou infelizmente para nós, são bem diferentes dele. Será que meus primos não pensam que sou estudante e tenho de levar as lições preparadas à Escola diariamente? Palavra que há dias que eu tenho inveja de quem não tem primos. Mas penso que deste mal só eu sofro. Do contrário não haveria tanta colega sabendo lições como sabem. Eu sou uma aluna bem diversa do que desejava ser. Quando me deito na cama depois de um dia como hoje, confesso que é com o maior remorso ou aliás tristeza; não posso dizer remorso porque não sou culpada. Mamãe também, que é tão enérgica com as outras coisas, não se importa com isto. Mas é que ela nunca estudou e não sabe que a gente, na Escola, vai dar lições e não estudar. Até isto eu tenho contra mim. Muitas vezes tenho visto a mãe de Clélia lhe dizer perto de amigas: "Clélia, você é estudante, peça licença a suas amigas e vá estudar; elas ficam na prosa comigo". Nunca vi nenhuma se aborrecer com Dona Gabriela por isto. Se eu não tivesse a boa memória que tenho seria incapaz de fazer um exame no fim do ano, com a vadiação forçada que eu levo o ano todo. O pretexto que as primas acham para não me deixarem estudar, é que eu não terei paciência de ensinar meninos e por isso não preciso de título de normalista. Mas não pensam que eu preciso de estudar qualquer coisa para não ficar ignorante? Enfim vamos esperar até ver onde esta vida vai parar. Sempre espero um dia depois do outro.

Sexta-feira, 29 de março

A mulher de Seu Facadinha é doida. Quando se passa na porta dela, se a gente já não sabe, toma um grande susto, porque ela grita de dentro da rótula uma linguagem incompreensível. Uma vez que eu passei lá de noite, ela gritou de dentro: "Cherréco, teméco, fréco!" e eu corri pela rua afora até a casa de tia Agostinha. No Jogo da Bola me disseram que, desde que esses estrangeiros andam por aí comprando lavras, ela pensa que é estrangeira e que esta língua dela também é estrangeira.

Hoje eu soube que a filha dela tinha morrido e passei lá. Estava a pobrezinha na cama coberta com um lençol e a mãe lá pelo terreiro, com a sua linguagem estrangeira. Seu Facadinha, um velho já, coitado, levantava as tampas das caçarolas de leite e mostrava a todos que entravam, dizendo: "Não pensem que ela morreu à míngua. Olhem aqui o leite que eu comprava. Se não bebeu é porque não quis". Eu perguntei de que ela tinha morrido, pois eu a tinha visto gorda e corada há poucos dias. Ele disse: "Isto ninguém sabe o que foi. A única coisa que ela teve foi uma cortadura na mão, que arruinou e tomou o braço até ela morrer. Mas não podia ser de uma coisa tão à toa. Foi Deus mesmo que a quis levar, coitadinha". Não sei se é por conhecer a loucura da mãe e a bobagem e a velhice do pai, que eu achei mesmo que Deus fez bem em levá-la desta para melhor.

Quarta-feira, 3 de abril

Não há em Diamantina quem não conheça Amélia do Zé Lotério.

E quem não a conhecer que se dê por feliz.

Ela entra na casa da gente muito amável, prestativa e depois sai contando de casa em casa todas as coisas que presencia, sempre dizendo: "Se eu fosse faladeira, eu dizia isto ou aquilo; mas é só aqui que eu conto". Ela não sai da Chácara, sempre se oferecendo para levar qualquer recado, para fazer alguma compra que vovó precise e reparando em tudo.

Indo à casa de Malita, outro dia, ela me perguntou: "Como foi a briga de Fulano com Sicrano na casa de sua avó?". Eu respondi: "Não sei disso. É mentira tudo. Quem lhe diz essas coisas?". Ela disse: "É meu dedo mindinho que me conta".

Na casa de tio Geraldo, Bibiana me perguntou: "Você que vai muito à casa do Marcelo, não soube da briga que houve de Lauro com Agostinho, que se atracaram por causa de uma vaca?". Fiz a mesma pergunta e Bibiana respondeu: "Eu adivinho".

Não é preciso ser muito atilada para descobrir quem é leva e traz de nossas casas. Como vovó consente em casa e trata bem essa mulher, é que eu não compreendo. Eu lhe contei os mexericos de Amélia e ela disse: "Que é que ela poderá achar aqui para falar de nós?".

Sábado, 6 de abril

Hoje fui entrando pela casa adentro, morta de fome, e vi a porta da sala aberta e a sala cheia de gente. Olho e vejo em cima da mesa uma coisa tapada com um lençol. Mamãe foi dizendo: "É o Zezinho, coitadinho!".

Tomei um susto horrível, pois não há duas semanas que eu vi Zezinho brincando. Isto é, brincando, não; porque ele era menino muito sossegado. Nunca brincava. Ele só assistia ao brinquedo dos outros e só fazia uma carinha de riso.

Este menino era filho de Mãe Tina, que foi escrava de mamãe e deu de mamar a nós todos. Ela e mamãe sempre tinham filhos ao mesmo tempo. Mamãe não tinha leite; ela tinha e dava aos dois. Mamãe parou de ter filhos e ela continuou até ter dois gêmeos, e por isso ficou fraca e morreu tísica.

Dos gêmeos Dindinha tomou um para criar. Ela perdeu a filhinha que teve, de ano e meio, e hoje gosta de criar negrinhos; já criou uns quatro.

Este Zezinho, a irmã de Mãe Tina, Júlia, tomou para criar. Ela disse que o trouxe aqui para a casa depois de morto, porque quando ele estava doente pedia sempre para me ver e ela teve remorso de não o ter trazido antes.

Eu queria muito bem a este pobrezinho e sempre que podia ia vê-lo e levar-lhe o que pudesse arranjar. Ele sofria de uma moléstia que as negras da Chácara chamam de fome canina. Ele ou havia de estar comendo ou resmungando.

Há dias Júlia passou com ele por aqui. Tinham lhe ensinado dar ao menino água de sete chafarizes para ver se ele melhorava da fome, e ela ia começar pelo chafariz do Rosário. Mas não adiantou nada, pois ele morreu, coitadinho!

Eu tomei um susto de vê-lo morto e tive muita pena. Mas ele era tão tristezinho e tinha uma barriga tão grande que parecia um zabumba.

Mamãe e Júlia dizem que Mãe Tina é que o levou porque ele sofria muito, coitadinho, e achou melhor levá-lo para o Céu.

Terça-feira, 9 de abril

Os rapazes da Escola puseram apelido nas alunas do segundo e terceiro ano. Achei todos engraçados e alguns bem cabidos. O de Maria Antônia então assentou muito bem. Eu fico pasma como eles acertaram tão bem com o defeito dela, de andar de pescoço virado. O apelido dela é "Tortura". O de Elvira, "Bolacha". Em mim eles deixaram o mesmo que me puseram no primeiro ano e que eu sei que mereço com o meu gênio destabanado: "Tempestade". Meu pai achou que era muito assentado. O de Sinhá de Silica é que está causando inveja às outras, porque é "Menina Bonita".

Eu sei o motivo disso. Sinhá não é feia, mas também não é lá tão bonita; há outras moças mais bonitas do que ela. Mas eu penso que é o Ângelo que está escolhendo os apelidos. Ele gosta muito de Sinhá.

Não fico triste de deixarem o meu de "Tempestade". Podia ser pior, pois há uma porção deles: "Peleco", "Pau de Sebo", "Feiura" e muitos outros.

Fico pensando na sorte que eu tive de não mudarem o meu para "Pau de Sebo". Eu pareço mais com um pau de sebo do que mesmo Iaiá Leite; mas eles inventaram o meu depois da minha briga com Seu Emídio, e ficou.

Eu soube destas coisas por Leontino. Ele disse que foi uma turma do terceiro ano que inventou isso. Ele vai procurar saber o apelido de todas, direitinho, e me contar.

Segunda-feira, 15 de abril

Mamãe diz que não se deve ficar alegre na Semana Santa, porque é a semana de sofrimento de Jesus. Eu creio muito nas outras coisas da religião, mas não acredito que ninguém fique triste do sofrimento de Jesus Cristo depois de tantos anos, e dele já estar no Céu, ressuscitado e feliz.

Eu adoro a Semana Santa! Não perco nada do primeiro dia

até o último. Quando eu era menor acompanhei uma vez a procissão da Paixão, eu e Glorinha, carregando numa salva, atrás do esquife do Senhor Morto, os cravos e a esponja que serviu para lhe dar vinagre na cruz; e ficava admirada da ruindade dos homens que faziam de judeus.

Mamãe eu acho que aproveita mais do que eu. Ela traz para casa velas, pão e palma benta. E quando o Senhor Morto fica exposto, temos todos obrigação de ir adorá-lo. Toda a família leva níqueis para trocar por vinténs, na salva dos pés do Senhor. Acreditei sempre na palma, na vela e no pão; mas no vintém que se diz que, a gente tendo em casa, não passa sem dinheiro, nunca pude acreditar. Sempre persegui mamãe com perguntas sem ela poder responder: "Mamãe, como é que a senhora troca todo ano um vintém do Senhor Morto, e nós somos tão pobres?".

No pão, na vela e na palma, eu acredito tanto como mamãe. Na nossa casa não entra médico nem remédio de botica. Quando a gente tem uma dor de barriga, se não tem chá de artemija em casa, um gole de água com um pedaço de pão bento cura. E a palma e as velas bentas? Só não servem para evitar a morte; para tudo mais são infalíveis. Se está trovejando, acende-se a vela, queima-se uma folha da palma e pode-se ficar descansado. Se vou fazer exame, acendo a vela, queimo a palma e sai um dos pontos que eu desejo.

Nunca fui para um exame sem deixar mamãe de joelhos diante do oratório, com a vela benta acesa.

Este ano, que já estou maior, achei a Semana Santa adorável. Pude apreciar a voz de Maria Beú. Gostei de ver Maria Madalena, que foi Sinhá Mota, com sua linda cabeleira abraçando os pés de Jesus. Compreendi por que Senhor Bispo lava os pés dos estudantes, as Trevas, a Ressurreição.

E o Sábado de Aleluia? Que dia divertido!

Este ano, além do enforcamento do Judas, a que eu gosto muito de assistir, ainda tivemos o pau de sebo. Seu Luís de Resende mandou fazer um pau de sebo e pôs no alto uma bandeira de notas novas. Eu pensei de morrer de rir quando, da sacada de Luísa Gurra, vi sair do meio do povo uma mulherzinha bem limpinha com sua saia de chita vermelha e paletó branco, pregar a saia com um alfinete de desmazelo, fazendo um calção, arredar os da frente e começar a subir. Uns homens espertos a ajudaram, empurrando. Um trepava no ombro do outro e levantava a mulher. Outros a sustentavam com a bengala. Ela foi limpando o pau de sebo com a saia até o alto. Isso é que eles queriam. Quando ela já estava para pegar na bandeira, largaram e a boba escorregou até embaixo.

Depois de outras tentativas que divertiram muito o povo, um homem afinal subiu e tirou as notas.

Que lição para se aproveitar!

Quinta-feira, 18 de abril

Mamãe, que nunca adoece, apareceu anteontem com febre, dor no corpo e muita tosse. Siá Ritinha, que mandou aqui trazer uns chuchus para mamãe, soube que ela estava doente e veio logo vê-la. Meu pai está na Boa Vista e eu ia faltar à Escola para tratar de mamãe, mas Siá Ritinha não deixou, dizendo que ela mesma tratava. Deu a mamãe um suador. Depois mandou pegar uma galinha e levou para a casa dela para cozinhar e ir trazendo aos poucos para mamãe. Faz o trabalho da casa dela e vem aqui toda hora saber o que mamãe precisa, enquanto estamos na Escola. Só deixa de vir quando chegamos em casa.

Eu nunca pensei ficar gostando de Siá Ritinha, e era uma das coisas que eu admirava ver meu pai e mamãe tratarem bem a ela quando vinha aqui em casa. Ninguém na vizinhança gosta dela porque ela só trata bem a meus pais e tem raiva dos outros; vive se ocupando com a vida dos vizinhos e roubando as galinhas de todos. Eles também tinham raiva do macaco dela, que era a praga da redondeza.

Meu pai sempre diz que ninguém é bom nem ruim para todos. Uns gostam, outros não. Agora eu fico vendo que é verdade. Agora já estou gostando tanto de ver como ela cuida de mamãe, que não estou achando mais nela os defeitos que achava. E quando a vejo vir para a nossa casa, eu já fico alegre em vez de ficar com antipatia como antigamente.

Tudo na vida pode acontecer. Estou mesmo convencida disso.

Sexta-feira, 19 de abril

Desde muito tempo é a primeira vez que vejo na nossa casa a visita de vovó. Também quase moramos na Chácara. Ela só vai à casa de tio Geraldo. À casa das filhas só quando têm meninos ou ficam doentes. Mamãe tem estado estes dias de cama e ela veio vê-la.

Fico com pena de meus irmãos com as coisas de vovó.

Desde que mamãe adoeceu eles estão bonzinhos que eu mesma tenho me admirado. Eles, que sempre deixaram o serviço da casa para nós, estão ajudando em tudo. Mas quando vovó entrou, eu é que estava perto da cama de mamãe com a tigela de caldo. Ela foi entrando e foi dizendo: "Coitadinha, é tudo por cima dela. Não bastam os estudos e ainda mais agora cozinhando e fazendo tudo sozinha. Forte coisa!". Eu falei: "Não, vovó. Eles todos estão ajudando. A senhora não imagina como eles estão bonzinhos com a doença de mamãe. Temos feito todo o serviço sem faltar nada a mamãe, e quando vamos à Escola Siá Ritinha vem para aqui ajudar". Vovó só disse: "Antes isso!" e não elogiou a meus irmãos; mas eles não importam porque já estão acostumados.

Vovó achou que mamãe não está boa e falou para irmos para a Chácara amanhã. Mamãe disse que só poderá ir quando meu pai chegar da Boa Vista. Não quer que ele chegue e encontre a porta fechada, que pode tomar susto.

Não gostei da ideia da ida para a Chácara. Prefiro ficar aqui, ir à Chácara quando quiser e voltar também quando quiser. Aqui, apesar de termos de fazer todo o serviço, ainda sobra algum tempo para estudar e fazer meus exercícios. Mas na Chácara, com o ajuntamento toda a noite, não sei como vai ser.

Tomara que meu pai, chegando, não concorde com nossa

ida para a Chácara. Também tenho muita esperança de até depois de amanhã mamãe já estar melhor. Meu pai aprendeu alguma coisa de Medicina com vovô, e tem acertado sempre com todas as doenças aqui em casa. Quem sabe se ele não vai curar mamãe em pouco tempo. Deus o permita.

Terça-feira, 23 de abril

Eu e Luisinha estivemos conversando que foi preciso mamãe adoecer para reconhecermos a maldade nossa com Siá Ritinha. Todos nós tínhamos uma birra dela tão grande, que quando a víamos chegar já corríamos para a cozinha para pôr a vassoura virada atrás da porta, e púnhamos também sal no fogo para ela não demorar.

A nossa raiva toda era por ela vir sempre mexericar e dizer a mamãe que não nos deixasse brincar de correr com as nossas colegas pretas. Pois se nós sentamos na aula com as pretas, por que não podíamos correr na rua?

Foi bem bom mamãe ter sido boa para ela. Agora ela tem sido tão boa para mamãe, que eu a olho e fico mesmo admirada de como eu a achava tão horrorosa. Hoje a vi com a xícara de caldo na mão, dando a mamãe com tanta paciência, que fiquei vendo como ela é simpática e nem é feia nada.

Meu pai então é que vai adorá-la quando chegar da lavra. Siá Ritinha cozinha na casa dela, dá pensão para os soldados do quartel e ainda acha tempo para vir tratar mamãe, para podermos ir à Escola; não é demais? Vovó mandou uma negra da Chácara para aqui e Siá Ritinha mandou-a embora, dizendo a mamãe que ela estava fazendo mais confusão na casa.

Não vou mais acreditar na história que os vizinhos falam, que é a ladrona das galinhas da Cavalhada, nem deixo mais ninguém falar. Uma mulher tão prestimosa e boa como ela não pode ser ladrona. Sei muito bem que uma pessoa que furta dos outros não pode ser boa para ninguém.

Mamãe diz que um pecado que ela nunca levou ao confessionário é falar da vida alheia. Eu tenho sempre que levar esse, porque, se não falo, gosto às vezes de ouvir falar. Vou agora me corrigir desse defeito.

Segunda-feira, 29 de abril

Meu pai veio da Boa Vista e como não podia ficar com mamãe, por estar muito apertado com o serviço na lavra, trouxe-a para aqui. Escutou mamãe e disse que é uma influenza que atacou o peito e que em oito dias ela estará de pé.

Eu não gosto de estar na Chácara, porque nunca fico com o espírito muito tranquilo de levar na vadiação dia e noite. Além dos primos, são as vizinhas que não me largam. Mamãe nunca nos deixou perder um instante desde pequeninas. Até para receber visitas temos sempre um crochê para fazer. Só fico à toa na rua. Em casa estou no estudo ou no trabalho. Na Chácara nem as negras trabalham. Todas têm uma almofada de rendas para desculpa, e só sabem andar da cozinha para o portão ou para a horta, atrás das frutas. Tenho também tanta antipatia de ver um negrão como Nestor, agora vestido com farda de soldado, mexer no armário de Dindinha e tirar o que ele quer. Meu pai sempre diz que esta caduquice de Dindinha com Nestor não é bondade, é fraqueza e bobagem.

Vovó não se esquece de tratar de mamãe toda hora. Só me aborrece a tosse que não a deixa dormir sossegada, e aperta mais à noite. Já desconfiei que todos pensam que mamãe está com a tísica de Mãe Tina, pois eu vi as vasilhas dela separadas na mesa do quarto e Dindinha não nos deixou beber água no copo, dizendo que a doença pega muito. Eu, como só acredito no que meu pai diz, não me importa que eles pensem o que quiserem. Se meu pai visse que mamãe estava passando mal, não se importaria de deixar a chuva carregar o cascalho na lavra e estava aqui agarrado com ela. Mas ele voltou para a Boa Vista e disse a mamãe que não se incomodasse que ele sabe que no sábado já a encontrará melhor.

Deus o permita, pois estou aflita para voltar para casa.

Quinta-feira, 2 de maio

João de Assis é um rapaz engraçado. Ele é caixeiro de tio Conrado e estimado de todos porque é muito boa pessoa. Nós temos rido dele porque ele está sofrendo de uma moléstia esquisita: pena de todo mundo, à toa. Se passa na porta da loja uma mulher de barriga grande com um pote de água na cabeça, ele fica morrendo de pena e vira a cara para não ver. Se passa outra com um feixe de lenha pesado na cabeça, ele fica agoniado e só dizendo: "Coitada! Coitada!". Eu disse a ele que não tivesse pena, porque elas estão acostumadas e até gostam.

O gênio dele é muito esquisito e não sabe resolver nada. Ele está gostando de uma viúva e de uma moça solteira. Um dia vai à casa de uma e outro dia à casa da outra e quando pensa pedir em casamento a uma delas, ele fica na dúvida de qual das duas gosta mais e com medo de se arrepender. Vive numa indecisão que achamos engraçado. Eu o aconselhei a pôr os dois nomes escritos num chapéu e tirar um; ele disse que já fez isso e nem assim foi capaz de resolver.

Hoje temos rido com ele a mais não poder. Ele foi convidado para o baile de ontem na União Operária e a viúva também ia. Ele foi ao dicionário, tirou umas palavras, fez uma frase e levou a Sérgio para ver se estava boa para ele dizer à viúva. A frase era: "Sinto-me compungido de não ter podido até então tirá-lo para uma valsa". Sérgio disse: "Se ela é mulher, você não deve dizer *tirá-lo*, mas *tirá-la*". Ele corrigiu, ficou decorando a frase e meteu o papel no bolso.

Hoje Sérgio perguntou se ele tinha dito a frase com desembaraço e ele respondeu: "Qual o quê! Quando eu cheguei perto dela para falar, ela, antes de eu começar, levantou, enfiou o braço no meu e saímos dançando. Eu fiquei mudo, porque só tinha na cabeça aquelas palavras que ela não me deixou falar".

Sábado, 4 de maio

Meu pai diz sempre que gosta mais do meu gênio que do de Luisinha; que eu sou o que penso e o que faço e Luisinha é das caladinhas que são mais perigosas.

Luisinha é tão quieta que eu nunca dou razão a meu pai de achar meu gênio melhor; mas hoje ela fez uma coisa tão malfeita, que eu não posso deixar de dar razão a meu pai. O que ela fez eu não faria.

Anita levou à Escola uns cravos vermelhos e pôs em cima da mesa. Correu logo pela Escola que Anita tinha dado falta de um cravo e estava com uma navalha, dizendo que ia cortar a mão da ladrona que o tinha roubado. Todas corremos e fomos ver Anita com a navalha na mão. Ela, na maior fúria, dizia que já havia descoberto quem era, e que lhe daria um talho no braço ou na mão, se não entregasse o cravo. Eu, sem imaginar quem fosse, lhe disse: "Duvido da sua coragem de cortar alguém de navalha por causa de uma porcaria de cravo". Ela perguntou: "Se é porcaria, por que a sua irmã o roubou?".

Eu tomei um grande susto e nem lhe pude responder. Fui correndo ao primeiro ano saber se era verdade que a boba de minha irmã tinha tirado mesmo o cravo. Encontrei-a no meio das outras na maior calma, com o cravo no peito bem à mostra. Arranquei-lhe do peito e lhe perguntei por que tinha feito aquilo. Ela respondeu com toda simplicidade: "Encontrei uns cravos na mesa, achei bonitos e tirei este. Que mal há nisso?".

Entreguei o cravo a Anita, dei uma corrida à Secretaria e contei a história da navalha. O diretor subiu e tomou a navalha da idiota. Mas ficou por isso mesmo porque ela é filha de um professor.

Anita só faltou me bater, de ódio.

Segunda-feira, 6 de maio

Que dia maravilhoso passei hoje. Nosso professor de História Natural convida de vez em quando as alunas para irem à casa dele estudar Botânica no quintal, praticamente.

Eu não sou capaz de me interessar por estudo de Botânica. Prefiro decorar meus pontos e entrar em exame sem muito trabalho. Enquanto as estudiosas iam pela porta afora com o professor lhes ensinando o que é pétala, corola, pistilo, caule e mais tanta coisa, eu apreciava a vista que se tem da casa dele, que é linda! Avista-se todo o Rio Grande com o rio, a serra, as lavadeiras. Formei logo o plano de convidar as amigas e dali irmos passear no Rio Grande.

Depois que nos despedimos do professor, nos separamos das colegas na porta. Elas foram terminar o dia na Escola e nós descemos pelo Burgalhau até o Rio Grande. Na virada do beco encontramos uma vendinha. Elvira, que sempre tem dinheiro, comprou rapadura, farinha de milho e queijo. Fomos à casa de uma preta nossa conhecida e lhe pedimos uma vasilha. Ela nos trouxe uma cuia muito limpa e nós misturamos a rapadura, queijo e farinha com água fria e fizemos uma jacuba do outro mundo. Sentamo-nos na lapa e fizemos descansadas nossa merenda. Depois tiramos as botinas, metemos os pés na água e fomos subindo rio acima até o poço do Glória. Íamos andando pelo rio e apanhando sempre-vivas nas margens. O campo está agora uma beleza! Que inveja das lavadeiras que passam ali naquela beleza o ano todo, enquanto nós vivemos numa casa apertada a metade do dia e a outra metade na Escola. Eu preferia ser uma lavadeira do Rio Grande.

Do nosso grupo a mais medrosa é Maria Antônia. Nem sei por que ela nos acompanha. Nós aproveitamos o passeio à grande, mas ela só pensava no pai. Tivemos de voltar mais cedo do que desejávamos por causa dela. Mesmo assim não conseguimos chegar à hora certa e tivemos de acompanhá-la até a casa e ajudar a mentir ao pai dela que a aula prática de Botânica tinha acabado muito tarde.

Domingo, 12 de maio

Hoje mamãe saiu pela primeira vez desde que se levantou, e fomos visitar uns antigos vizinhos que se mudaram para o Macau, Siá Germana e Seu Ferreira. Gostei de ver como eles já estão bem de vida, e mais ainda de ver o ceguinho que ajudei a carregar, que já está grandinho e alegrezinho. Não sei, se fosse eu a mãe dele, se viveria feliz como vive Siá Germana, tendo sido ela e Seu Ferreira os causadores da cegueira do pobrezinho.

Não posso me esquecer da hora de agonia que passei, quando vi que o coitadinho estava cego.

Seu Ferreira é relojoeiro e morava junto da nossa casa, na Cavalhada. Ficamos muito amigas, mamãe de Siá Germana, eu e Luisinha de Clementina e Brígida. Nós, as meninas, não nos separávamos; estávamos sempre juntas, ora em nossa casa, ora na casa delas.

Quando Pedrinho nasceu, eu e Luisinha ficamos radiantes de contentamento, pois nessa época o maior prazer para nós era ter uma criança para carregar, e Siá Germana nos prometeu deixar-nos pajear o menino. Tomamos conta dele logo que nasceu. Antes da Escola íamos ajudar Clementina e Brígida a lavar as fraldas, arrumar a casa e tudo, enquanto Siá Germana ainda estava na cama. Logo que ela se levantou nós ficamos donas do menino, e penso que mãe nenhuma na vida poderia estimar mais um filho do que eu estimei aquele coitadinho.

Quando Siá Germana ficou de pé, meu pai foi visitá-la, e vendo o menino com uma purgação nos olhos, disse: "Ferreira, isto é coisa muito séria, e se você não levá-lo já ao médico, o menino ficará cego". Seu Ferreira respondeu: "Qual o quê! Eu conheço já isto que as outras também tiveram. É uma purgazinha que passará com água de rosas". Meu pai insistiu ainda: "Não é coisa à toa não, Ferreira. Leve o menino ao médico hoje mesmo, se não quer ver seu filho cego".

Seu Ferreira não gostou do intrometimento de meu pai e mudou de assunto. Eu, que já cuidava da criança, acreditei que ele tinha razão. Pois se outros já tinham se curado com a tal água de rosas... Eu não fazia outra coisa senão lavar os olhos do pobrezinho com água de rosas. Mas o que meu pai falou ficou no meu espírito e eu vivia pensando nos olhos do menino. Vendo que pioravam em vez de melhorarem, eu chamei a atenção da mãe dele: "Siá Germana, estou achando que os olhos deste menino estão muito pior". Ela mostrava a Seu Ferreira e ele dizia: "Vá banhando com água de rosas".

Um dia só pude ir à casa deles à tarde. Lá chegando e olhando o menino, vi os olhos dele inteiramente cobertos de uma névoa. Peguei nele e levei-o a nossa casa para mostrar a meu pai. Ele olhou e exclamou: "Pobrezinho! Está perdido!".

Eu não resisti àquela exclamação de meu pai, entreguei o menino a mamãe e fui cair na cama em pranto. Chorava inconsolável e me julgava culpada. Pensava comigo: "Por que não o roubei e não fui pedir a Dr. Teles para tratá-lo? Como poderei viver feliz, vendo aquele pobrezinho sem enxergar?". Mamãe e meu pai vieram me consolar. Mamãe dizia: "Não sofra assim, minha filha, Deus sabe o que faz. Quem sabe se Deus não quer fazer deste menino um santo para Sua glória? Deus nunca erra, minha filha! Ele sempre sabe o que faz!".

Estas palavras aliviaram-me um pouco, apesar de eu não compreender para que Deus queria santo cego. Podia tanto deixá-lo com vista e fazê-lo santo enxergando. Fomos todos à casa de Seu Ferreira e meu pai lhe disse: "Veja, Ferreira, o que você fez. O coitadinho está agora cego, e ninguém o poderá fazer enxergar. Pobrezinho!". Disse isto e saiu.

Seu Ferreira tomou o paletó que estava na cadeira, vestiu e disse a Siá Germana: "Enrole o menino num xale e me dê". Pegou no Pedrinho e levou ao Dr. Teles. Ele disse: "Por que não me trouxe o menino no princípio? Agora é tarde, não há mais remédio".

Ele voltou e contou o que o médico tinha dito. Siá Germana recebeu o menino, deu-lhe um beijo e colocou no berço. Seu Ferreira tirou o paletó, pôs nas costas da cadeira, sentou-se à banca e pegou na ferramenta.

Eu tinha ficado à espera que Siá Germana caísse no pranto

como eu, para eu lhe dizer as mesmas palavras que mamãe me tinha dito. Mas ela não chorou, ficou resignada.

Corri para casa e disse a meu pai: "O senhor mesmo é que foi culpado. Se o senhor tinha tanta certeza, por que não foi chamar Dr. Teles ou não levou o menino lá?". Mamãe disse: "Receita de médico custa vinte mil-réis, minha filha. Você pensa que seu pai tem dinheiro certo, como Seu Ferreira, que é relojoeiro?".

Quarta-feira, 15 de maio

Saindo da Escola fui ao Jogo da Bola ver Naninha e Glorinha. Tia Agostinha disse que elas tinham ido almoçar com as parentas Leocádia e Juvência e não tinham voltado. Despedi-me, desci a Ladeira do Palácio e entrei na casa de Leocádia, onde Naninha estava fazendo um vestido com elas.

Eu admiro a força de vontade de Leocádia. Ela sofre do mal de S. Guido, vive com o pescoço balançando para um lado e para outro o dia inteiro e assim mesmo cose para ganhar, de manhã até a noite. Juvência, a irmã mais velha, ajuda no serviço de casa e repete tudo que Leocádia fala. Parece eco.

Sentei-me e nos pusemos a conversar. Olho para o quintal e digo: "Como está bonita a horta". Leocádia diz: "Esteve mais. Já vendemos muita coisa". Juvência repete: "Esteve mais. Já vendemos muita coisa".

Daí a pouco eu pergunto: "Leocádia, esses mamões são doces?". Ela responde: "São muito. Quer provar?". Juvência repete: "São muito. Quer provar?".

Continuamos a conversar e no meio da conversa eu perguntei: "Tem tido muita costura, Leocádia?". Ela responde: "Muita. Temos até recusado algumas".

Juvência repete: "Muita. Temos até recusado algumas".

E assim o tempo todo. Depois Leocádia disse: "Vência, vai buscar café para Helena". Juvência levanta-se: "Vou buscar café para Helena". Diz isso já entrando para a cozinha.

Volta com o café e põe na mesa. Leocádia diz: "Vência, serve Helena". Juvência diz para Naninha: "Passa a açucra aqui, pra servir Helena". Leocádia vira para ela e diz: "Vência, já te expliquei que se fala *o* açucra; açucra é homem".

Naninha olhou para mim, mas não rimos. Elas são tão boas, coitadas. Também onde é que elas poderiam aprender, criadas, como foram, na Itaipava.

Domingo, 19 de maio

Não sei por que me vêm à memória certas coisas da minha infância, sempre que pego na pena; talvez porque naquela época coisas pequenas me impressionassem mais, e eu guardo tudo muito.

Olhando agora uma revista, vi uma figura parecida com uma boneca, a única que eu tive na vida e que me causou uma hora, se tanto, de desapontamento.

Nós, eu e Luisinha, nunca tivemos bonecas de loja. Nossa distração era carregar os meninos dos vizinhos ou brincar com grandes bonecas grosseiras que fazíamos de pano, para fingir de menino pequeno.

Um dia, eu devia ter seis ou sete anos, passou pela nossa porta Mariquinha Bonecreira, vendendo bonecas de pano. Mamãe quis nos comprar mas não quisemos, porque não poderíamos vesti-las bem. Mariquinha logo ofereceu fazer maiores e eu disse: "Quero então uma bem grande, que eu possa carregar como se fosse menino. A senhora faz assim?". Ela não respondeu, mas eu insisti: "Faça bem grande, Siá Mariquinha".

Passados uns dias ela trouxe as bonecas, pouquinho maiores do que as outras. Os cabelos com que sonhávamos para penteá-los, ela os encaracolou e fez as bonecas com coques.

Nós vínhamos fazendo castelo com as bonecas e arranjando retalhos para fazer os vestidos; quando vimos as que ela trouxe, tivemos muito desapontamento.

Felizmente durou pouco a decepção. Guardamos as bonecas no armário e não nos lembramos mais daquilo.

Por estas decepções da minha infância eu tenho experiência de que as crianças nunca sofrem, como a gente pensa, com as coisas. Eu era, como sou, muito feliz.

Quinta-feira, 23 de maio

Quando eu comparo as famílias de mamãe e de meu pai, eu fico vendo a diferença que há entre elas. Na família de meu pai é tudo igualzinho. Os irmãos são diferentes só na figura. Nos modos, a gente vendo um viu todos. As irmãs também são a mesma coisa, quase. Na de mamãe é uma diferença de um para outro, que a gente fica admirada. Na família de meu pai não há muitos parentes. São só meus tios e tias, os filhos de meu pai e os de tio Mortimer. Na família de mamãe há uma porção de parentes e uns primos dela que nós nem conhecemos. Um desses parentes longe é inteligente, instruído e vivia empregado de guarda-livros. Ultimamente ele deu para beber, deixou de trabalhar e ficou relaxado. Passa o dia todo sentado na pedreira da casa dele com a mão na cara, calado. Depois que vieram os estrangeiros para aqui comprar lavras, ele ficou com a mania que é francês. Quando uma pessoa lhe diz: "Abílio, deixe dessa preguiça, vá trabalhar", ele responde: "Não posso. Sou cidadão francês".

Meu pai diz que a cachaça sempre inutilizou muitos rapazes inteligentes em Diamantina.

Sábado, 25 de maio

Hoje eu tive pena de Siá Ritinha. Afinal que me importa ela furte galinhas dos vizinhos, se não furta as nossas? Depois, ela gosta muito de mamãe e meu pai e não perde ocasião de vir aqui em casa. Inhá é que nunca vem.

Siá Ritinha veio desabafar com mamãe. Desde que o macaco morreu, Inhá não tem mais distração. O Ciríaco, um mulatinho que elas criaram, deu para tão ruim, que até furta dinheiro quando vai receber as contas dos soldados. Castigo, pancada, deixá-lo sem comida, nada adianta. Perdeu a vergonha de um jeito o tal moleque, que ela e Inhá não sabem mais que fazer.

"Se ele tivesse idade — disse Siá Ritinha — já se sabe, iria assentar praça; mas ele não tem idade. Dona Carolina, que havemos de fazer? Que é que a senhora me aconselha?"

Mamãe disse: "Não sei, Siá Ritinha; está mesmo difícil. Eu estive assim com o Emídio e mandei-o para a Chácara de minha mãe".

Depois ela contou o que os soldados fazem com ela e eu fiquei com pena: "É rara a semana que eles não mandam o feijão de volta, dizendo que é bicho puro. A senhora sabe o feijão que se encontra agora nas vendas é mais bicho do que feijão. Só a senhora vendo a minha canseira e de Inhá para catarmos a metade dos bichos para eles não reclamarem; e nada adianta. Veja a senhora o topete de soldado de hoje, querer feijão sem bicho! Onde eles já encontraram isso aqui? Se eu fosse esperar até encontrar feijão sem bicho, não comeria nunca; soldado agora é que quer uma coisa tão impossível?".

Mamãe concordou: "É mesmo, Siá Ritinha. O feijão tem vindo muito bichado".

Ela continuou: "Esse ditado que 'de hora em hora Deus melhora' pode ser para os outros. Para nós ele está nos piorando desde que Neco morreu e Inhá ficou viúva. Já vivo tão cansada de tanta luta! Venho aqui, Dona Carolina, porque acho a senhora tão boa, tão paciente. Digo sempre a Inhá que a única hora que eu passo mais distraída é aqui com a senhora".

Ela se foi e eu fiquei com pena dela e raiva de Ciríaco e dos soldados não quererem comer feijão com bicho.

Quem havia de dizer que eu havia de acabar gostando de Siá Ritinha?

Terça-feira, 28 de maio

Hoje achei graça num parente bêbado que veio aqui em casa. Américo, irmão de Abílio, é nosso parente longe e vive faiscando sozinho nos córregos por perto da cidade. Quando ele acha mais ouro ou tira algum diamante, ele vem para a cidade e inverna na bebida até o dinheiro acabar. Quando bebe muito, ele costuma lembrar da nossa casa e todos ficamos aborrecidos porque ele entra maltrapilho, às vezes dorme na sala e fica o dia inteiro até a mona passar. Hoje ele veio nos ver e já ficamos tristes porque sabíamos que era bebedeira. Foi entrando sem bater até a sala de jantar. Meu pai estava em casa, o que ele não esperava, e João Felício estava conosco. Meu pai começou a aconselhá-lo e João Felício disse: "Américo, você é um rapaz trabalhador e vive sempre tão maltrapilho. Faça uma força de vontade, deixe de beber, vista uma roupa decente e procure Seu Antônio Eulálio que ele te protege, te empresta dinheiro e te deixa trabalhar nas lavras dele". Ele respondeu: "Se eu tivesse força de vontade para não beber e uma roupa boa, não precisava de proteção de Seu Antônio Eulálio! Eu é que podia proteger você e ele e muita gente".

Sábado, 1º de junho

Vovó mudou-se para a Rua Direita, para a casa que ela comprou de Seu Dominguinhos. Não sei por que vovó fez isto. Ouvi minhas tias e mamãe conversando que gente velha, quando pensa em mudar de casa, está para morrer. Eu não quero acreditar nisto. Vovó tem oitenta e quatro anos; mas é tão forte!

Ela alugou a Chácara ao Dr. Viana e Iaiá, que arranjaram tudo muito bem e estão contentes lá. Como eu não posso esquecer da Chácara, aproveito para ir lá todas as vezes que tia Madge vai. Ela é muito amiga de Iaiá Viana.

Eu sei que vovó foi para a Rua Direita só para ficar perto de tio Geraldo. Não compreendo por que ela gosta tanto de meu tio. As filhas todas dizem que tio Geraldo é o preferido. Eu penso que é porque vovó tem oito filhas e só dois filhos vivos. E também tio Geraldo não lhe deu trabalho.

Todo ano, para o aniversário de vovó, ele manda vir do Rio de Janeiro cortes de seda para as filhas, faz roupa nova para os filhos e no dia desce a família toda a Rua Direita até o largo do Rosário, e todo mundo olhando. Parece até reinado do Rosário. Elas pensam que não podem sair à rua sem ser de vestido de seda.

É a única coisa em que minhas primas se diferençam de nós. No mais eu acho que todas nós somos muito mais felizes, pobres, de que elas, ricas. Só a bobagem delas se julgarem superiores a nós é uma tristeza! Já ouvi o irmão, Chiquinho, dizer na minha frente a Rafaela que ela não deve se julgar igual a nós; que o pai é um potentado, um ricaço e que Rafaela é a moça mais importante de Diamantina.

Terça-feira, 4 de junho

Que pena que Lucas seja tão espirituoso e tão mau. Não se pode apreciar as graças dele pois são sempre de maldade.

Ontem eu vim da Escola cheia de obrigações até o nariz e mamãe disse: "Estava só à sua espera para irmos jantar na casa de Zinha. Olha aqui o bilhete de Lucas". O bilhete dizia "Inhá, venha com todos comerem uma paca que me chegou hoje do Retiro". Eu disse logo: "Que bom! Paca é para mim a melhor caça que há".

Fomos ao jantar de Lucas. Ele nos recebeu com uma cara que eu já conheço de sobra, quando quer fazer alguma maldade. Mas nada desconfiei. Veio a sopa, o feijão, arroz, carne estufada e verduras; agora é que vem a paca. Eu, como boba, ainda disse: "Isto é que devia vir em primeiro lugar". Chegou a cozinheira e pôs na mesa a tal paca. Todos dissemos: "Que é isto? Parece um menino assado!". Lucas não disse nada porque caía de rir. Reparamos melhor e vimos que era um macaco. Ninguém mais pôde acabar de jantar porque parecia um crioulinho assado e nos fez nojo.

Mamãe disse: "Zinha, como é que você deixou fazer essa maldade e essa porcaria de assar macaco na sua cozinha?". Tia Agostinha respondeu: "Quem me dera, Inhá, que tudo que ele fizesse de malfeito fosse só assar macaco".

Sábado, 8 de junho

Eu não devia pôr no meu caderno o que aconteceu hoje. Mas todos os professores viram e é bom que eu deixe aqui escrito tudo que houve, desde o princípio.

A família de Lalá Rosa mudou para uma casa perto da nossa. Começaram a cumprimentar, falavam conosco quando nos viam na porta. Lalá sentava-se na pedreira, quando nós estávamos. Mamãe, que parece que adivinha, começou a nos mandar sumir da porta da rua, dizendo sempre: "Não tomem conhecimento com essa gente". Eles compreenderam e daí começaram as provocações. Um dia Lalá passava e me viu pôr um ferro de engomar no topo da escada, para esquentar. Apanhou um calhau de todo o tamanho, atirou no ferro e ele rolou e caiu com a tampa quebrada. Eu fiz que não vi.

Renato tem um carrinho puxado por um carneiro que a madrinha lhe deu. Um dia ele viu Eusébio, irmão de Lalá, dando fubá com cicuta ao carneiro e teve tempo de salvar o pobrezinho. Mas deixando uma vez o carrinho na porta um instante, Eusébio esbandalhou-o todinho.

Não foi só isso. Um dia Nhonhô meu irmão, que tem sete anos, estava bem quietinho, sentado na porta. Lalá pegou-o pela mão, levou-o atrás da casa e deu-lhe uma surra de cansanção.* Quando passamos pela porta deles, ela corre para a janela, pega num chicote e fica com Eusébio gritando: "Ó bran-

---

* Urtiga.

quinhos de uma figa, vocês precisam é disto!". E ameaçam com o chicote.

Com tudo isto mamãe não nos deixa piar. Diz sempre: "Eles estão é procurando briga. Eles são gente baixa, têm dois homens em casa e nós não temos nenhum. E é até bom que seu pai não esteja aqui vendo estas coisas. Vamos evitar o mais possível. Eles, vendo que não queremos brigar, cansam e nos deixam em paz".

Tudo na vida tem um fim, isto também havia de ter. Eu estava doida por me encontrar com aquela amarelinha longe de mamãe, e hoje chegou o dia.

Eu passava pela sala do primeiro ano e Lalá disse para eu ouvir: "Eu não descanso enquanto não quebrar a cara dessa asma de gato sardenta". Continuei meu caminho para o segundo ano e contei às colegas. Elas se assanharam e disseram: "Vamos procurá-la!". Quando chegamos ao primeiro ano eu lhe disse: "Estou aqui. Bata!". Ainda a ouvi dizer: "É com essa turma toda que você vem? Covarde!" e agarrou-me as bochechas daquele jeito. As outras caíram nela de murros sem ela me largar, e eu não vi mais nada. Se o diretor não chega na hora, ela me rasgava a cara toda com as unhas. Quem teria tido a ideia de chamar Seu Leivas?

Fomos para a Secretaria e falávamos todas ao mesmo tempo. Mas Seu Leivas não quis saber das provocações de casa; e nos mandou subir com uns poucos conselhos. Confesso que esperava maior repreensão na Secretaria.

Eu fiquei com o rosto vermelho, mas as outras disseram que ela apanhou deveras.

Quinta-feira, 13 de junho

No Jogo da Bola, na mesma rua de tia Agostinha, mora, há pouco tempo, uma família que veio de fora. Ninguém ainda os conhece bem. Soubemos que o velho é fazendeiro no Serro e se chama Botelho, e as moças, que são quatro, tomaram o nome de "as Botelhos". Elas passam o tempo na janela ou sentadas na calçada, de tarde. Parece que não fazem nada. Quando passamos por lá cumprimentamos e elas sempre respondem de cara aberta. Ainda não vimos o pai. Viemos a saber que uma delas é viúva e rica e que as outras três são solteironas e pobres e vivem à custa da rica. Acabamos também diferençando a rica por ser mais velha e mais gorda. Com o tempo já passávamos mais devagar pela porta e lhes dizíamos algumas palavras e elas nos convidavam para entrar, mas nunca aceitamos.

Passando por ali uma destas tardes, vimos armação de defunto em casa, os portais cobertos de pano preto com galão dourado. Minha tia achou que devíamos entrar, entramos. Estava a velha rica estendida no caixão, com um semblante muito bom de quem dormia sem roncar. Parecia mesmo que ela dormia tranquilamente. As irmãs nos disseram que a morte começou com um sono pesado. Depois é que viram que era morte, porque ela não acordou mais. As irmãs estavam com cara tão alegre, que nem parecia que havia morte em casa. Saímos comentando a alegria das irmãs e minha tia disse: "É porque a outra é rica. O dinheiro é que tira o sentimento nas famílias".

Naquele dia o enterro não saiu. Quando passamos pela porta, no dia seguinte, já não estava o pano preto. Ficamos intrigadas, sem compreender o que tinham feito da defunta. Eu disse comigo: "Esse mistério precisa ser explicado. Ainda que eu tenha de gastar uma botina, hei de passar pela porta até saber". Estávamos com os olhos pregados na casa, quando vimos a cozinheira sair para ir à venda. Corri, dei-lhe bom-dia e perguntei por que não tinha saído o enterro.

— A senhora então ainda não soube?
— Não! — respondi. — O que foi?
— Siá Donana tornou a viver.
— Como? Pois ela não estava morta?
— Morta ela 'tava, isto é, não 'tava, mas parecia que 'tava. Pra mim ali tem coisa-feita, mas a gente não pode mesmo 'tá falando. A senhora já viu uma pessoa morta ficá só escutando o que os vivos 'tão falando? Não parece mesmo coisa-feita? Siá

Donana disse que 'tava no caixão e 'tava danada de vê as irmã numa briga ferrada por causa das coisas dela. Elas brigava por causa das vaca, das prata, de tudo. Mas foi uma coisa estúrdia. Os home pegaro no caixão, 'tava muito pesado e eles deixaro ele caí de novo pra pegá de jeito. O caixão bateu com força e a defunta acordou. A senhora, nem imagina mesmo o que foi! O susto dela vivê foi maió que o da morte. A mulhé já foi acordando e brigando com as irmã e mandando todas saí de casa porque disse que elas, si havia de chorá a morte dela, ficaro só brigando por causa das coisas dela. Já mandou chamá o pai pra levá as irmã outra vez pra fazenda e ela vai vivê sozinha aí. As moça 'tá trancada no quarto e não sai nem pra comê. O pai é esperado a quarqué hora pra levá elas. Foi no que deu a morte de Siá Donana.

Sábado, 15 de junho

Não posso contrariar vovó em nada. Quando sou obrigada a lhe fazer uma pirracinha disfarçada, eu sei que sofro mais do que ela.

Eu não queria que ela não gostasse de mim. Gosto muito dela me querer tanto bem; mas tenho de me contrariar tantas vezes para não aborrecê-la, que costumo ter inveja de Luisinha. Ela e Renato vêm almoçar em casa todos os dias; eu tenho de almoçar com vovó na Rua Direita. Ela sempre me guarda alguma coisa boa. Mas eu gosto do passeio com as colegas da Escola até aqui na Cavalhada, na ida e na volta.

Na casa de vovó eu tenho de ficar presa uma hora inteira até se abrir a Escola. Tenho de lhe ler todos os dias a minha redação e contar o que se passa comigo. Disso não me importo e até gosto, porque vejo que é uma das distrações de vovó a minha vida e o que escrevo.

As colegas às vezes passam lá para sairmos juntas e acham graça dela ficar na sacada até eu entrar na Escola.

Elas sempre dizem: "Sua avó parece mais um namorado seu".

Terça-feira, 18 de junho

Depois que vovó se mudou para a Rua Direita insiste que eu almoce lá todos os dias, por ser perto da Escola. Eu não gosto disto, primeiro porque não vou muito com tia Carlota que se meteu lá agora; segundo porque Glorinha também vai almoçar e eu não gosto de ficar com ela perto de vovó. Sempre ela sai falando: "Você notou isto ou aquilo que vovó fez?". Uma hora é o melhor pedaço de galinha que ela pôs no meu prato, outra hora é o pedaço de queijo maior ou as frutas melhores que ela me dá, e sempre Glorinha com a mesma pergunta: "Que é que você faz para esta diferença de vovó com você? Ela mostra em tudo. Ela pensa que só você é que precisa comer, que você é a mais inteligente, que você é a mais esperta".

Eu respondo: "Isto de comida eu sei por que é, é que minha magreza a incomoda e ela pensa que é porque como pouco. Inteligente ela não fala que eu sou mais do que vocês; mas esperta, ela pode deixar de falar? Eu faço tudo que vovó gosta que eu faça. Eu lavo e pico a alface dela, para Generosa não deixar ir à mesa com areia e lesma picada, como já vi. Eu descasco e pico os pepinos e as cebolas bem fininhos para a salada. Isso eu faço também por minha causa. Sou muito nojenta e não gosto que Generosa faça essas coisas; mas vovó fica pensando que é só por causa dela. Vocês pensam que é para adular vovó, mas não é".

Glorinha disse: "Vovó pensa que os únicos netos são você e João Antônio". Eu respondi: "Vocês todos falam de vovó educar João Antônio e gastar com ele no colégio no Rio de Janeiro. Que é que você queria que ela fizesse; se foi ela que o criou desde pequenino? Você já a ouviu contar o que ela sofreu por João Antônio? Tio Joãozinho levou-o com a ama para a Lomba, largou-o lá com vovó e Dindinha para desmamá-lo e voltou trazendo a ama. Ele chorava tanto que vovó tinha de pôr a negraria toda fazendo novena para ele parar de chorar. De noite, então, Dindinha tinha de ficar passeando com ele no braço e vovó atrás, cobrindo os dois com a bandeira do Divino. Vovó conta que nem isso conseguia parar o choro do pobrezinho. E vocês todas acham que vovó devia deixá-lo ficar burro e que não deve gostar tanto dele. Eu não queria ser avó de uma família como a nossa, juro!".

Sexta-feira, 21 de junho

Glorinha continua a ir almoçar na Rua Direita. Eu gosto disso, mas não gosto de ver a diferença que vovó faz entre nós, principalmente depois que Glorinha se queixou. Se vovó nos dá umas frutas, escolhe sempre a maior para mim. E tudo mais é assim.

Glorinha não cessa de falar: "Não sei por que é que vovó diferença tanto você de mim e das outras netas. Que é que você faz ou tem, melhor que nós?".

Eu também não sei. Eu mesma reparo isso. Das primas já não digo. Mas Luisinha é afilhada dela, tão boazinha e muito melhor do que eu, e vovó não se importa com ela. É mesmo como dizem, que gosto não se discute.

Na casa de minhas tias do lado de meu pai, é a mesma coisa. Mamãe sempre diz que para elas eu sou a única sobrinha. Só tia Ifigênia, que crismou Luisinha, é que lhe faz agrado. As outras, é só comigo. Luisinha gosta até disso e não se importa. Penso que é porque eu sou mais velha e também pode ser que o meu modo expansivo lhes agrade mais. Quando vamos juntas à casa de minhas tias, elas mesmas acham graça de Luisinha não abrir a boca pois eu só é que falo o tempo todo. Glorinha esteve me dizendo: "Com suas tias é diferente. Elas podem gostar de quem quiserem pois são tias e o seu gênio vai mais com o delas. Mas com vovó é que eu não acho direito. Acho que avó deve ser uma segunda mãe e gostar dos netos igualmente e vovó faz muita diferença de você para nós todos".

Como não tenho coragem de contar a vovó essas queixas constantes vou procurar um pretexto para não ir almoçar lá quando Glorinha for.

Terça-feira, 2 de julho

Uma de minhas colegas, da minha idade, não tem mãe e mora com a tia. O pai viúvo morava na chácara, no Rio Grande, que tem muita fruta e Finoca me convidava sempre a ir lá chupar jabuticabas. Encontramos lá uma vez uma moça bonita, nossa conhecida, e Finoca me disse: "É namoro de papai. Ele está querendo fazer essa bobagem de, já velho, casar com moça". Eu perguntei: "Será que ela também vai querer, Finoca?". Ela respondeu: "Pois você não está vendo o derretimento dela com ele?".

Quando soube do casamento fui visitar Madalena. Ela estava morando na chácara muito contente, tratando da horta e vendendo tudo. Quando ficou para ter filho mudou-se para uma casa da cidade, perto da Chácara de vovó, onde a visitamos e ela também vai muito à Chácara.

Ela teve um filho e dizem que nasceu morto; mas correu a notícia de que o menino deu tempo de ser batizado e ia ser enterrado na igreja. Os vizinhos mandaram flores e compareceram na hora do enterro. Eu, que nada perco, fui também com as primas. Quando pegaram no caixãozinho e levaram à cama de Madalena para beijar o filho, ela abriu a boca no mundo: "Ai meu filhinho! Tão bonitinho! Que coisa triste Deus me levar o meu filhinho! Ai meu Deus, o que será de mim!". As pessoas mais velhas lhe diziam: "Não grite assim, Madalena, você não pode fazer esforço. Seu filho foi batizado e está no céu direitinho". Ela, sempre gritando: "Eu sei! Mas eu choro assim porque acho muito feio uma mãe não chorar a morte do seu filho!". E continuou na gritaria.

Embora morte seja uma coisa triste, não pudemos deixar de achar graça no papel que Madalena fez.

Quarta-feira, 10 de julho

Meu pai é muito querido na família. Todos gostam dele e dizem que ele é muito bom marido e um homem muito bom. Eu gosto muito disso, mas fico admirada de todo o mundo só falar que meu pai é bom marido e nunca ninguém dizer que mamãe é boa mulher. No entanto, no fundo do meu coração, eu acho que só Nossa Senhora pode ser melhor que mamãe.

Não admito que ninguém possa ser melhor mulher do que ela é para meu pai e mãe para nós. Meu pai, com esta vida de mineração, o dinheiro que arranja é mais para meter na lavra; pouco sobra para a casa. Nós às vezes reclamamos as coisas, mas mamãe nunca piou. Nunca disse uma palavra que pudesse aborrecer meu pai; é só lhe dizer: "A vida é de sofrimento; não se entristeça, Deus nos ajudará". Eu que sou menos paciente fico só fazendo castelo, antes de dormir, de ficar invisível, tirar dinheiro dos ricos e trazer para casa. Já descobri que isto é um bom meio para a gente dormir.

Quando vejo mamãe se levantar às cinco horas da manhã, passar para o terreiro com este frio e ir para a cozinha acender o fogo, pelejando com lenha verde e molhada para nos dar café e o mingau às seis horas, eu fico morta de pena. Começa o trabalho a essa hora e vai sem descanso até a noite, quando nos sentamos no sofá da sala. Eu enfio o braço no de mamãe de um lado e Luisinha do outro para nos esquentarmos. Renato e Nhonhô ficam à roda do fogareiro no chão, e mamãe contando histórias de tempos passados.

Ela já contou mais de uma vez a história do meu nascimento. Disse que ela já estava acostumada a ter filho pois eu fui a terceira, e não tratou parteira nem quis chamar meu pai do serviço. Eles moravam nessa ocasião no Santo Antônio, num rancho de capim próximo ao serviço que meu pai lavrava. Quando ela viu que eu queria nascer, entrou para o quarto, rezou e eu nasci. Ela gritou então Mãe Tina, uma ex-escrava que nos criou, e mandou ao serviço chamar meu pai que estava tirando cascalho, e naquela hora estava despachando os trabalhadores. Meu pai veio na carreira, cortou meu embigo, deu-me banho e me pôs na cama. Quando meu embigo caiu, ele enterrou-o no cascalho da mineração, a mandado de mamãe, para eu ter sorte. Mamãe sempre me diz: "Você não vê que é a única da casa que tem sorte?".

Essa hora boa atura pouco. Às oito e meia já volta mamãe para a cozinha, a pelejar com lenha verde, para nos dar o mingau.

E mamãe nunca ninguém diz que é boa mulher.

Domingo, 14 de julho

Fui hoje à Bênção do Santíssimo com Catarina. Era cedo e nos sentamos na igreja e ficamos rezando. Entraram depois duas mulheres que não são nossas conhecidas e se assentaram perto de nós.

Como o padre não tinha chegado, as duas começaram a conversar sobre doença e a conversa foi indo e caiu num chá que só há na casa do pai de Catarina. Penso que uma delas é mulher de um telegrafista novo ou de oficial chegado há pouco, porque não sabia onde é a chácara de Seu Neves e a outra lhe explicava.

Eu e Catarina, quando ouvimos falar na chácara do pai dela, ficamos de ouvido alerta escutando a conversa. A outra dizia: "Se você não encontrar lá, pode desistir que não encontrará em canto nenhum. Quando você quiser ir, passe lá por casa para irmos juntas. Mas vá prevenida, que Seu Neves é muito miserável. Ninguém arranca daquela chácara uma folha seca sem dinheiro". Eu olhei para Catarina e ri. Ela virou para trás e disse: "Os trabalhadores, os mantimentos, tudo que entra lá também é com dinheiro. Nunca entrou lá nada de graça; tudo é a poder de dinheiro".

As duas ficaram tão desapontadas que mudaram de lugar.

Segunda-feira, 15 de julho

Uma doença demorada, em Diamantina, vira mais uma festa do que outra coisa. Nós, todas as primas, gostamos mais de fazer quarto a doente do que mesmo de novena. A doença de

Vieira é um divertimento. Uma amiga minha já arranjou noivo fazendo quarto na casa dele. Ele está doente há um mês; mas para morrer, há uma semana.

Quando eu perco uma noite lá, já posso contar com as primas me fazendo inveja no dia seguinte: "Ontem houve isto e aquilo". Quando eu vou, divirto-me à grande. Sempre há um ou dois ataques, e é um corre-corre atrás de um machado para pôr na perna de uma irmã de Vieira que está com cãibra, ou uma colcha para cobrir outra que teve um ataque e está descomposta; e todos alerta para ajudarem.

O pior é que não há ceias nem comedorias, como nas outras casas mais ricas. Eu vou lá escandalizar os outros pois estou sempre com a cara escondida debruçada na mesa, rebentando de rir. Também seria possível, com tanta coisa?

Ontem foi o caso de Naninha. Ela arranjou um namorado sem ventura, e eu gostando do namoro, para ver a fúria que Naninha fica comigo, pensando que eu tenho a culpa. Joaquim Melo olhava-a com a maior ternura, depois saiu. Naninha ficou alegre pensando que ele não voltasse mais. Não passou meia hora e ele entrava com um embrulho na mão. Eu pensei que eram bananas e disse a Naninha: "Já vem ele com cem réis de banana para você". Ela se debruçou na mesa com a cara encoberta e me disse: "Diga a ele que estou dormindo". Ele aproximou-se, era um pão de cem réis. Ficou em pé, com o pão na mão apontando para Naninha, na esperança de que ela levantasse a cabeça e o tomasse. Eu estava para estourar de rir, mas não sei como Deus me ajudou que eu não ri e só lhe dizia: "Naninha, é Joaquim Melo que te trouxe um pão". Ele, vendo que ela não levantava a cabeça, entregou-me o pão para lhe dar e saiu. Eu e ela tivemos de sair correndo da sala de jantar, para rir no terreiro.

Mas houve uma melhor. Um bêbado conhecido da família, Elói, entrou no quarto e lhe disseram que Vieira estava dormindo. Ele disse: "Dormindo? Deste sono ele não acorda mais! Dê cá uma vela!". Trouxeram uma vela e ele pingou cera nos olhos de Vieira, que estremeceu. Elói exclamou: "Uai! Então você não está morto?".

Terça-feira, 23 de julho

Sempre que tenho uma folga na Escola eu dou uma corrida à casa de tia Aurélia para tomar café. Ela faz muita quitanda e o café de lá é sempre com a mesa cheia de coisas boas. Ultimamente eu andava com pena de tia Aurélia, pela luta que ela tinha com uma alugada que trazia a vida dela num inferno; era malcriada, porca, burra, idiota e ruim, e minha tia vivia infeliz com a demônia. Na hora do café tínhamos de ouvir sempre as ruindades e as burrices de Isabel. Tio Conrado dizia: "Mande-a embora" e ela respondia: "Mando-a e toco-a de casa todos os dias e ela me responde que só sairá quando quiser". Eu ficava com pena de minha tia e ela sem achar jeito a dar com Isabel.

Meu tio mora na rua principal e tinha medo de jogá-la na rua e ela fazer escândalo; tia Aurélia então se desabafava só em viver falando dela. Hoje eu faltei à aula de Desenho e corri para o café na casa de minha tia. Logo que nos sentamos na mesa, tia Aurélia foi dizendo: "Vou lhes dar uma notícia ótima. Fiquei livre da Isabel". Todos perguntamos: "Como foi que a senhora conseguiu?". Ela disse: "Dei-lhe uma surra, ela ficou com medo, carregou a trouxa e foi-se, graças a Deus". Os primos todos disseram ao mesmo tempo: "Que absurdo a senhora fez, mamãe! Ela é uma negra forte e doida e a senhora tão pequena e magra; podia ter-lhe batido e machucado muito". "E até matado!", disse meu tio. Tia Aurélia respondeu: "Quem sabe vocês pensam que eu sou alguma idiota? Eu experimentei-a primeiro com um tapinha leve. Como eu vi que ela não reagiu, dei o segundo. Ela ficou quieta. Aí eu aproveitei, peguei na vassoura e lavrei-a deveras".

Todos rimos e achamos graça na ideia de minha tia.

Sexta-feira, 26 de julho

Que pena eu tenho dos filhos de Seu Domingos, coitados. São tão bons rapazes, mas nenhuma moça na Escola faz caso deles.

Seu Sebastião tem pelejado com os dois para aprenderem alguma coisa de Português, mas penso que não conseguirá.

Ontem houve um brinquedo em casa de Seu Augusto Mata e eles estavam lá. Fomos brincar de "barquinha". Deram a Estêvão a letra F por ser mais fácil: feijão, farinha, fubá, flores, frutas, uma infinidade de palavras. Quando chegou a vez dele: "Aí vai a barquinha carregada de..." ele respondeu: "Rosas". Todos riram, mas como era a primeira vez, perdoamos a prenda. Explicamos de novo que ele devia dizer uma palavra começada por F. Da segunda vez ele respondeu camélias.

Vendo que eles não sabiam o brinquedo nem aprendiam, resolvemos dançar. Cada hora uma tocava uma valsa ou polca no piano e nós dançávamos. Estêvão chegou a mim para me tirar e disse: "Você quer me dar o prazer desta polca? Mas me desculpe se eu não acertar bem o passo, porque há bem uns seis meses que eu não *me* danço".

Não é de se perder a esperança com estes rapazes?

Sexta-feira, 2 de agosto

Não há em Diamantina quem não conheça Parentinho. Eu sempre o conheci magricela, de fraque esverdeado de tão velho, com um chapéu duro muito largo enterrado na cabeça, um sapatão que cabem dois pés dentro, revirando a bengala na rua a passear de tarde na capistrana.* Ele é um velhinho muito curioso, trata todo o mundo de "parente" e vai a todas as casas quando há jantar. Todos o recebem, porque ele é muito político** e asseado.

Eu nunca tinha falado com ele. Ontem tive o gosto de encontrá-lo em uma festa de aniversário na casa de Seu Guerra. Pediram-lhe que dançasse o solo inglês.*** Ele pediu uma rosa ou

---

* Capistrana: calçada de grandes lajes, pelo centro das ruas, para evitar aos transeuntes os degraus das calçadas laterais, por ser a cidade acidentada.
** Político: no sentido de cortês, educado.
*** Espécie de minueto, mas de um só figurante.

um cravo. Emprestei-lhe um que eu trazia no peito e ele dançou engraçadíssimo de cravo na mão.

Depois pessoas que conhecem a vida dele me contaram as suas esquisitices. Ele tem uma irmã que ninguém nunca viu, que nunca saiu de casa e são muito unidos os dois. Se a gente o convida para comer um doce, ele sempre pede a parte da "maninha" para levar-lhe. Ontem, à saída, ele lembrou a Maria Emília "o doce da maninha" e ela lhe deu um embrulho de luminárias e doces.

Dizem também que eles têm uma prata de dois mil-réis que não gastam; passa de um para o outro todo aniversário, com o mesmo versinho:

> *Aceita o pouco*
> *Que amor te envia,*
> *Se mais tivesse,*
> *Mais te daria.*

Ele e a irmã descobriram um meio muito econômico de tomar café. Coam café sem doce, um taco de rapadura no canto da boca e vão bebendo devagarinho. Se a rapadura não acaba, eles ainda guardam o taquinho para outra vez. Que engraçado!

Quinta-feira, 8 de agosto

Nós temos agora na família um jornalzinho chamado *A Casca*, inventado por meu primo Lucas. É para descascar os outros. Eu não sei como este primo não estudou, pois ele é engraçado e parece inteligente.

Todos na família têm de escrever no jornal. A princípio eu não queria escrever nada, porque tinha medo de mexer com os primos e eles também me descascarem. Mas Lucas tem me amolado de tal forma, tem bulido tanto comigo no tal jornalzinho, que eu resolvi mandar também um artigo. Quem copia o jornal é Leontino que tem boa letra. Escrevi um artigo com o título *Ferradura de mosquito*. Não foi preciso mais para me vingar de tudo que vinha sofrendo com ele no jornal. A razão é a seguinte:

Quando ele veio do Ouro Preto já tinha gasto quase todo o dinheiro de minha tia, coitada. Ele, não querendo estudar, veio tratar do retiro deles na Lomba. Fazia manteiga para vender e do leite sem nata fazia uns queijos que pareciam de borracha quando frescos, e depois de velhos viravam pedra. Ninguém mais comprava queijo da Lomba. Como o retiro não dava resultado, minha tia vendeu as últimas apólices que lhe restavam e pôs uma vendinha para ele, perto de Seu Assis e outros. Estes, contrariados com o rival que lhes podia tirar a freguesia, pagavam uns cobres aos meninos da rua para o infernarem. Um pedia: "Tem aí ferradura pra mosquito?". Outros procuravam: "Tem queijo de borracha?". "Tem feijão bichado?" Ele, se havia de esperar que os meninos cansassem, ficava enfezado e corria atrás deles de pau de vassoura na mão.

Foi quanto bastou para ele ser obrigado a fechar a venda e lá se foi o último conto de réis de minha tia.

As outras cidades terão tanto doido como Diamantina? Eu e Glorinha estivemos contando os doidos soltos, fora os que estão no Hospício. Que porção!

Mas também uma cidade sem doidos deve ser muito sem graça. Eu pelo menos não queria deixar de ter aqui Duraque, Teresa Doida, Chichi Bombom, Maria do Zé Lotério, João Santeiro, Antônio Doido, Domingos do Acenzo. Cada um é mais engraçado com a sua mania. Mas a melhor de todas é a de Domingos, que é cabeleireiro e tem a mania de ficar rico.

Meu pai costuma chamá-lo em casa para lhe cortar o cabelo e eu fico sempre perto, morrendo de rir. Ele fica contando a meu pai, com aquela cara séria, os seus planos de enriquecer e eu, para não estourar na frente dele, corro para rir no meu quarto.

Ele diz que está ajuntando dinheiro para ir para Lomba matar onças, tirar os couros e trazer para vender. Meu pai perguntou-lhe: "Como é que você vai arranjar pra pegar as onças? Não tem medo?". Ele respondeu: "Já estudei tudo. O senhor não conhece um pó venenoso que se chama piriate?* Eu vou para a Lomba com umas latas daquele pó e procuro saber o lugar das onças. Já me disseram que elas costumam ficar debaixo das árvores. Eu subo na árvore com uma espingarda e uma lata de pó. De cima eu tusso para assustar a onça. Ela olha para cima, eu jogo o pó nos olhos dela, depois atiro e mato". Meu pai disse: "É ótimo plano". Depois Domingos contou que além do plano das onças, ele também tem o de criar sardinhas. Manda buscar no Rio de Janeiro uma lata de querosene cheia de sardinhas vivas, solta no poço do Prata para criar e sabe que vão lhe dar uma fortuna. Mas para isso é preciso que ele case com uma moça rica que lhe empreste uns contos de réis.

Foi por isso que ele fez ontem aquela bobagem. Seu Chico Lessa, de maldade, disse-lhe que Nhanhá era a moça mais rica de Diamantina; que se ele a pegasse na rua e lhe desse um beijo, seria obrigado a casar com ela. Não foi preciso mais nada. Ontem cedo Domingos vestiu o fraque, preparou-se e foi postar-se em frente à sua tenda que é pegada à casa de meu tio. Quando passávamos por ali para a Escola, inteiramente despreocupadas, ele corre, agarra Nhanhá e dá-lhe aquele beijo. Eu não compreendi nada no princípio. Nhanhá deu um grito horrível e caiu no chão. Meu tio mandou carregá-la para dentro, assentou-a numa cadeira e lhe deu água.

Depois da cena Nhanhá ainda se zangou comigo por causa do frouxo do riso que eu tive. Pois eu podia deixar de achar graça de ver o Domingos subir muito sério para a sala de meu tio e ficar à espera do padre para casá-los, depois que Nhanhá melhorasse?

Eu não achei que ele precisava de ser preso, coitado! Não sabem todos que ele é doido?

---

* Piriate: *pereat*, pó da pérsia.

Quinta-feira, 15 de agosto

Não posso deixar de escrever aqui, agora que acabei de passar bem passadinho o meu vestido de fustão branco e pendurá-lo no cabide, a amizade que tenho a este vestido.

Penso que é por ser o primeiro que fiz, eu mesma escolhendo a fazenda e o feitio.

Quando fui com mamãe comprar o enxoval para entrar para o Colégio (e afinal não quis entrar), as Irmãs exigiram também um vestido branco. Eu logo escolhi um fustão do melhor. Mamãe mandou fazer mas eu escolhi o feitio.

O que tem sido para mim este vestido ninguém avalia. Ele já tem mais de seis meses e não dá mostras de tanto uso. Eu só tenho este e desde que o tive posso dizer que nunca mais perdi uma festa ou um fogo do ar que se solte em Diamantina. E não é só aqui; ele já esteve no Curralinho e na Boa Vista, e posso dizer com orgulho que ninguém este ano passou na minha frente. Se fosse de outra cor eu poderia tomar o nome do vestido, como a mulher do telegrafista que todo o mundo chama "A Moça da Blusa Verde". Como é branco poderão pensar que são dois.

Domingo, 18 de agosto

Parece até um sonho eu ter ficado livre da escola de tia Madge só em dois dias. Graças a Deus a promessa que fiz serviu. Tia Madge concordou em me substituir sem ficar zangada comigo, diz meu pai. Como a chuva não quer passar, vou aproveitar para escrever aqui a tragédia tim-tim por tim-tim, para não me esquecer do que sofri e não ter mais nunca a tentação de ser mestra de escola. Nunca mais na minha vida!

Quinta-feira passei por casa de tia Madge e ela me disse:

— Resolvi tirar umas férias de um mês e você vai me substituir na escola. Se tenho de pagar a outra, dou-lhe o dinheiro que lhe servirá muito. E depois você já vai praticando, porque pretendo me aposentar e lhe deixar minha cadeira.

— Mas a senhora não sabe que, falhando um mês, eu perco o ano?

Ela respondeu:

— Peça a uma colega que responda à chamada por você.

— Não é isso, tia Madge; é que depois eu não consigo mais pegar as outras.

— Disso não tenho receio. Com sua inteligência você faz numa semana o que as outras fazem num mês.

— Sim, tia Madge, se fossem quinze dias era possível; mas um mês é muito tempo. É melhor a senhora chamar a Zinha.

— Mas Zinha está doente. Está bem. Eu vou pensar se quinze dias chegam e depois lhe falarei.

Desci para casa maldizendo da sorte e pensando comigo mesma: "Até onde irá parar este meu sofrimento com a proteção de tia Madge? Que será de mim se for obrigada a largar a Escola, estudo, minhas colegas e tudo para ir ensinar a meninos pretos e burros no Rio Grande?". Para me consolar vim refletindo: "Quem sabe se isso não decidirá da minha vida? Eu sou inquieta e impaciente. Será possível que eu suporte ficar metida numa escola seis horas por dia, e ainda trazer cadernos para casa para corrigir? Eu estou longe de tirar o título e já pensei nisso muitas vezes. Vou experimentar a escola de tia Madge e ver se dou para professora".

Levanto-me sexta-feira cedo e triste de ser obrigada a largar a Escola Normal e ir para o Rio Grande. Desço a ladeira e entro na escola. Pergunto a um menino dos maiores como devemos começar. Levantam-se todos ao mesmo tempo e dizem que é preciso cantar o hino. Mando cantar. Todos cantam sem ordem e tudo desentoado. Mando parar no meio, batendo com a régua na mesa:

— Chega! Não precisa mais!

Os meninos já vão vendo a professora que têm. Pergunto de novo:

— E agora, que vamos fazer?

Cada um disse o que quis e eu sem saber o que fazer nem por onde devia começar. Lembrei-me então do meu tempo de escola da Mestra Joaquininha que começava sempre por corrigir as escritas, e peço os cadernos. Pus todos escrevendo. Só nesse momento descansei um pouquinho. Entregam os cadernos; eu mando deixar em cima da mesa e peço os livros. Vão trazendo os livros e mostrando onde estão. Um diz:

— Eu estou aqui, mestra.
— Então estude até aqui, bem estudado.

Fui marcando as lições, mandei todos para seus lugares e lhes disse que fossem estudando enquanto eu ia corrigir os cadernos. Sento-me, pego na pena e começo a passar as escritas.

— Mestra, olha o que Joaquim 'tá fazendo! 'tá me fincando arfinete!
— Não, ele é bonzinho. Não é história dele, Joaquim? Você não é capaz disso.
— É sim, mestra! Ele é muito ruim! A senhora é que não sabe.

Volto aos cadernos.

— Mestra, olha Joãozinho me pinicando aqui!

Outro:

— Mestra, Chico enganou a senhora; a lição dele é outra.
— Mestra, Elvira mentiu; ela 'tá mais adiante!

Um menino:

— Fum! Sai daqui, porco! Olha, mestra, o que eles estão fazendo.

Fico tonta, sem saber como lidar com tantos ao mesmo tempo.

— Mestra, Amélia 'tá dizendo que a escola agora é um paraíso de Adão e Eva; que é bom que a Mestra Madge fique doente muito tempo.

Eu, para engabelá-los:

— Fiquem bonzinhos que eu continuarei com vocês.

Já outro grita:

— Mestra, Pedrinho meteu o dedo no nariz e enfiou na minha boca!
— Mestra, mestra, mestra! Olha isto! Olha aquilo!

Eu completamente desorientada e sem saber que fazer. Nisto, um maior se levanta e pede:

— Dá licença, mestra?

— Licença para quê?

Todos gritam ao mesmo tempo:

— É a tabuinha, mestra!

Levantam-se; vêm remexer na gaveta e me entregam uma tabuinha muito suja, explicando:

— A senhora só pode deixar ir lá fora com esta tabuinha, viu, mestra?

Entrego a tábua ao menino. Ele vai ao quintal, que está coberto de mato, e dá um grito:

— Cobra!

Correm todos para o quintal, eu atrás; e eles ficam:

— Olha a cobra aqui. Ela entrou ali!

A muito custo consigo que eles entrem e voltem para seus lugares. Continuo a corrigir os cadernos mas logo recomeça a algazarra. Pensei comigo: "Vou ser quitandeira, como Siá Generosa, vou lavar roupa, vou fazer qualquer outro serviço. Para isto já vi que não dou. Deus que me mandou aqui. Não aguento isto: estou até fazendo mal a tia Madge, estragando a escola dela. Vou soltá-los e saber de tia Madge o que devo fazer". Volto-me para os meninos e digo:

— Então ninguém estudou a lição hoje?

— Não, mestra; quase todos enganaram a senhora.

— Eu não!

— Enganou sim; 'ocê 'tava adiante!

— É mentira dele!

Bato com a régua na mesa.

— Basta! Basta! O dia está perdido. Vou dizer a tia Madge o que vocês fizeram.

Eles todos:

— Xi, tomou pito! Xi, tomou!

Pergunto o que fazem para terminar a escola.

— A gente reza.

Rezaram.

— Bem. Podem sair.

— Ih, que bom! Oh, mestra boa!

E foram saindo em algazarra.

Pus a mão na cabeça e pensei: "Está decidido! Tudo na vida, menos mestra de escola. Se eu passar mais um dia como este, fico maluca". Fechei a escola e fui, na carreira, para a casa de tia Madge pedir-lhe que tomasse uma providência, pois eu não voltaria mais. Subo a ladeira e entro na casa de minhas tias pondo os bofes pela boca. Tia Madge, antes que lhe dissesse nada, exclamou:

— Como deixou a escola tão cedo? É às quatro que se fecha.

— Fechei para vir lhe dizer que me é impossível continuar. Os meninos não me respeitam e eu vou pô-los mais endiabrados para a senhora aguentar depois. Amanhã eu não volto.

— O quê? Não volta? Então quer me desiludir e me convencer de que uma mulata como Zinha é mais capaz do que você?

— Do que eu? Muito! Eu não presto é para nada!

— Mas tem de prestar. Então minha esperança de lhe deixar a escola há de ir por água abaixo? Nunca! Você tem de dar gente. Você é muito inteligente e muito viva. Isso já é sentido na vadiação da Escola Normal com as outras.

— Não é, tia Madge, é que eu não dou para mestra. Foi Deus que fez acontecer isso para eu saber e procurar outro meio de vida. Já estive pensando; vou fazer quitanda, vou ser Siá Generosa.

— Generosa? Você tem de ser professora, e boa professora. Veja o nosso exemplo, meu e de Quequeta, que estudamos já de alguma idade [tinham perto de quarenta anos] e hoje vivemos independentes. Você tem de nos acompanhar.

— Duvido, tia Madge. Eu não sou boa e sofredora como as senhoras. Gosto de trabalhar, de fazer qualquer serviço; mas obrigações de ensinar menino burro e malcriado e ser escrava de hora, já vi que me é impossível.

— Eu lhe mostro se é impossível. Você hoje fez uma coisa muito malfeita, mas vou desculpá-la porque foi o primeiro dia. Volte amanhã e vamos ver como vai ser.

— É impossível, tia Madge! Só a senhora vendo o que os meninos fazem comigo. Vou pedir a Zinha ou outra professora para ficar no meu lugar.

— O quê? Então me acha com cara de desanimar com você só com um dia? Não, minha filha, por caridade, não me entristeça! Você é a única esperança minha. Vá descansar e volte amanhã. Eu sei que você não me desapontará.

Vendo que era inútil insistir, despedi-me e vim de carreira para casa. Chego já com o nó atravessado na garganta e vou caindo na cama em pranto. Mamãe vem:

— Que houve, minha filha? Foi pito de Madge?

— Não foi pito não mamãe; é ódio de tia Madge! Ela me põe doida de hospício. Não sei o que ela há de inventar mais para me infernar tanto!

— Conte o que houve. Diga.

— Eu sofri hoje, mamãe, posso dizer que quase tanto como Jesus Cristo.

— Que horror, minha filha! Como você pode dizer isto?

— Pois foi, mamãe. Jesus Cristo sofreu porque quis e eu estou sofrendo desesperada. Tenho até vontade de quebrar uma perna para não voltar mais àquela escola e não ficar aguentando meninos piores do que os demônios. Minha cabeça está quase estourando. Sei que não vou ser capaz de suportar mais nem um dia e tia Madge teimando para eu ficar quinze! O pior, ainda por cima, é eu não poder dizer que tia Madge é ruim e que faz isso por maldade.

Contei a mamãe tudo que tinha acontecido e ela teve uma ideia:

— Sabe de uma coisa? Vamos fazer uns queimados* num instante. Amanhã você engabela os meninos e afianço que eles ficam melhores.

Fomos as duas para a cozinha e num átimo estavam prontas e enroladas uma porção de pencas de queimados.

* Caramelos.

No dia seguinte peguei nos queimados para sair e mamãe disse:

— É melhor levar a metade hoje e deixar o resto para amanhã. Depois faremos mais.

Assim fiz e segui para a escola. Vou entrando e encontrando os meninos já na maior balbúrdia. Bato com a régua na mesa e digo:

— Trago aqui uns queimados para os que procederem bem. Os insubordinados tia Madge me disse que castigasse e prendesse na escola até de noite.

Começam:

— Ih, 'ocê é que vai ficar preso! Ih, hoje a coisa é séria!

Sento-me e já não mando cantar. Entrego os cadernos e nem a escrita eles fazem sossegados; um grita:

— Mestra, Tônico 'tá borrando minha escrita!

Outro:

— Mestra! Chico 'tá empurrando meu braço!

— Mestra, olha o que João 'tá fazendo!

— Mestra, mestra, mestra!

Já fui ficando tão desanimada que não disse nem uma palavra. Recebo os cadernos; tudo sujo e mal escrito. Mando-os sentar para o estudo e a coisa recomeça:

— Mestra, Juquinha 'tá combinando aqui pra furtá queimado.

— Mestra, olha isto! — Mestra, olha aquilo!

Eu calada e esmorecida. Um dos maiores pede a "licença", leva a tabuinha para o quintal, dá um grito horrível e se estende no chão. Corro para apanhá-lo e ele cai na gargalhada. Volto para a sala e não encontro na mesa nem um queimado.

Largo a escola e corro para a casa de Zinha, que é pegada.

— Zinha, você está doente?

— Não, por quê?

— Tia Madge me disse.

— Eu é que falei isso a ela para me desculpar.

— Zinha, eu vou ficar doida! Você não podia me fazer a caridade de vir para o meu lugar?

— Eu sabia, Helena, que você não aguentava estas pestes de inferno; foi até maldade de Dona Madge fazer isso com você. Mas eu também não aguento esses demônios; foi por isso que eu disse a ela que estava doente.

— Zinha, vamos lá para você me ensinar o que devo fazer. Tenha pena de mim, você é tão boa!

— Está bem, vamos.

Entramos e Zinha diz para os demônios:

— Eu vim aqui desforrar o que vocês têm feito com Helena. Nem um pio eu admito! Tenho ouvido a gritaria, de minha casa, e agora eu quero ver! Todos nos seus lugares! Dê cá o livro, Carlinhos! — Abriu o livro e marcou a lição. — Júlio! Antônio! Maria Hilária!

Um por um foram vindo e voltando para as carteiras com a lição marcada. Um deu uma risada alto. Ela se levantou, puxou-o pelo braço, deu-lhe um beliscão com vontade e o pôs virado para a parede com um coque na cabeça.

Ela demora um pouco, põe tudo em ordem e diz:

— Está bem, Helena, eu tenho que fazer. Vou indo e se pintarem você me chame.

Saiu. Foi ela virando as costas e o que estava de castigo saiu da parede. Mandei-o voltar, ele olha para mim e ri. Grito e ele não atende.

— Oh, mestra, 'tá desafiando a senhora!

— 'Tá fazendo careta pra senhora!

Faço promessa de rezar um terço ajoelhada em cima de bagos de milho, se Nossa Senhora me ajudasse, corro para a casa de Zinha e caio no sofá, em pranto. Siá Donana vem da cozinha ver o que era e Zinha lhe diz:

— Está zangada, mamãe.

— Ela tem razão, coitadinha!

Eu levantei a cabeça e disse:

— Siá Donana, eu fico doida se Zinha não tiver caridade comigo. Estou tão agoniada que acho que só doido é que pode ficar assim. Eu acabo indo para o hospício, se Zinha não tiver pena de mim e ela vai ter remorso.

— Coitadinha! — diz Siá Donana. — Ela tem razão! Que maldade de Dona Madge! Ela é tão novinha e vir lidar com os meninos mais danados de Diamantina. Estes, só mesmo Dona Madge pode com eles. Ela tem um modo, que a gente tem de ter respeito dela.

— É mesmo, Siá Donana, a senhora é que sabe. Eu sofro assim pelo respeito que tenho a ela. Outra não me faria isso. Mas peça, Siá Donana, peça a Zinha para ficar em meu lugar. A senhora é tão boa.

— Vá, Zinha, tenha pena da menina. Você é mais velha e ela tão novinha ainda!

Zinha respondeu:

— É mesmo; a gente tem que ficar com pena, porque vê como ela sofre. Que maldade de Dona Madge! Tanta gente precisando de dar escola e vai tirar Helena do estudo e mandar para este inferno. Está bem, Helena, eu vou vingar você desses demônios. Pode dizer a Dona Madge que fico por sua causa.

Agradeci muito a Zinha e subi para casa. Encontrando meu pai que tinha chegado da Boa Vista, pedi a ele que falasse por mim a tia Madge.

E assim acabou minha triste experiência.

Quarta-feira, 21 de agosto

Hoje estive lendo uma redação de Iaiá Leite e fiquei com muita inveja. Por que será que estas nossas colegas caladinhas sabem escrever tanta coisa bonita e eu não sei? Diz Iaiá que é porque eu falo muito e não tenho tempo de pensar. Mas o exercício de redação é feito em casa no meu quarto, sozinha, e por mais que eu esprema os miolos não sai nada de bom. Na falta de melhor assunto vou escrevendo o incidente da Escola.

Eu passava pelo salão do segundo ano e vi Sinhá muito entretida a espiar num buraco da vidraça. Deu-me vontade de brincar. Corri à janela e tapei o buraco com uma laranja que levava. Seu Leivas entrou no salão neste momento, mas ainda tive tempo de me sentar sem ser vista por ele. Segundo o seu costume de indagar tudo, perguntou logo quem havia colocado a laranja no buraco. Ninguém respondeu. Mesmo assim veio o sermão. Nós todas ouvimos bem caladinhas. Mas quando ele saiu eu, pensando que ele já estava longe, disse para as colegas: "Que vontade de pregar um sermão à toa, tem este nosso diretor. Uma laranja no buraco servir de pretexto para vir nos dizer esta porção de desaforos. Era bem melhor que ele mandasse consertar aquele nariz torto e ficasse lá por baixo dirigindo os rapazes!".

Não tinha acabado de falar e o velho entrou de novo no salão e virando para mim disse: "Ouvi me chamarem de nariz torto. O meu defeito está à vista e muitos podem ter defeitos piores e ocultos". Não parece maluco?

Depois disso contei às colegas o que tinha acontecido na casa de Seu Matos e desejava que ele ouvisse também.

Houve lá no sábado um jantar oferecido ao Sr. Cugnin, da Companhia Boa Vista. Seu Leivas levantou-se e fez-lhe um brinde em francês. O homem não entendeu nem uma palavra. Penso que Seu Leivas só foi convidado para fazer o brinde. Vendo o embaraço do homem eu procurei traduzir o discurso; mas fiz a maldade de lhe contar que Seu Leivas era o nosso professor de Francês. Ele riu muito e disse que estava muito contente de ter ao lado uma discípula dele, do contrário não poderia adivinhar o que Seu Leivas dissera.

Segunda-feira, 26 de agosto

Anteontem me aconteceu uma coisa em que eu vi o dedo de Deus.

Nunca me tinha acontecido encontrar a Escola fechada. Sou sempre das últimas a chegar. Às vezes não tenho nem tempo de tomar o café da manhã, de tanta pressa com que saio de casa. Pois ontem fui encontrar a Escola ainda fechada. Olhei para o relógio da Sé: seis e meia. Subi para tomar café na casa de vovó e a encontrei sentada na cama, cansada, e me disse: "Estava rezando para você aparecer aqui, minha filha. Você é meu braço direito. Tome seu café com leite e suba depressa à casa do Dr. Alexandre e venha com ele". Perguntei por que não queria chamar o Dr. Teles; ela disse que ele estava no Mendanha.

Não tomei nenhum café. Fui e trouxe no mesmo instante o Dr. Alexandre que encontrei já saindo de casa. Vovó, mesmo doente como está, vendo que eu não tinha tomado café, não falou com o doutor enquanto não entrei para tomá-lo. Os primos me chamam de aduladeira de vovó. Poderia eu não estimá-la como estimo?

Hoje estou muito aborrecida porque vovó piorou. Mamãe conosco, tia Agostinha e tia Carlota já estão dormindo aqui; mamãe, porque meu pai está na lavra, e as outras porque não têm marido. Tia Aurélia também está aqui, mas vai a casa às dez horas dar almoço a tio Conrado, às quatro dar jantar e às nove horas o chá. Ela mora aqui perto.

Todos da família comentam como tio Conrado pôs tia Aurélia cumpridora dos deveres e ordeira assim, pois ela era a mais pirracenta e geniosa da família. Mamãe conta o gênio que ela tinha em pequena e o que ela fazia com vovó. Eu tenho raiva e desejava ter estado nessa ocasião na Lomba para amansá-la.

Vovó já esteve doente há uns três ou quatro anos e fez operação da bexiga com o Dr. Felício dos Santos, quando ele veio a Diamantina visitar a família. Ele tirou em vovó uma pedra do tamanho de um ovo. Foi uma alegria na família. Lembro-me que quando vi a pedra e vovó livre das dores que sofria, foi um dia feliz para mim; comecei a sentir o que ela era para mim e quanto eu lhe queria.

Já fiz uma porção de promessas e já estou pensando no meu sofrimento, mesmo com vovó, quando eu for cumpri-las. Tenho fé em Deus que as cumprirei. Vovó é muito forte e todos dizem que muita gente sara de pneumonia, principalmente sendo tratada no mesmo dia. E depois Deus não pode deixar de atender à reza de uma família grande como a nossa e das negras também. Todos rezamos o dia inteiro, muitas velas acesas dia e noite nos altares e muita promessa também. Deus é bom. Eu sei que ele não nos tirará a nossa vovó tão boa, tão caridosa para todo o mundo.

Vovó, mesmo doente, me manda para o quarto estudar, mas eu só posso escrever. Estudar é impossível. Tenho ido à Escola estes dias, pois vovó, da cama, não se esquece de mim e de meus estudos. Tenho de ir ao quarto dela antes de sair, beijar-lhe a mão, e depois quando volto.

Quarta-feira, 28 de agosto

Faço hoje quinze anos. Que aniversário triste!

Vovó chamou-me cedo, ansiada como está, coitadinha, e deu-me um vestido. Beijou-me e disse: "Sei que você vai ser sempre feliz, minha filhinha, e que nunca se esquecerá de sua avozinha que lhe quer tanto". As lágrimas lhe correram pelo rosto abaixo e eu larguei dos braços dela e vim desengasgar-me aqui no meu quarto, chorando escondida.

Como eu sofro de ver que mesmo na cama, penando como está, vovó não se esquece de mim e de meus deveres e que eu não fui o que devia ter sido para ela. Mas juro por tudo aqui nesta hora, que vovó melhorando eu serei um anjo para ela e me dedicarei a esta avozinha tão boa que me quer tanto.

Vou agora entrar no quarto para vê-la e já sei o que ela vai me dizer: "Já estudou suas lições? Então vá se deitar mas procure antes alguma coisa para comer. Vá com Deus".

Sábado, 31 de agosto

Hoje faz sete dias que vovó está doente e todos da casa estão na maior ansiedade, pois dizem que se ela melhorar de hoje para amanhã estará salva.

Não sei para que Deus me fez conhecer vovó! Eu poderia ser tão feliz, que meus pais são fortes e sadios, se não a tivesse conhecido, como aconteceu com a outra que morreu quando eu era pequena.

Hoje eu estou tão agoniada! Esmeralda veio nos ajudar e ensinou-nos umas rezas que é impossível que Deus não atenda. Todas rezamos com tanta fé! Quase não fizemos hoje outra coisa. As visitas mesmo não havia quem fosse receber.

Passei um dia muito angustioso porque vejo vovó numa aflição a que ninguém tem dado melhora. Chega o doutor, receita umas coisas e vai-se e ela fica ansiada na mesma, coitadinha!

Mamãe sempre tem razão nas coisas que fala. Quantas vezes não tenho achado absurdo ela dizer que a vida é de sofrimento! Só hoje estou lhe dando razão. A vida é mesmo de sofrimento. Nestes dias da doença de vovó eu me esqueci de todas as felicidades que tenho tido e fico só pensando nos sofrimentos. Então depois que falaram que até amanhã se decide a sorte de vovó, eu estou numa angústia que só posso estar ajoelhada com as outras, rezando. Quando elas cansam eu dou uma corrida à horta, entro na cozinha, na sala, ando por todo o canto da casa, procurando onde encontrar sossego e não acho. Se entro no quarto de vovó é um suplício maior.

Para que Deus castiga assim a todos nós que nunca fizemos mal a ninguém? Só espero o dia em que ele se lembre de aliviar vovó e a nós deste sofrimento.

Terça-feira, 3 de setembro

Vovó morreu!
Ó querida vovó, para que Deus a levou e me deixou sozinha no mundo com tantas saudades! Sozinha sim, minha avozinha querida, pois não era a senhora a única pessoa que me compreendeu até hoje? Quem encontrarei mais na vida para dizer-me que sou inteligente, bonita e boazinha? Quem mais se lembrará de me dar um vestido bonito para não ficar inferior às primas? Quem discutirá com mamãe, procurando sempre de-

fender-me e achando em mim qualidades, quando os outros só encontram defeitos?

Sinto, minha avozinha querida, que de todos os netos só eu sofri tanto a sua perda! Disse isso mesmo aos primos e eles responderam: "Você era a única querida". Por que a senhora queria tanto a mim que sou a mais ardilosa das netas, a mais barulhenta e que mais trabalho lhe dava? Lembro-me agora com remorso do esforço que a senhora fazia todas as noites para me tirar do brinquedo e me pôr de joelhos, à hora do terço. Mas agora, lhe confesso, aqui em segredo, que era uma hora de sacrifício que a senhora me obrigava a passar. Até raiva eu sentia quando, depois de rezar o terço com todos os mistérios contemplados, ficavam minhas tias e a hipócrita da Chiquinha a lembrar todos os parentes mortos, para rezarmos um padre-nosso ou ave-maria por alma de cada um. Eu ficava pensando que minha reza era capaz de levar as almas para o Inferno, pois rezava sempre contrariada. Ninguém mais conseguirá de mim este sacrifício. Mas sei, vovó, que apesar de tudo que eu fazia, a senhora sentia em mim a afeição que lhe tinha, e via o sofrimento pintado no meu rosto quando a via doente. Também eu via a sua alegria quando chegava da Escola e entrava correndo para lhe contar minhas notas. Agora que estou aqui me desabafando é que me vem à memória toda a sua ternura, toda a sua bondade para comigo. Vem-me à ideia o dia em que a comparei à Nossa Senhora.

No aniversário da proclamação da República foram à Chácara dois oficiais pedir a minhas tias duas meninas que faltavam para completar vinte que iam representar os Estados. Faltavam para os Estados de Piauí e Rio Grande do Norte. As meninas tinham de ir em ala, vestidas de branco, com um barrete vermelho na cabeça e atravessada no peito uma fita larga com o nome do Estado em letras douradas. Acompanhei os preparativos das primas com grande interesse, pois me parecia que se tratava de um acontecimento importantíssimo. Mas eu cada vez mais triste de não ter sido também contemplada.

Chegado o dia da festa, minhas tias puseram as primas em

cima da mesa para arranjá-las melhor, ajustar o vestido, o barrete, acertar a fita. As duas estavam muito anchas com os elogios de todos, gozando a minha inveja. Um dizia: "Como estão lindas!". Outro: "Olha a gracinha delas!". Fui olhando e ouvindo calada até que senti um nó na garganta, saí correndo e caí de bruços no gramado atrás da igreja. Chorava convulsivamente quando senti o toque de sua bengala no ombro. Voltei-me espantada, pois eu estava tão escondida e não esperava ninguém ali. Era a senhora, vovó! A senhora que vinha me observando e lendo na minha alma, compreendeu o que senti e me acompanhou os passos até aquele lugar. Foi andando com o maior sacrifício, com uma das mãos firmada na bengala e a outra pelas paredes até onde eu estava. Lembro-me até hoje das boas palavras que a senhora me disse naquele dia: "Levanta, tolinha! Veio chorar de inveja das feiosas, não é?". Não tinha tido tempo de lhe responder e a senhora já me havia curado a alma, e continuou: "Não sei como uma menina, inteligente como você, não compreende as coisas. Você não vê que isso é festa desses tontos e que uma menina como você, bonita, inteligente e de raça inglesa não podia tomar parte? Festejar república é bobagem. República é coisa para essa gentinha. Gente direita não entra nisso. Eles sabem que seu pai é monarquista, que não é desses vira-casacas, e não deixaria a filha dele sair para a rua fazendo papel de tola numa festa de malucos. Isso é para as outras. Não tenha inveja que você é superior a todas elas".

O que suas palavras foram para mim a senhora não avalia, vovó. A senhora fez-me levantar, levou-me escondida pelo portão do fundo para lavar o rosto, fez-me rir e esperou que meu rosto se abrisse para ninguém notar que eu tinha chorado.

Lembro-me, vovó, que naquele dia eu a comparei a Nossa Senhora e pensava comigo: "Ela é tão boa e tão santa que até adivinha o que a gente sofre, para consolar". Quem me consolará mais de agora em diante? Tenho minha mãe, meu pai, meus irmãos, mas nenhum deles é capaz de ser para mim o que a senhora foi. Por quê? Porque a senhora era mais inteligente? Ou porque me queria mais bem do que mesmo meus pais?

Não sei se vou ter ainda estímulo para estudar; se vou encontrar uma pessoa com quem tenha a coragem de desabafar o que sofro. Mas sei que vou sentir muito sua falta, minha querida vovó!

Domingo, 8 de setembro

Elvira não veio aqui quando vovó morreu, porque está doente. Mas me escreveu uma carta tão sincera! Hoje respondi a ela:

"Querida Elvira. Recebi sua carta tão boa, tão amiga, pela morte da minha adorada vovó. Eu logo vi que você estava doente quando não apareceu aqui para o enterro. Eu não duvidava um instante da sua amizade. No dia eu confesso que não dei por falta de ninguém. Também eu estava tão amargurada com a perda de minha avozinha e a casa se encheu tanto, que não pude reparar em quem estava.

"Li e reli sua carta, Elvira, e tive inveja de você saber adivinhar e escrever tanta coisa que está no meu coração. Parece até que você conhecia vovó mais de perto. Só uma pessoa de dentro de casa poderia dizer as coisas que você disse na sua boa carta e que, eu lhe juro, são a realidade pura. Não acredito que haja pessoa melhor do que foi vovó. Durante os anos que a conheci, só fez bem a quem pôde. Conheço todas as casas de Diamantina e nunca vi em nenhuma a romaria de pobres que havia sempre na casa de vovó; e ela sempre tratando a todos com tanta bondade que eu ficava admirada. Eu costumava me aborrecer tanto com as queixas das velhas que recorriam a ela, que muitas vezes lhe perguntei se ela não ficava aborrecida de tanta lamúria. Ela respondia: 'Não, minha filha. Coitada! Ela precisa de se queixar a alguém. E você também não deve falar; é falta de caridade'.

"Todos dizem que vovó viveu muito e eu penso que ela deveria viver mais. Você não imagina como sofro quando abro os olhos, de manhã, e me lembro que vovó já não existe. Tenho até inveja das outras primas a quem ela não estimava tanto como a mim. Sempre pergunto a mim mesma por que ela me queria tanto e não encontro a razão; nunca fiz nada pensando em agradá-la e às vezes me contrariavam os cuidados excessivos dela. Remorsos não tenho, felizmente, pois apesar de meu gênio arrebatado e desobediente, ela via o bem que eu lhe queria.

"Muito obrigada, Elvira, da sua amiga certa,

Helena".

Terça-feira, 10 de setembro

Maria Balaio me chamou hoje na Escola para me dizer que foi à missa de sétimo dia de vovó, e que ela e a mãe rezaram um terço por alma de vovó. Fiquei tão comovida que quero deixar o nome dela aqui no meu caderno. Ela é tão boazinha!

Quando saíamos para o almoço, íamos quase sempre juntas até a descida da Cavalhada e mais de uma vez eu lhe disse: "Maria, se eu não encontrasse o meu prato já feito, no fogão, eu te convidaria para almoçar. Eu acho muito longe para você ir ao Cruzeiro e voltar". Ela dizia: "É longe, sim, Helena; mas que hei de fazer?". Contando a Seu Marcelo a pena que me fazia vê-la ir todos os dias ao Cruzeiro almoçar, ele ficou com dó e disse a Maria Antônia que a levasse para almoçar com eles. Como eu gostei dessa lembrança! Nem que fosse um benefício a mim eu estimaria tanto.

Graças a Deus Maria Balaio vai seguindo seu curso. Tudo com simplesmente, é verdade; mas ela é pouco inteligente e é com muita dificuldade que tem conseguido ir passando nos exames.

Só eu na Escola conheço a sua vida pois a mãe, Siá Joaquina Balaio, é lenheira e mamãe costuma comprar a lenha dela. Gosto muito de ver o esforço que ela e a mãe fazem, coitadas, e se há um passeio aonde vou com prazer é ao Cruzeiro, só para ir ao rancho delas. Se eu disser que lhes invejo a sorte ninguém acredita; mas se elas vivem a vida de que eu gosto! Moram num rancho que não dá trabalho para arrumar e no meio de um campo largo com uma vista maravilhosa! Nem sei como elas tiveram ideia de fazer ali o seu ranchinho. Só há lá o delas e elas não têm o menor medo, pois são protegidas pelo Cruzeiro que é muito próximo. O cômodo é um só, com um jirau e um colchão de palha para as duas e um caixote para assentar. O fogão também é no quarto e elas me disseram que no tempo de frio se aquecem muito bem com canela.

Maria, para escrever, senta-se no caixote e escreve na cama, com canela de azeite num prato de barro. A cama é coberta de uma colcha de retalhos. Os retalhinhos são tão pequenos, que a gente admira a paciência da mãe dela de ajuntá-los e coser.

Para estudar ela prefere o adro do Cruzeiro quando não chove. Elas me disseram que se Deus não mandasse chuva nada as aborreceria; a chuva é que é triste, não só para a mãe ir ao mato buscar lenha, como para Maria subir do Cruzeiro até a cidade e voltar. No mais a vida lhes corre como a de todos nós.

A mãe traz todos os dias um feixe de lenha que vende por quinhentos réis. Além disso elas criam galinhas. Quando os pintos são pequenos e está chovendo, elas os recolhem no quarto. As galinhas vivem soltas, empoleiram nas árvores e botam em ninho à roda do rancho. Os ovos, elas comem alguns e vendem os outros. De vez em quando comem um franguinho; mas a mãe dela me disse que a criação é só para os sapatos de Maria, que gasta por mês um par, de cinco mil-réis. No mais o dinheiro da lenha dá para viverem.

Domingo, 15 de setembro

Mamãe é muito feliz; em toda situação logo se lembra, não digo de Deus, pois nunca a vejo rogar a ele, mas dos santos. Por que será mesmo que ninguém pede as coisas a Deus, sendo ele o soberano? Quando não é aos santos é a Nossa Senhora. Só vovó eu ouvia de vez em quando dizer, assim mesmo em caso de briga de tio Joãozinho: "Ó meu Deus, valei-me!". No mais era santo ou Nossa Senhora; Deus, Jesus Cristo, Padre Eterno, nunca. Mamãe é a criatura mais crente do mundo e não perde ocasião de aproveitar milagres de santo novo. Qualquer novidade de igreja ou de santos tinha que vir em primeiro lugar para a casa de vovó, que era frequentada por todas as beatas de capona da cidade.

Tenho ouvido tanta coisa a respeito de proteção dos santos e das almas, que estou mesmo acreditando num auxílio invisível. Vem-me à memória neste momento um caso acontecido na minha infância, que pode confirmar isto.

Eu talvez tivesse sete ou oito anos, não me lembro bem. Encontramos uma goiabeira carregada e subimos, eu e Luisinha. Ela comeu mais do que eu ou talvez já tivesse comido outra coisa que fizesse mal. Estávamos num rancho na Boa Vista, na lavra de meu pai, e Luisinha acordou de noite com uma cólica de estrebuchar. Ninguém podia lhe dar alívio nem mesmo com panos quentes, porque a cozinha era fora e estava chovendo muito.

Nessa ocasião tinha morrido Cacilda Pimenta. Era filha de Joaquim Coelho mas tirou o nome da mãe que era Mariquinha Pimenta. Ela morreu tísica no Colégio das irmãs e logo correu pela cidade que ela tinha ido para o Céu e que os padres e as Irmãs acreditavam que ela tinha virado santa, pois sofreu com a maior resignação. A santidade de Cacilda cresceu tanto, que em pouco tempo já havia pessoas que tinham visto a nuvem carregar a alma dela para o Céu e o Céu abrir-se para recebê-la. Só se falava nos milagres de Cacilda.

A cólica foi nessa ocasião. Mamãe ajoelhou-se e rezou uma oração a Cacilda, pedindo-lhe que melhorasse Luisinha. Lembro-me que eu, por tê-la conhecido, não tive a mesma fé de mamãe e lhe disse: "Mamãe, peça a outro santo mais milagroso". Ela respondeu: "Não. Vamos ver. Quem está fazendo milagre agora é Cacilda".

Daí a pouco Luisinha melhorou e eu acabei tendo confiança nos milagres de Cacilda.

Domingo, 22 de setembro

Dindinha é a tia mais querida da família, não só das irmãs como dos sobrinhos todos, que a tratam de Dindinha.

João Antônio que é sobrinho, mas foi criado por ela como filho, conta que ouviu o Dr. Mata Machado falar na beleza de Dindinha no palácio dele da Tijuca, no Rio de Janeiro, quando ele era Presidente da Câmara dos Deputados, com a mesa cheia de ministros e políticos. João Antônio diz que quase estourou de inchação, quando o Dr. Mata contou que ele era como filho dela e todos olharam para ele.

Dindinha está viúva há mais de vinte anos e até hoje suspira de saudades do marido. Às vezes, quando se faz um silêncio no quarto, Dindinha, que vive sentada em frente da almofada de renda batendo os bilros, solta um suspiro: "Ai, Clarindo!". E sempre uns suspiros tão profundos que fazem pena na gente.

A história de Dindinha é tão triste que eu quero deixá-la escrita no meu caderno.

Meu avô aceitava para as filhas o marido que lhe agradasse e as casava sem consultá-las. Ele tinha dez filhas. Os pretendentes pediam às vezes uma das filhas e ele respondia: "Esta, não; está muito moça. Vá aquela que é mais velha".

Todos pediam Dindinha e ele guardou-a para o fazendeiro mais rico da redondeza. Ela gostava de um primo, e quando soube que estava prometida em casamento a outro, chorava sem parar dia e noite, sempre fazendo novenas e se apegando com todos os santos. Diz que fez todo o enxoval rodeada das escravas no salão, como era costume, tirando ladainhas para as escravas responderem, pedindo a Deus que acontecesse ao homem qualquer coisa para ele não vir casar.

Chegou o fim do ano e começaram os preparos para os casamentos dela e de tia Carlota. Vovô então escreveu ao fazendeiro marcando a data e avisando que devia estar na Lomba para o Natal, para se casar. O homem respondeu a vovô pedindo se não era possível dar-lhe mais um mês de prazo para acabar as colheitas que estavam atrasadas aquele ano. Vovô respondeu desmanchando o casamento. O primo aproveitou, fez o pedido e vovô aceitou.

Dindinha contando a lua de mel dela nos campos do Guinda, os campos mais lindos da Diamantina, é da gente ter inveja. Ela ia levar tio Clarindo, abraçados os dois pelo campo afora, até a lavra dele. Voltava para fazer bolos ou biscoitinhos fritos para levar-lhe de merenda e voltavam à tarde abraçados de novo.

No fim de dois anos ele morreu de colerina e deixou uma filhinha de seis meses. Dindinha voltou para a Lomba, entrou para o quarto e chorou um ano inteiro sem sair. A filha adoecendo, ela saiu do quarto para tratá-la melhor mas a filha também morreu.

Dindinha entregou-se à dor e nunca mais pensou noutro homem, apesar de ter ficado viúva de vinte e dois anos. A vida dela, daí por diante, foi um rosário de sofrimentos. Ela sabe que nasceu para sofrer e se resigna.

Domingo, 29 de setembro

Estou vindo da missa onde estive pensando o tempo todo em vovó e na bondade dela comigo. Veio-me à lembrança um caso de quando eu tinha uns sete anos; e apesar do esforço de vovó, eu sofri uma grande decepção. Nessa idade eu tinha sempre que invejar as minhas primas, não só por ser a mais pobre da família como por ser mamãe tão diferente das minhas tias. Mamãe sempre quis que eu sobressaísse às primas no estudo, no trabalho e nos modos; e nunca avaliou o que eu sofria de inveja dos vestidos e calçados das outras. Mas nunca minha inveja era tão grande como quando eu via minhas tias vestirem as primas de Virgem com o vestidinho branco, uma fita no cabelo e grinalda na cabeça e mandarem os irmãos mais velhos: "Podem seguir, está na hora!". Cada um dava a mão a sua irmã menor e lá iam os quatro pares para a igreja, à espera de entrarem na ala, cada menina com sua vela acesa na mão.

Eu nunca tinha vestido de Virgem e nunca esperava vestir.

Mas a inveja que eu tinha das primas era tão grande que eu hoje vejo que dava na vista, do contrário vovó não pensaria em fazer o que fez.

Nas vésperas de uma procissão das Mercês, vovó chamou a costureira e encomendou um vestido branco para mim. Nunca poderei esquecer a ânsia com que esperei o dia da procissão, em que eu iria entrar na ala com as primas e ganhar como elas um cartucho de papel de seda repinicado, cheio de manuscritos.*

Chegou o dia esperado. Na véspera mamãe me fez ficar sentada uma hora inteira na maior impaciência, enquanto ia tirando pequenas mechas de meus cabelos, passando laranja-azeda e enrolando em pedaços de papel. Não sei por que mamãe fazia aquilo; eu ficava tão mais feia de cabelo encaracolado. No dia seguinte fomos todos logo depois do almoço para a Chácara de vovó, eu, mamãe e meus irmãos. Renato com inveja de minha felicidade ia me amolando: "Olha a cara dela, como está contente! Com essa cara de ovo de tico-tico você vai fazer papel de boba".

Eu tinha sardas, mas nunca sofri por isso, apesar dos debiques de Renato. Até esta idade não tenho vaidade. Irei ter algum dia?

Minha alegria era tanta que perdi a fome e vovó me ameaçou: "Se não jantar não vai!".

Engoli um prato de comida às pressas. A ansiedade com que me vestia fazia todos rirem. Minhas tias iam nos dizendo: "Vistam-se depressa que o sino já tocou a primeira vez". Eu quase não respirava de aflita. Chegou a hora da saída e já os primos estavam à espera das irmãs para as levarem. Nessa hora é que mamãe e vovó pensaram nisso: eu não tinha quem me acompanhasse porque Renato estava sem botins.

O desapontamento que senti foi tão grande quando vi as primas saírem sem mim, que obriguei vovó a um esforço que só por mim ela faria. Ela disse: "Dê cá o braço, minha filha". Pe-

---

* Manuscritos: confeitos de cacau.

gou-me do braço e da bengala e foi andando, com dificuldade, sem eu saber para onde. Minha tristeza era tanta que me tirou a vontade de falar.

Vovó parou na casa da vizinha e da porta já foi gritando: "Dá licença, Mariana?". Ela logo apareceu recebendo vovó com simpatia: "Que novidade a senhora aqui, D. Teodora!". Vovó foi lhe dizendo: "Venho aqui atrás de um de seus filhos para me levar esta menina à procissão, coitadinha!". Dona Mariana respondeu que só estava em casa o Betinho, mas que ele era muito pequeno para vovó ter confiança. Vovó disse que servia, que era só para me acompanhar ao lado; e pondo a mão na cabeça do menino disse: "Vai vestir com pressa que eu te dou uma pratinha".

Só nessa hora eu pude falar: "Vovó, não o mande vestir que não tem mais tempo. A procissão já saiu. Eu ouvi o sino tocar". Vovó respondeu: "Você entra na fila quando ela passar por aqui".

Quando a procissão passou eu entrei na ala, justamente na hora em que Seu Broa repartia os cartuchos. Parece que os cartuchos daquele tempo eram maiores que os de hoje, uns cheios de manuscritos e outros de amêndoas. Os de amêndoas eram para os padres, cantores e pessoas mais importantes. Valiam mais do que três dos outros e eu me lembro da inveja que tinha dos que ganhavam deles. Mas o demônio do Broa passou e seguiu sem me dar o cartucho. Betinho largou a minha mão e correu para reclamar, mas inutilmente. Voltou desapontado, dizendo-me que não ficasse triste que ele arranjaria outro no dia seguinte.

O que senti não foi só tristeza de perder o cartucho, foi o desapontamento. Já estava ouvindo meu irmão dizer: "Olha a cara dela! Quem havia de dar cartucho a essa cara pintadinha!".

Foi esta a maior decepção da minha infância.

Hoje vejo que essas decepções da infância me serviram para ensinar a ter paciência, para suportar na Escola muitas injustiças dessas aduladoras dos professores.

Quarta-feira, 2 de outubro

Renato entrou em casa como uma fúria; tinha brigado com um português chegado há pouco, que está empregado como caixeiro na loja de Seu Cadete. Foi entrando e me dizendo: "Já briguei com o Manuel do Cadete por sua causa. De agora em diante passe por ali com a cara séria. Não fique andando pela capistrana com as outras sempre rindo como vocês fazem. Você está ficando moça; é preciso ter modo na rua. Por essas e outras é que eu ouço dessas coisas".

Fiquei desapontada, sem compreender.

Mamãe perguntou:

— O que foi?

Ele disse:

— Eu fui comprar um caderno na loja do Cadete e o Manuel me perguntou: "Quem é aquela rapariga que vai ali?". Olhei, era Helena. Então eu lhe disse: "Aquela é minha irmã e não admito que você a chame de rapariga. Se repetir isso eu lhe quebro a cara". Ele ficou muito desapontado e veio com a desculpa de que falou assim porque em Portugal eles chamam as moças de família de raparigas, em vez de moças. Mas eu vi bem que era invenção dele para se desculpar.

Eu disse a Renato que ele é um tolo e fez uma coisa muito malfeita. Na casa de Seu Antônio Eulálio, Seu Ramos, que é português, só chama as cunhadas e as moças que lá vão de raparigas e ninguém acha nada de mais.

Sexta-feira, 11 de outubro

Hoje Maria Antônia me convidou para ir à sua casa comer pequis. A única casa em que a gente pode se fartar de pequis, mangabas, mangaritos e outras coisas da roça é a casa de Seu Marcelo, porque ele recebe aos alqueires de uns amigos do Mendanha.

Fui com ela. Chegando lá estava a loja cheia de professores.

Seu Marcelo foi virando para eles e dizendo: "Esta inglesinha não larga Maria Antônia. Ela é muito vadia e Maria Antônia vive pelejando com ela para estudar". Maria Antônia desapontou, subiu correndo a escada e eu atrás. Chegando ao quarto dela eu lhe disse: "Que história é essa de seu pai dizer que eu sou vadia e você é que me faz estudar?". Ela respondeu: "Eu não lhe digo nada, ele é que pensa".

Comi muito pequi e vim-me embora para casa. Ela pelejou para eu ficar para jantar e eu não quis, para aproveitar a raiva com que estou do pai dela e vir escrever aqui umas coisas que eu tinha vontade mas não tinha coragem, pensando ser falsidade. Mas hoje vai tudo.

Já se viu maior bobagem do que aquele quadro que Seu Marcelo pendura na sala de visitas com as notas de Raimundo, *simplesmente*, do primeiro ao último ano?

E as tonteiras de Siá Matilde? Aquilo tudo é muita começão; e quanto mais come mais ele quer que ela coma. Siá Matilde é a mulher mais feliz que eu já vi na vida. Seu Marcelo só vive para satisfazê-la, ou aliás para entupi-la de comida. Na nossa família até hoje se conta o caso do casamento de Ilídia. Seu Marcelo pediu uma vasilha para mandar "o jantar da Matilde", e entrou na despensa para procurar; encontrando uma quarta, encheu-a de tudo e mandou para casa.

Tio Conrado tem na sacada da sala de visitas um caixote com um tomateiro, que é mais sagrado do que hóstia para ele. Pois Siá Matilde passando por lá e vendo os tomates vermelhinhos logo desejou, e Seu Marcelo foi pedi-los a tio Conrado. Não há casa em que Seu Marcelo não peça um pratinho para "desenfastiar a Matilde". Eu que vivo lá é que vejo o fastio dela. Maria Antônia já acorda com o pau de chocolate na mão para bater o chocolate bem batido. É um chocolate que leva ovos, leite e não sei mais o quê; só sei que é grosso e muito gostoso. Maria Antônia costuma deixar um restinho na caçarola para mim, e juro que a única hora em que eu queria ser Siá Matilde é a hora do chocolate da manhã. Ela não acabou de tomá-lo e já está Seu Marcelo na cozinha recomendando à cozinheira "o almoço de Matilde". Vão no almoço e no jantar sempre três panelinhas: uma com um arrozinho especial, outra com um franguinho de molho pardo ou com quiabo e outra com abobrinha ou palmito ou qualquer verdura. Ela sempre dizendo: "Que suplício!" vai comendo as três panelinhas e depois bebe um martelete de vinho da doente. Esse vinho Dr. Álvaro disse que "era bom para doente" e na mesma hora foi separado com o rótulo "Vinho da doente" nas garrafas. Depois disso ela toma dois ovos e mais outro cálice de vinho por cima. Não serão disso as tonteiras? Na hora do jantar a mesma comilança, sempre se queixando de falta de apetite.

De noite todos nós tomamos canjica com rapadura e ela toma um copo de leite que Maria Antônia prepara; põe na caçarola três garrafas de leite para reduzir e dar dois copos.

E o piano de Lauro? Sabe tocar, mas só no piano dele.

Se for escrever tudo, meu caderno não chega. Deixo o resto para outro dia de raiva.

Segunda-feira, 14 de outubro

Chegou de Montes Claros uma irmã da nora de tia Clarinha e foi visitar tia Agostinha no Jogo da Bola. Ela é bonita, simpática e veste-se muito bem. Ontem fomos todos passar o dia no Jogo da Bola, e foi um acontecimento a visita da moça de Montes Claros. Ficaram as tias todas admiradas da beleza da moça e de seus modos políticos de conversar. Falava explicado e tudo muito correto. Dizia "você" em vez de "ocê". Palavra que eu nunca tinha visto ninguém falar tão bem; tudo como se escreve, sem engolir um *s* nem um *r*. Todas nós ficamos de boca aberta e com medo de falar perto dela. Tia Agostinha mandou vir uma bandeja de uvas e lhe perguntou se ela gostava de uvas. Ela respondeu: "Aprecio sobremaneira um cacho de uvas, Dona Agostinha". Essas palavras nos fizeram ficar de queixo caído. Uma moça de Montes Claros dizer uma frase tão bonita! Depois ela foi passear com outras e Iaiá aproveitou para lhe fazer elogios e comparar conosco. Ela dizia: "Vocês não tiveram inveja de ver uma moça de Montes Claros, lugar muito menos civilizado que Diamantina, falar tão bonito como ela? Vocês devem aproveitar a companhia dela para aprenderem. No nosso tempo era Mariquinha Pimenta que nos ensinava. Foi ela que nos ensinou que se falava bispote em vez de outra palavra. Nós ficávamos prestando atenção para aprender as palavras empoladas. Hoje vocês não prestam atenção a nada, falam tão corriqueiro!". Fui eu que respondi: "Hoje nós temos professor de Português e não precisamos aprender com as outras. Vou aproveitar a frase para minha redação de amanhã, e quero ver se o professor vai gostar".

Na hora do jantar eu e as primas começamos a dizer, para enfezar Iaiá: "Aprecio sobremaneira as batatas fritas", "aprecio sobremaneira uma coxa de galinha".

Terça-feira, 15 de outubro

Morreu a semana passada Zezé Leme. Essa família era estimada e considerada em Diamantina, mas nunca eu soube que entrasse ninguém de fora na casa deles.

Ele era aleijado e andava de muletas. A mulher, uma mulher digna, religiosa e boa. As filhas: uma, normalista muito preparada e professora não só de piano como do curso normal; a outra, talvez a melhor aluna da Escola atualmente.

Quando alguém se referia a esta família era sempre para elogiar a bondade, inteligência e sossego delas. Todos os julgavam muito felizes, apesar de o homem não ter perna.

Morreu há poucos dias. No dia seguinte correu pela cidade que ele deixou testamento com uma grande descompostura na mulher e na filha mais velha, e só elogiava a mais moça.

Será possível tanto mistério nesta vida?

Sábado, 19 de outubro

Hoje foi aniversário de Maria Antônia. Como ela não podia nos receber em casa, combinamos nos reunir e fazer uma merenda juntas, mesmo na Escola. Cada uma levaria uma coisa de casa.

Chegamos lá com uma porção de coisas boas: bolos, pés de moleque, biscoito, queijo, bananas e doces. Combinamos faltar à aula de Francês das três às quatro, e nos reunirmos todas no salão a essa hora para a merenda. Guardamos tudo bem guardado no armário de trabalhos e fomos descansadas para as aulas. Eu nunca penso em comer na Escola, mas hoje sabendo das coisas que tínhamos guardadas, já tinha até fome antes da hora.

Chegando as três horas nos reunimos todas no salão, e Elvira foi incumbida de ir buscar as coisas no armário. Voltou desapontada, dizendo não ter encontrado nada. Corremos todas para ver e só achamos os papéis vazios. Ficamos muito desapontadas e saímos com Jeninha para tomar café na casa dela. Lá soubemos, por Laurinda, que foram as alunas do quarto ano que nos pregaram aquela peça. Ficamos com muita raiva, mas tivemos de engoli-la para não dar gosto às outras.

Domingo, 20 de outubro

Quando vovó morreu, Fifina teve de procurar seu cômodo. Alugou uma casinha por dez mil-réis por mês e ajuntou-se com outra companheira que paga a metade.

Ela só almoça em casa e cada dia janta numa casa diferente. Depois do almoço ela carrega um trabalho de agulha para fazer e vai para a casa dos outros. Senta-se numa cadeira e ali fica bordando ou fazendo crivo e contando, na casa em que está, o que ela viu nas outras. Toma seu café às duas horas, janta, continua na prosa e às nove horas vai para casa dormir. É essa a vida dela.

Depois da morte de vovó ela deu para mexer nos guardados

sempre que precisa de dinheiro, e vende uma coisa qualquer. Já vimos lençóis bordados, toalhas de crivo e até talheres de prata que ela tem vendido.

Hoje fui ouvir missa na Igreja do Carmo. Acabada a missa desci para a casa de Dadinha para fazer-lhe uma visita. Ao entrar dei com Fifina sentada numa cadeira, na sala, com uma brecha na testa a escorrer sangue e tremendo de fazer pena. Dadinha e Podina sem saberem o que fazer com ela. Perguntei o que havia acontecido e elas disseram que Fifina tinha rolado a ladeira e caído com aquela brecha perto da porta delas, e umas pessoas que passavam a levantaram e levaram para lá.

Eu fiquei morta de pena de Fifina e fui buscar água para lavar-lhe o rosto. Na cozinha perguntei a Dadinha: "Por que você não a manda deitar na sua cama? Ela está tremendo tanto, coitada!". Dadinha respondeu: "Você não se lembra que sua avó a acomodou por uma noite e ela ficou lá até sua avó morrer?". "Mas na sua cama ela sabe que é sua, que você não tem outra, e não fica", disse eu. Dadinha disse: "Não me fio nisso. Ela faz manha e depois fica difícil para me livrar dela. Essa tremura mesmo já é manha. Depois que você mostrou pena ela piorou".

Coitada da Fifina, viver de déu em déu sem ter onde entrar. Como ela deve ter sentido a falta de vovó!

Terça-feira, 22 de outubro

Ontem morreu no Biribiri o Dr. Joaquim Felício dos Santos. A conversa na mesa foi sobre ele. Meu pai e mamãe o conheciam há muitos anos e gostavam dele. Meu pai diz que ele era um homem muito inteligente e ilustrado e contou a história de uma visita que fez a ele. Ele morava nesse tempo na Chácara das Bicas e meu pai contou que indo lá com tio Joãozinho uma manhã, ele os convidou para almoçar e depois irem pescar. Era a única distração que ele tinha nas Bicas; fora disso trabalhava o dia inteiro num código civil que o governo o incumbiu de fazer. Depois do almoço foram eles e mais Moisés de Paula, que não saía de lá, todos com vara e anzol, acompanhando o Dr. Joaquim Felício para o rio. Ficaram lá um tempo esquecido com os anzóis dentro da água esperando peixe, mas não saiu nada. Na volta tio Joãozinho disse a meu pai que ele espera a vida inteira, com toda paciência, pescar um peixe, mas nunca conseguiu fazer um cair no anzol. Se eu estivesse lá o aconselhava a pescar lambaris com peneira. Eu também nunca consegui pescar um só que fosse de anzol.

Estivemos lembrando na mesa também de uma distração de mamãe. Não foi mesmo distração. É que mamãe ouvindo sempre falar no Dr. Joaquim Felício como um homem muito ilustrado, pensava que ele só vivesse da sala para o escritório. Nunca o tinha visto fora de casa. Estávamos no Biribiri o ano atrasado e depois do almoço era obrigação sairmos todos fazendo visitas às filhas de Dona Mariana. O Dr. Joaquim Felício era genro dela. Dona Mariquinha contava a mamãe que "Joaquim" foi subir num banquinho para apanhar uvas na parreira e levou uma grande queda e ela tinha levado muito susto, por ele já estar velho e ser perigoso queda em pessoas de idade. Mamãe não compreendeu que ela falava do marido e quando foi passando um negro velho de muletas mamãe perguntou: "Foi este que caiu?".

Domingo, 27 de outubro

Dr. Teodomiro é um dos professores de que nós todas gostamos na Escola. Eu desejava conversar um dia com ele, mas não sei como hei de conseguir isto. Na Escola ele é tão retraído que não dá liberdade nenhuma às alunas, apesar de ser o único que nunca reprovou nenhuma. Ele é diferente dos outros em tudo. Todos os outros entram nas aulas sem passar pelo salão de recreio. Ele há de passar pelo salão, sempre perfumado e com um sorriso para as alunas. Há dias, passando pelo salão de recreio, na hora que não esperávamos, ele me encontrou em pé em cima do banco fazendo um discurso às colegas, que é uma das coisas de que elas gostam. Por coincidência o discurso era chamando a atenção das colegas para o pouco-caso que fazem das aulas dele, sendo que ele é tão bom para todas nós. Falava no Dr. Teodomiro e no perfume dele quando ele passava. Fiquei desapontadíssima, mas notei que ele não ficou aborrecido. Dizem que ele é esquisito em tudo, que vive sempre com a casa fechada, e para entrar lá é preciso bater com o dedo ou com a bengala na rótula e dizer o nome.

Quarta-feira, 30 de outubro

Para que inspetora na Escola é que não compreendo. Quando há uma brigazinha qualquer ou mesmo uma casca de laranja no chão, já se vai chamar o diretor para repreender. Siá Balduína é só para ficar arrastando a antipatia e a importância dela de salão em salão, com aquela barriga tendo um filho todo mês e aquela cara amarela sem um dente na frente, metendo-se onde não é chamada.

Oh mulherzinha crua! Sempre tive antipatia dela mas hoje estou com ódio.

Estávamos numa roda, conversando muito despreocupadas da vida e Jeninha disse: "Você sabe, Helena, que Inhá vai se mudar?". Eu perguntei para onde e ela disse: "Não sabe ao certo; já tem várias casas em vista: a da esquina da Rua da Quitanda, a de Juca Leite na Rua do Bonfim e a de Dona Marcela, aquela grande ali em frente à Escola. Ainda não se decidiu". Eu logo disse: "Qualquer das outras, menos a de Dona Marcela que é muito grande e antipática". Nem me lembrei que Siá Balduína é filha de José Teixeirão, marido de Dona Marcela. Siá Balduína, que tecia crochê a pouca distância, gritou bem alto: "Não sei como uma antipática como essa Helena tem coragem de chamar as coisas dos outros de antipáticas. Isso é só inveja, porque mora numa biboca de casa e a avó, que tinha fama de rica, morreu naquela arapuca da Rua Direita. Por isso ela não perdoa a ninguém ter casa bonita e grande como a de meu pai". E continuou por aí sem parar de xingar.

Mas a alma de vovó me protege nessas ocasiões. Nessa hora bateu o sino para a entrada da aula e eu disse às outras: "Com esta podemos nos retirar". E virei para Siá Balduína: "A senhora tem toda razão. É inveja mesmo". E entramos para a aula.

Domingo, 3 de novembro

Combinaram minhas tias ir passar o dia de Finados, ontem, no Curtume. Desde a ida de tio Antônio Lemos e tia Florinda para Montes Claros, ninguém mais voltou ali. O Curtume lhes pertencia e eles iam para lá todos os sábados e voltavam segunda-feira cedo.

Meus tios quase nunca iam sem mim que devia ter uns nove anos, ele por ser eu a sobrinha de quem mais gostava e ela para me fazer de criada naqueles dias. Lembro-me dos dias alegres que passei ali, apesar dos serviços pesados que tinha de fazer. O tira-jejum da manhã era paçoca de carne-seca com café. Depois do café a obrigação de pilar arroz, catar feijão, molhar a horta, e tudo era minha. Quantas vezes meu tio não foi à cozinha tirar-me do serviço para me levar ao curtume e ao laranjal, dizendo: "Deixe o serviço para elas, não seja tola. Vamos passear".

Por essas atenções eu tinha por ele uma estima especial até o dia em que Antenor morreu. Durante o jantar meu pai e mamãe só falaram na desgraça de meus tios: "Coitados! Gastaram tudo quanto tinham para formarem aquele filho e ele, quase a terminar os estudos, morrer assim de febre amarela no Rio, longe dos pais!". Eu ouvia aquilo com muita pena de meus tios, principalmente de tio Antônio que não me deixava trabalhar.

À noite fomos à casa dele. Estava toda a família reunida no quarto chorando, e Antoninho, o filho mais velho, junto deles. Diziam que meu tio era maçom e eu fiquei pasma de ouvi-lo exclamar: "Não sei como se pode crer num Deus tão injusto como esse em que vocês acreditam! Se ele queria matar algum de meus filhos, por que não levou o Antoninho?".

Antoninho ali perto baixou os olhos, levantou-se e saiu. Eu

fiquei com tanta pena dele que fui atrás e lhe disse: "Não importa não, Antoninho, todo mundo gosta muito de você". Ele respondeu: "Como na nossa família sai uma menina como você, Helena?" e me carregou e beijou, com os olhos cheios de lágrimas.

O Curtume hoje está abandonado. Achamos tudo muito triste e resolvemos não voltar mais lá.

Quinta-feira, 7 de novembro

Escrevendo há dias sobre tio Antônio Lemos, veio-me à memória uma das maiores impressões da minha vida.

Estávamos passando os dias em casa de tio Geraldo que andava muito doente, e só vínhamos para a casa de noite para dormir; meu pai ainda ficava lá com ele. Este meu tio e meu pai são amigos inseparáveis, não passam um sem o outro. Quando meu pai não está na lavra está junto com tio Geraldo, que é irmão de mamãe.

Quando ele adoeceu, mandou à lavra atrás de meu pai, que veio logo e ficou à sua cabeceira dia e noite. A comida em casa desse tio rico era pouca para tanta gente, pois além de nós estavam lá Dindinha e Iaiá Henriqueta com Nico Boi Pintado, que ela criou. Ele se chama assim porque tem muitas pintas no rosto. Eu fugia para a casa de tia Florinda que me fazia de criada, pois não tinha nenhuma, e as filhas estavam estudando para normalistas e não podiam ajudá-la. Lembro-me do pior serviço que eu já tive que fazer na vida, carregar do terreiro água numa lata e subir uma escada comprida para encher dois barris grandes na cozinha. Ela só fazia o almoço e ia para a sala dar prosa a meu tio; a cozinha ficava para eu arrumar. Mas comia bem lá e não passava fome como na outra casa.

De manhã ela me mandava levar o tira-jejum de meu tio: um prato de torresmo com farinha, dois ovos fritos e uma cafeteira cheia de café, para ele ir bebendo como água. Luisinha, sempre mais abelhuda do que eu, um dia em que levava a cafeteira disse: "Vamos na ponta dos pés para ver o que ele fica fazendo no quarto fechado, o dia inteiro". Fomos quietinhas, deixamos tudo na escada e espiamos pelo buraco da fechadura. Que espanto! Tio Antônio Lemos estava em frente do oratório com a janela fechada; o oratório sempre andava fechado e só nessa hora o vimos aberto. Parecia estar dizendo uma missa. Tinha tudo como missa: duas velas acesas, um cálice e ele de pé, fazendo umas gatimonhas que a gente não compreendia. Chamamos, ele abriu a janela, apagou as luzes, fechou o oratório e abriu a porta. Eu perguntei-lhe: "Tio Antônio, por que é que o senhor traz seu oratório fechado? Todos da família são abertos". Ele respondeu: "O meu é diferente".

Outra vez nós espiamos e ele estava queimando uma porção de borrusquês. Queimar dinheiro! Fiquei tonta com tanto mistério e fui atrás de vovó: "Vovó, quero lhe contar um segredo que a senhora vai ficar pasma! Tio Antônio é feiticeiro!". Vovó caiu na gargalhada e perguntou: "Por quê?". Quando eu lhe contei o que tinha visto ela disse: "Eu lhe explico: os borrusquês ele queima porque não valem mais nada; ninguém mais quer receber. O tal oratório deve ser coisa de maçonaria, ele é maçom".

Desse dia em diante fiquei muito ressabiada com esse tio.

Domingo, 10 de novembro

Muita gente aqui em Diamantina tem cisma com casa em que morre uma pessoa. Logo depois da morte de vovó eu falei com Dindinha para voltar para a Chácara, mas ela espera desocupar a casa, que está alugada. Mamãe espera que o comandante se mude, para voltarmos para a nossa casa da Cavalhada, onde éramos tão felizes. Iaiá, graças a Deus, está preparando viagem para ir, antes de acabar o inventário, para Teófilo Otoni, viver com o filho dela que é engenheiro.

Hoje morreu o último negro africano de vovó. Serviu a ela até o fim com toda dedicação. Vovó lhe deixou, numa carta que escreveu, duzentos mil-réis. Para as negras deixou quinhentos.

Também Joaquim Angola não tinha precisão. Penso que foi mais para ele se consolar. Na morte de vovó é que eu vi como ela era querida dos ex-escravos. Este preto vinha da horta todos os dias vê-la e no dia da morte ele chorava de fazer pena, como todas as negras da casa.

Ele me tinha uma amizade que, depois que notei, não pude deixar de retribuir. Nunca outra pessoa da família comeu um cacho de uvas, figos, pêssegos ou outras frutas que saíssem maiores e mais bonitas. Ele as apanhava e escondia debaixo de uma moita. Eu já sabia, e quando chegava da Escola ia à cozinha procurar sua caneca para levar-lhe café, acompanhado do que eu pudesse arranjar. Ia chegando à horta e ele me dizendo: "Óia ali, Sinhazinha, o que seu negro guardou". Eu ia, tirava as frutas e escondia no muro, para ir comendo sossegada.

Eu fiz uma coisa que eu sei que é feia; muito feia mesmo. Mas não estava em mim deixar de fazer. Meu pai diz que me desconheceu, pois me julgava muito atirada e corajosa. Eu respondi que para as coisas da vida, sim; para a morte não.

O pobre do negro não queria morrer sem me ver e só chamava por mim. Júlia, filha dele, veio me chamar para despedir-me dele ontem às nove horas. Não sei por que, não tive coragem de ir. Assim mesmo dormi incomodada. Às quatro horas da manhã, quando tocou o sino para a missa, Júlia sabendo que sempre vamos à missa de madrugada, entrou no quarto e me disse: "Sinhá Helena, a senhora não vai para a missa sem ir despedir de meu pai, que ele não morre sem ver a senhora. Só falou a noite inteira na sinhazinha dele. É melhor a senhora ir de uma vez para ele descansar de penar". Nessa hora eu disse: "É impossível, Júlia; não tenho coragem". Corri para a cama de meu pai e me abracei com ele.

Nunca pensei ter tanto medo na vida. Meu pai disse que se eu fosse uma menina, ainda vá. Mas uma moça de quinze anos, é demais.

Que fazer?

Quarta-feira, 13 de novembro

Volto da Escola ajuizada e com tenção firme de ficar em casa estudando. Mamãe tem toda a razão. Estou mesmo muito vadia.

Mas entro para o quarto, abro o livro, olho as lições e fico pensando comigo: "Eu sei que faço os exames e hei de passar no segundo ano como passei no primeiro. Para que é que se inventou cola? Passei pela escola primária da Mestra Joaquininha, que é uma das boas da Diamantina, e nunca me ensinaram Física, Geometria, nem nada disso. Para ensinar menino burro a ler, meu preparo é suficiente. Para que ficar em cima dos livros fazendo uma coisa tão aborrecida, quando posso estar no Jogo da Bola me divertindo na companhia dos primos? Fiquem mamãe e Luisinha fazendo da vida delas sofrimento; eu vou aproveitar a minha".

Fechei o livro, desci a escada devagarinho e fui voando para o Jogo da Bola.

Voltei ainda agora às nove horas e mamãe quis saber quem me veio tirar dos livros, pois ela tinha me deixado aqui quieta, estudando, e quando voltou da cozinha já não me encontrou. "Quem veio te seduzir naquele instante?" Eu respondi: "Não sei mesmo, mamãe, se foi o anjo mau ou bom". Ela disse: "Foi o mau. Que você deixasse os livros para ir à Chácara quando sua avó era viva, compreendia-se; mas agora na casa de sua tia, só para ficar na charola dos primos, eu não compreendo".

Respondi: "Eu é que não compreendo que a senhora me tivesse criado com liberdade desde pequena e agora queira me prender em casa. É inútil, mamãe, tenho que ir e aguentar este falatório todos os dias. Não há outro jeito a não ser a senhora também ir e deixar dessa bobagem de ficar de noite em casa, à toa, remoendo tristezas".

Quinta-feira, 14 de novembro

Desde que vovó morreu, Dindinha convidou mamãe para ficarmos também na Rua Direita, pois a casa é grande demais só para ela e Iaiá, e também estando todas juntas suportariam melhor a morte de vovó. Mamãe achou conveniente, por ficar perto da Escola e dos outros irmãos, e poder também alugar a nossa casa da Cavalhada. A casa alugou-se logo para o comandante do batalhão, pois é quase em frente do quartel.

A nossa vida, apesar da enorme falta de vovó, ia indo assim assim. Aqui era o ponto de reunião de todos os irmãos e tudo ia em paz até o dia em que trataram de fazer o inventário. Desde que se começou a mexer com inventário a casa virou um inferno. Às vezes eu fico com medo que vovó, lá do outro mundo, veja o que está havendo na família por causa do dinheiro da herança. Só se fala em colação o dia inteiro; até parece exame.

Iaiá, que é a tia mais civilizada que até lê romances e conta à gente direitinho, virou uma demônia por causa do dinheiro. Só agora estou acreditando na conversa de mamãe de que dinheiro traz infelicidade. Mas ela também está brigando e não quer que as outras levem a parte a que ela tem direito. Iaiá e tio Geraldo querem por força que mamãe deixe entrar no inventário umas coisas que vovó lhe deu: brilhantes, escravas e tudo. Aí é que vem a tal colação que eu não entendo. Meu pai em tudo na vida é o mesmo. Mamãe lhe grita: "Você devia ter energia e protestar, Alexandre!". Mas não consegue. Parece até um S. Francisco de Assis assistindo à briga.

Hoje mamãe resolveu ir para o Rio Grande descansar de brigar com Iaiá. Passamos lá o dia inteiro. Quando voltamos, de noite, eu entrei no quarto das brigas para escutar o que Iaiá conversava com as outras. Vendo que elas estavam querendo se juntar para tomarem de mamãe o dinheiro a que ela tem direito, eu entrei na conversa. Iaiá me gritou: "Sai já daqui, lombriga-solitária, se não eu te pego e é de chicote!".

Corri e fui contar a mamãe. Ela não resistiu e foi brigar com Iaiá. Depois mamãe entrou para o quarto e trancou a porta. Iaiá do lado de fora só faltou jogar a porta no chão.

É um inferno a nossa vida aqui. Felizmente o comandante prometeu entregar a nossa casa até domingo.

Domingo, 17 de novembro

O comandante mudou-se ontem e já estamos na nossa casa, graças a Deus. Os exames estão na porta. Nesta época é que eu tenho inveja das colegas estudiosas; não precisam fazer tanta promessa como eu tenho de fazer. Cada pessoa me aconselha um santo. Nunca fiz promessa a Santo Antônio por causa do logro que ele pregou à mamãe. Disseram-me que ele é infalível é para arranjar casamento; que a gente pondo a imagem de Santo Antônio amarrada pelo pescoço dentro do tanque de água e deixando, o rapaz pede. Mas este ano até com ele eu vou me apegar.

Estou fraquíssima. Só sei até agora poucos pontos e os exames estão na porta. Também é tanta coisa para a gente estudar! Eu tenho um defeito comigo: só estudo as matérias de que eu gosto. O meu sistema de não estudar todos os pontos e me fiar na sorte já tem falhado.

Por que eu e minhas amigas havemos de ser tão vadias? Todo fim de ano eu me arrependo de ter ficado na roda delas e faço tenção de me corrigir. No ano seguinte continuo na mesma. Também penso que não vale a pena tanto sacrifício como vejo as outras fazerem. Mercedes esteve me contando o que ela faz e eu vi que me é impossível acompanhá-la. Depois há o ditado que diz: "Mais vale quem Deus ajuda, do que quem cedo madruga". Até agora Deus tem me ajudado, a não ser no primeiro ano que eu repeti. Também eu era muito menina. Mamãe está fazendo uma comunhão reparadora por nossa tenção, para nos sairmos bem nos exames. As rezas dela quase nunca falham. Eu espero passar no segundo ano. Renato é que eu duvido.

Terça-feira, 19 de novembro

Estou vindo da Rua da Glória onde fui visitar minha prima Batistina que chegou do Rio e estava no Biribiri, onde tia Ritinha, mãe dela, mora. Fiquei encantada com minha prima; como é simpática e amável! Ela não passou por aqui quando voltou do

Rio de Janeiro. Foi diretamente para Biribiri. Meu tio levou-a para se educar no Rio onde ela tem uma tia, irmã de caridade e professora no Colégio de Botafogo. Quanto vestido bonito, capinhas de renda e tanta novidade ela trouxe! Veio sabendo falar francês e tocar piano. Ela disse que tio Joãozinho já deixou um piano comprado no Rio para vir para aqui. Esteve fazendo planos de bailes, piqueniques, passeios a cavalo. Eu lhe disse que não contasse comigo antes das férias. Estou em vésperas de exame e já vadiei muito este ano. Ela é mais feliz do que eu, pois já está preparada e não precisa de tirar o título de normalista. Este é o pesadelo que me persegue dia e noite. Também vou ser tão feliz quando me deitar e acordar de manhã sem pensar em escola! A esperança é a melhor coisa da vida. Dá-nos coragem para tudo. Eu faço castelos maravilhosos nos poucos instantes em que espero o sono.

Quarta-feira, 20 de novembro

Na nossa vizinhança morava uma lenheira numa casinha que estava caindo. Ela ia buscar lenha e deixava os dois filhinhos na porta, morrendo de fome e encostados um ao outro por causa do frio.

De menina eu passava para a Escola e lhes dava da minha merenda, fui me acostumando e gostando dos meninos e já pedia às minhas amigas roupinhas velhas para eles e lhes arranjava livros velhos de pinturas. A mãe deles foi também gostando de mim, e para o fim só queria me servir e arranjar coisas para me trazer de presente. Trazia-me cocos, araçás e toda fruta do mato que achava.

A pobre teve de mudar-se para a Palha e lá fui encontrá-la de novo. Já estava com quatro filhos. Os dois primeiros já estão grandinhos e agora estavam na porta outros dois pequenos. Quando eu ia às festas da Palha, pedia a Jeninha algumas coisas para levar aos meninos e continuava a ajudar a mãe, sempre que podia.

Ela costuma passar aqui pela porta com seu feixe de lenha e quando sobra alguma coisa do almoço eu lhe dou; mas a pobre coitada nunca come aqui, sempre leva para casa.

Hoje fui entrando da Escola e Renato já me esperando na porta para dizer: "Sua amiga lenheira lhe trouxe de presente dois leitõezinhos assados; estão na sala de jantar". Sem compreender, corri e fui ver o que era. Estava na mesa da sala uma gamela com dois meninos torrados como torresmo. Mamãe foi explicando: "São seus meninos, coitadinhos, que a Romualda deixou no rancho sozinhos, enquanto ia ao mato com as outras. Quando voltou, encontrou o rancho em cinzas e os dois meninos no estado em que você está vendo. Ela disse que não tem conhecimento e só se lembrou de você na hora em que viu os meninos assim".

Chamei Nestor e pedi que cuidasse do enterro. Foi melhor para eles que vão direitinho para o céu, coitadinhos. A mãe, eu estava pensando como é que ia se arranjar com os outros, sem ter onde entrar. Logo me lembrei e fui correndo à Chácara e pedi a Dindinha deixá-la ficar num dos quartos da senzala antiga, até arranjar outro. Dindinha consentiu.

Dr. Viana entregou a Chácara um brinco de bem tratada. Eles foram ficar com Dr. Teles até arranjarem casa. Dindinha começou a mudar-se hoje.

Sexta-feira, 22 de novembro

Hoje foi o meu primeiro exame deste ano. Fiz exame de História.

As colegas já me tinham dito que para passar em História não era preciso abrir um livro; que se colava na escrita e o quarto de hora que se tem para rever o ponto chega para a oral. Acreditei e fiz como me tinham ensinado. As outras colegas fizeram sanfona para a prova escrita, mas eu fui mais corajosa. Fiquei no banco de trás, abri o livro e estava copiando o ponto sossegada; quando olho para a mesa, vejo Dr. Teodomiro olhando para mim e rindo. Levei um grande susto, peguei o livro e escondi na gaveta. Ele percebeu meu sobressalto, tomou um jornal e tapou a cara para não ver. E não disse nada.

Como se pode ser tão bom como o nosso professor Dr. Teodomiro! Depois meu pai ainda diz que gente escura não presta. Na Escola, pelo menos, os melhores são ele e Seu Artur Queiroga. Os brancos são crus de ruindade.

Na oral só respondi umas datas, embrulhei umas coisas e deste exame já estou livre.

Segunda-feira, 25 de novembro

Que prazer eu tive hoje recebendo uma carta de uma amiga que eu queria tanto. Talvez mesmo pela honra que ela me dava, sendo eu uma menina e ela uma moça de bem mais idade.

A amizade dela comigo veio de eu defendê-la na Escola, numa ocasião em que ela foi suspensa por oito dias. Eu não dei razão ao diretor e falei alto no salão, no meio das outras. Ela soube da minha defesa e ficou agradecida.

Jacinta era conhecida na Escola por Jacinta do Pitanga, pai dela. Este Pitanga é um homem ignorante mas esperto e engraçado nas suas espertezas. É sem inteligência para outras coisas, mas para a vida é águia.

Ele mudou-se para Minas Novas com as duas filhas e deixou a mulher, uma paralítica, em casa de tia Agostinha. Ela conta como foi e é engraçado.

Aproveitando a ausência de Lucas, ele chegou um dia no Jogo da Bola e pediu licença para correr a casa. Minha tia lhe mostrou a casa toda e de repente ele exclamou: "Que boa ideia me veio agora! A senhora está com a casa vazia e muito sozinha com estas duas filhas. Eu vou mandar a Zabelinha para aqui, para lhes fazer companhia. Vocês vão gostar muito dela; ela é muito boazinha".

Antes que tia Agostinha tivesse tempo de responder ele já tinha saído, foi à casa e mudou tudo para a casa de minha tia.

Passou lá com a família toda uns dias e depois ele foi para Minas Novas com as duas filhas e o filho nomeado professor. A mulher paralítica ficou com minha tia ainda meses, um tempão, esperando que ele a mandasse buscar.

Terça-feira, 3 de dezembro

A minha falta de sorte desta vez foi demais! Nunca tive tempo de pensar um instante o que seja Física, mas Antonico Eulálio fez uma coisa do outro mundo para nós. Simplificou os pontos de exame de um jeito que a gente, decorando tudo, pode até fingir que sabe. Eu decorei todos os pontos, tenho todos na ponta da língua e até os aparelhos eu tenho na cabeça. Só deixei o de "Bombas Hidráulicas" porque achei os aparelhos mais complicados, e também porque já estava na véspera, não tive tempo, pensando que seria impossível cair o único que eu não sabia. Sempre tive tanta sorte!

Na prova escrita fiz um papelão! Saiu o "Princípio de Arquimedes", que eu sabia todinho na ponta da língua. Sentei-me no primeiro banco e, para fazer bonito, eu perguntava de vez em quando a Seu Artur Napoleão como se escrevia este ou aquele nome. Certa hora ele me disse: "Você está me espantando com a sua ciência. Quem lhe ensinou tanta coisa?". Eu respondi: "Foi Antonico Eulálio", e continuei a escrever tudo como tinha na cabeça. Por seguro eu decorei até as letras dos aparelhos. Tirei três *ótimos* na prova escrita e fui hoje para a oral.

Na Escola eu sou considerada a menina dos olhos de Seu Artur Napoleão. Ele me trata de modo diferente. Sou a única com quem ele conversa e brinca. Só isto de dar três *ótimos* à minha prova já foi um escândalo. Eu nunca me sentei nos bancos da frente. Só respondo a chamada e passo as aulas dele fazendo crochê. Ele conhece de sobra a minha vadiação, e hoje foi a primeira pessoa que encontrei no saguão já me dizendo, quando eu subia a escada: "Espere, siá vadia? Venha aqui me dizer uma coisa: como é que você deixa a gente pensar o ano inteiro que é a aluna mais vadia da aula e depois entrega uma prova daquelas? Com quem estudou?". Depois perguntou: "Você sabe bem 'Bombas Hidráulicas'?". Respondi: "Muito bem!". Ele disse: "Eu desejo lhe dar uma distinção e tinha receio das 'Bombas Hidráulicas'". Então eu disse: "Por que há de sair esse ponto? São tantos. Há de sair outro qualquer". Ele disse: "Pode sair!". Como ele adivinhou!

A minha vida é cheia de surpresas! Subi a escada pensando que também seria desgraça demais se me caísse esse ponto. Entrei no salão e já encontrei as colegas comentando os meus três *ótimos*; Seu Artur tinha contado a Maria Pena. Umas me davam parabéns, outras diziam: "Não acredito nisso; só se foi cola". Outra dizia: "Eu sei o que é isto. Seu Artur não quer reprová-la e está contando essa história de três *ótimos* porque no oral, mesmo que ela não responda nada, já disfarça. Exame de Física não é como de História que a gente passa sem estudar. Mas como para Helena aqui na Escola tudo é diferente, ela é a querida deles todos, pode ser".

Entrei no salão e esperei a chamada. Caminho para a banca, meto a mão na urna e que me sai? Bombas Hidráulicas.

Foi um escândalo. Subiu-me um nó na garganta e voltei para o meu lugar em pranto. Nessa hora é que eu vi a amizade que Seu Artur me tem. Ele levantou-se, foi ao meu lugar e disse baixinho: "Pode vir fazer seu exame, tolinha. Quem tem três *ótimos* não pode ser reprovada". Eu respondi: "É impossível! Não sei nem uma palavra do ponto!". E vim-me embora.

Também a desgraça não é tão grande. Faço na segunda época e espero tirar minha distinçãozinha.

Domingo, 8 de dezembro

Cheguei da Chácara depois de ter passado o dia brincando e dançando com os primos, desde depois da missa da madrugada até agora de noite.

Mamãe esteve lá só pouco tempo e acha que tudo é demais, entrou no meu quarto e disse:

— Minha filha, quem sabe você acha que o mundo vai acabar? É o que eu penso quando vejo você nessa ânsia de se divertir. Você está começando a vida, minha filha. Não vá com tanta sede ao pote. Vocês hoje começaram a folia às seis horas da manhã. Eu estava lá dentro tomando café e vocês já na sala dançando. Isto está me amofinando muito; não é natural. Tudo que sai do natural escandaliza, minha filha. É preciso pôr um ponto final nessa vida e pensar também nos estudos.

Deixei mamãe falar até parar. Depois respondi:

— Sabe por que a senhora ficou tão nervosa assim à toa, mamãe? É porque em vez de ficar lá vendo a gente brincar e dançar, veio se encafuar nesta casa antipática, trabalhando o dia inteiro, e não quer tirar da cabeça que a vida é de sofrimento. Que mal pode vir para mim passar o dia em casa de minhas tias, brincando e dançando com os primos e primas? Pense e responda.

Mamãe disse:

— Mas é que é demais. Você não faz outra coisa, ultimamente, a não ser brincar e dançar. Depois, você está fazendo exames. Suas colegas, a estas horas, estão em cima dos livros. Amanhã, quando você for para o exame, quer que eu fique de joelhos rezando o tempo todo. Não seria melhor que estudasse?

Mamãe não deixa de ter razão. Amanhã estou chamada para oral de Geometria, mas estou garantida com a nota da escrita. E depois, de que serve o estudo de um dia, e ainda por cima domingo?

Terça-feira, 10 de dezembro

No exame de Geometria eu fui tão feliz que me parece até um sonho!

Catãozinho é outro professor meu amigo. Até me atrapalha a vida porque acha graça na minha vadiação e nunca me obriga a estudar. Quando vovó se mudou para a Rua Direita, eu me acostumei a passar as tardes na casa de Dona Gabriela. Como Catãozinho e Ramalho moram lá, passo as noites na prosa com eles, toda a família sentada na pedreira da rua. Clélia, Edésia e Nícia demoram ali pouco tempo e entram para dentro para estudar. Catãozinho e os outros me dizem: "Não precisa estudar não; fica aí. Nós te levamos às nove horas".

Voltando ao exame. Na prova escrita Clélia me deu o borrão dela e eu copiei. Na oral, nos quinze minutos que temos, Clélia me levou para o canto do outro salão e disse: "Helena, preste atenção, pelo amor de Deus, estes quinze minutos, que você faz um exame bom". Explicou-me os teoremas com tanta clareza, que da segunda vez eu repeti para ela muito bem.

Fui para a pedra. Catãozinho me conhecendo muito bem e sabendo que eu me fio só na memória disse: "Você quer que eu lhe faça perguntas ou quer expor o ponto?". Respondi que preferia expor e expus, um atrás do outro, os três teoremas, sem ele dizer uma palavra. Acabada a exposição ele virou para os outros examinadores e disse: "Eu estou satisfeito. Vocês querem fazer alguma pergunta?". Eles responderam que não. Saí radiante.

À noite, na casa de Dona Gabriela, Catãozinho me disse: "Olhe, eu não lhe dei distinção porque você é muito vadia durante o ano. Mas não pude deixar de lhe dar *plenamente*. Está satisfeita?".

Que é que eu havia de responder?

Quinta-feira, 12 de dezembro

Quando vovó era viva, tia Carlota costumava contar a nós, sobrinhos, os castelos que ela fazia para quando tirasse a sorte grande. Ela dizia: "A primeira coisa que eu farei quando tirar a sorte é comprar uma chácara que tenha muitas árvores: pessegueiros, jabuticabeiras, laranjeiras. Alugarei uma cozinheira, tomarei chocolate todas as manhãs, passarei muito bem de boca, terei muito estadão". Tia Carlota é a única tia gorda e gulosa da família; as outras são magras e comem pouco. Ela continuava com os castelos: "Hei de ter uma vaca muito boa para vender leite e ainda sobrar para casa, um galinheiro cheio de galinhas e frangos e fartura de ovos". Nessa ocasião ela morava em uma casinha de pulga, com uma salinha, um quartinho, uma cozinha de boneca e uma horta pequena. Ia almoçar e jantar na Chácara de vovó e só entrava em casa para dormir. Depois que vovó morreu, não tinha passado um mês, ela comprou a chácara que sonhava, para pagar quando receber a herança. Já tomou alugada, comprou muita galinha e encomendou a vaca. Ela diz que toma chocolate toda manhã e passa do bom e do melhor.

Hoje eu estive pensando nos castelos dela e disse a mamãe: "Tia Carlota não comprou nenhum bilhete e hoje tem tudo que ela desejava com o dinheiro que vovó deixou. Quem sabe se ela já desejava que vovó morresse e fazia estes castelos fiada na herança?". Mamãe disse: "Era isso mesmo. Nós todas ficávamos com raiva quando ela começava a falar com vocês nos castelos dela. Chiquinha um dia até disse: 'Deus é grande que ela não há de realizar esses castelos tão cedo como ela espera. Pode até ser que ela vá primeiro que minha mãe, coitada'".

Sábado, 14 de dezembro

Ontem foi aniversário de Dindinha. Não pude recordar os pontos de Corografia porque vim para casa muito tarde.

João Antônio, que foi criado por Dindinha, chegou do Rio de Janeiro por não poder continuar os estudos depois da morte de vovó. Ele é muito inteligente e podia ter arranjado um emprego para continuar a estudar, mas não quis, para vir agora ficar nesta peleja. Desde pequenina eu tinha inveja dos meninos e desejava ser homem; só agora estou vendo que é melhor ser mulher.

Não sei como João Antônio e Lucas irão se arranjar aqui. Se tivessem completado os estudos poderiam ir para S. Paulo ou outro qualquer lugar. Mas assim não acham que fazer fora de Diamantina.

Meu pai não deixa meus irmãos ficarem sem trabalhar, dizendo que o trabalho só é desonra aqui, porque só os escravos é que trabalhavam e que onde não havia escravos o trabalho é honroso. Na nossa família nunca ninguém deixou um filho carregar um embrulho na rua. Só pensavam em fazê-los doutores. E agora como vai ser?

Dindinha gosta tanto de João Antônio que a gente vê que ela ficou satisfeita por ele ter voltado. Como era aniversário dela, nós da família fomos jantar na Chácara. Sérgio que chegou agora de Ouro Preto em férias, com ares de doutor, apesar do jantar não ser de festa achou que Dindinha devia ser brindada, e que cabia a ele fazer o brinde por ser afilhado. Levantou-se com o copo na mão e todos bateram palmas: "Silêncio! Sérgio vai falar!". Nós, as primas, aguçamos o ouvido à espera do discurso de estreia do nosso primo, que sempre nos deu honra com sua inteligência. Ele começou: "Meus amigos! Levanto meu copo para brindar minha boa e digna madrinha, que está se preparando, está se preparando, está se preparando...". Antes de falar a quarta vez, João Antônio gritou: "Para ir para o Céu!".

Todos caímos na gargalhada e o discurso ficou nisso.

Segunda-feira, 16 de dezembro

Hoje, se vovó fosse viva, fazia oitenta e cinco anos.

A família toda foi à missa e todos, menos os homens, comungamos por alma de vovó. Eu mais pelo prazer que ela tinha sempre que me via comungar; ficava na janela à minha espera quando eu saía da Igreja do Rosário, para me dar um cálice de vinho do Porto. Mas não que passe pela ideia, um instante sequer, que a alma de vovó ainda esteja no Purgatório. Ela era muito boa e só vivia fazendo o bem. Se ela não estiver no Céu quem poderá estar?

Passei o dia muito triste, apesar de procurar me distrair. A vida da família mudou tanto! Não há mais aqueles grandes jantares que reuniam a família toda. Não há mais aquelas ceias que as negras faziam à noite: um tacho de angu e uma panela muito grande, ainda do tempo da escravidão, cheia de frangos com quiabo ou de molho pardo ou de tomatada de carne de porco.

Graças a Deus as brigas do inventário não chegaram para desunir a família. Ainda vivemos amigos. Mas que diferença do tempo de vovó para hoje!

Eu gozava o aniversário de vovó um mês adiantado, pois o passava ocupada em fazer um trabalho para este dia. E era a única neta que tinha essa ideia. Enquanto estava tecendo, eu estava pensando na alegria dela ao receber o meu presente e os elogios que fazia. O último que eu fiz foi uma toalha de crochê muito trabalhada para a mesa do oratório dela. Vovó a olhava de instante em instante e me chamava de mãos de fada.

Se ela fosse viva, nesta hora em vez de eu estar aqui escrevendo, estaríamos todos os primos brincando no gramado da frente da Chácara de "ciranda cirandinha" ou outro brinquedo de roda, até que nossas mães nos gritassem, já tarde, para virmos embora.

O jantar do aniversário de vovó era um acontecimento na família. Era servido em duas grandes mesas. Na sala de jantar ficavam os filhos, filhas, genros, noras e netos maiores; os menores em outra mesa debaixo da parreira. Tudo era feito com fartura: leitões, perus, panelões de arroz, tutu de feijão com linguiça, empadas e o mais. Nem neste dia vovó se esquecia de me guardar dos guisados dela. Os doces eram arranjados num quarto grande pegado à despensa, que um negro já prático enfeitava de bambus, bananeiras e folhagens, fazendo um bosque. Ali ficavam os doces, que as negras começavam a fazer com muita antecedência: geleia de mocotó, canudos, luminárias, manjar, toicinho do céu, pastéis de nata, doces secos e em calda de toda espécie e sequilhos de toda qualidade. Tinha que haver fartura para as filhas ainda poderem levar para a casa. Vinho, vovó encomendava do Rio de Janeiro aos barris e era engarrafado neste mês. Os negros da Chácara, que adoravam vovó, também faziam sua festa no salão da senzala antiga com muita alegria.

Ouço toda gente dizer que neste mundo não há felicidade. Mas eu sei que vovó viveu sempre feliz. Quando tinha um aborrecimento ela exclamava: "Forte coisa!" mas logo depois acrescentava: "Melhores dias hão de vir". E hoje deve estar gozando no céu e dando por bem empregados tanto esforço e sacrifício que ela fez para o conseguir.

Terça-feira, 17 de dezembro

Terminei os exames do segundo ano. Deixei Física para a segunda época, mas estou garantida. Nos outros não houve incidentes. Estou livre do segundo ano; agora é aproveitar as férias. Meu pai escreveu que está dando os últimos retoques no nosso rancho, e como não tenho nada que fazer enquanto espero nossa ida para Boa Vista, vou aproveitando o tempo para ir me distraindo e não perder o hábito de escrever.

Tive convite de Dona Juliana para passar as férias na Palha e sei que me seria muito agradável, pois gosto muito de lá. Mas os planos já estão feitos para a Boa Vista e não podemos mudar.

Ontem Bibiana deu um baile de piano de despedida para nós. Estavam lá, além dos primos, os dois bicheiros. João Antônio nos disse que não devemos lhes dar tanta confiança, pois que bicheiro no Rio de Janeiro é muito desclassificado. Mas eu lhe disse: "Que importa isso? Eles são desclassificados lá, mas aqui são muito bem classificados e por isso não podemos tratá-los mal, sendo eles uns rapazes tão simpáticos". Além disso, só depois que eles chegaram a Diamantina é que a gente vê um movimentozinho de dinheiro. Antes do bicho era só pindaíba. Que boa invenção esse jogo! Só sinto não ter dinheiro para jogar todos os dias. Seu Costa é tão amável que eu me queixando de não poder jogar todos os dias, ele disse que eu podia jogar fiado. Não faço isto; mas que bom se eu tivesse coragem.

Já notei que a alegria que se tem de ganhar no bicho é uma grande bobagem. Só se, depois de a gente ganhar, deixar de jogar. Eu já ganhei umas três vezes, e já se foi outra vez todo o dinheiro. Quando tiro no bicho faço tenção de guardar; mas só comprando uma coisa qualquer, do contrário vai-se tudo de novo. Dizem que eles não demoram em Diamantina porque os negociantes estão indignados e querendo pô-los para fora. Coitados!

Todos no baile só clamaram nossa ida para Boa Vista. Ninguém quer se conformar. Bem mamãe tem razão de nos apelidar de divertimento da família. Confesso que fica satisfeita de ver como todos sentem minha falta. Mas meu pensamento está só no campo, naquele lindo lugar que tem me dado dias tão felizes.

Quinta-feira, 19 de dezembro

Recebemos hoje recado de meu pai avisando que o rancho está pronto. Mamãe já arrumou tudo e vai deixar Siá Ritinha com a chave da casa para ela vir dar comida à gata e às galinhas, na nossa ausência. Mamãe lhe deixa em recompensa os pepineiros cheios de pepinos pequenos, uma abobreira carregada, verduras na horta e uns cachos de banana quase de vez.

Palavra que são as únicas coisas que eu sinto deixar. Mas aproveitei já um bocado dos pepinos. No tempo deles o meu tira-jejum são dois ou três, não muito grandes, com sal. Tenho pena de minhas primas que dizem que pepino é veneno. Elas só o comem cozido e ficam pasmas do que fazemos.

Nunca vi tanta bobagem como na casa de tio Conrado. Como a vida ali é complicada! Tudo tão diverso de nós! Quando eu conto como nós comemos pepino, ele vem com uma lenga-lenga de gente envenenada, que se eu fosse acreditar, seria capaz de privar-me de uma das coisas melhores que há.

Mamãe já mandou Renato matar os frangos para a matalotagem. Toda família tem necessidade de uma pessoa mais corajosa para fazer certas maldades como matar um frango. Se mamãe não tivesse Renato, que seria de nós? Eu, ela e Luisinha não seríamos capazes em nenhuma hipótese. Tudo está prontinho e amanhã, de madrugada, pé na estrada!

Oh delícia!

Sábado, 21 de dezembro

Saímos de Diamantina às sete horas. Almoçamos no caminho, viemos todos bem descansados, apreciando tudo e chegamos aqui devia ser meio-dia. Estamos no nosso rancho e já tudo arrumado. Tivemos que pôr tudo em ordem e ainda não passeamos.

Meu pai reformou o rancho em que estivemos as férias passadas e que ia ser derrubado já, porque está muito próximo do desbarranque. Tio Joãozinho mandou fazer um de telha, com muitos quartos, bem longe do serviço e disse que poderá hospedar a família toda. Ele vai fazer também uma grande festa de inauguração e convidar todos os parentes. Este rancho em que estamos é pequeno e só para dormir. Temos de ir tomar café noutro onde Siá Etelvina cozinha. É muito alegre e tem na frente um lindo pequizeiro. Da porta nós enxergamos todo o serviço e os trabalhadores lavando o cascalho. Meu pai e meu tio estão muito animados. Mamãe diz que ela não se anima antes da hora, porque já está cansada de ter esperança e depois desanimar de novo.

Meu pai diz que aqui não tem chovido e que o tempo levantou. Graças a Deus. Andamos hoje atrás das mangas em Santa Maria. Não encontramos nenhuma mas Emídio deixou recado para trazerem aqui na porta. Meu pai trouxe umas tábuas e arranjou uma mesa para eu escrever. Ele gosta muito quando me vê de pena ou de livro na mão. Mas eu é que não sei se terei tempo aqui. Eu só gosto de viver solta no campo.

Que bom vai ser acordar amanhã na Boa Vista!

Terça-feira, 24 de dezembro

Hoje estávamos todos sentados, moços e velhos, debaixo do pequizeiro, felizes da vida. A tarde estava belíssima, como só aqui na Boa Vista. Passou uma mulher pobre e estendendo a mão para nós disse: "Me favoreçam com uma esmola, pelo amor de Deus!". Lucas, que estava no grupo, e não perdoa nada, perguntou à pobre: "Por que é que você, tão moça ainda, está pedindo esmola, em vez de trabalhar?". Ela respondeu: "Eu trabalhar? Eu sou tão pobre!".

Todos rimos. Depois eu caí em mim e disse: "Não. Ela respondeu bem. Alugar-se para cozinhar? Aqui ninguém aluga cozinheira. Buscar lenha? Aqui ninguém compra. Em que é que ela há de trabalhar? Coitada!". A mulher gostou da minha intervenção e disse: "É isso mesmo, ela é que sabe. Quando a gente arranja um cobrinho, compra um feijão, cozinha e come, e o serviço acaba logo". Tive muita pena da mulher e lhe ofereci ficar conosco ajudando em casa, pois assim ao menos teria seu prato de comida.

Não tenho pena da pobreza de ninguém; só tenho dó é de quem não trabalha. Se alguém quiser me dar um castigo é me obrigar a ficar à toa. Penso que a minha vadiação na Escola é mais por não considerar estudo como trabalho. Eu gosto é de serviço de mexer com as mãos e me deixar o espírito livre para pensar no que eu quiser e fazer os meus castelos. Adoro fazer castelos e cada dia faço um mais lindo... Os que tenho feito ultimamente são tão bons, que até gosto de perder o sono só para pensar neles. Não me importo de realizá-los e nem penso mesmo nisso. Fazê-los me basta.

Quinta-feira, 25 de dezembro

Amanheci hoje feliz e radiante como sempre que estou no campo.

Mamãe arranjou, aqui na Boa Vista, uma velha para o serviço; mas esta bem pouco remedeia. Quase tudo fica para nós fazermos.

Renato trouxe o carrinho e o carneiro. Quando não tenho que fazer levo-o para o mato, encho-o de gravetos e trago para o rancho. Procuro sempre lugares onde haja um capinzinho tenro para o carneiro ir comendo. Nós tratamos este carneiro como um irmão; come do que comemos e dorme nos pés da cama de meus irmãos.

Hoje, quando me levantei, já encontrei mamãe com tudo pronto para irmos para o rio lavar a roupa amontoada de mais de uma semana. A velha para isto serviu. Carregou na cabeça até o rio a trouxa de roupas e as panelas para o almoço. Fomos todos com tia Agostinha, Naninha, Glorinha e a criada delas Benvinda; nós para lavarmos as roupas e meus irmãos com mais obrigações ainda, pois tinham de buscar lenha, fazer vassoura para a casa, pescar e armar as arapucas na esperança de alguma pomba.

Íamos na maior alegria e no meio do caminho mamãe se separou de nós para levar o almoço de meu pai, na lavadeira. Ela mesma é que gosta de ir para ficar perto de meu pai.

Chegados ao rio nós ficamos na praia e meus irmãos entraram no mato. A velha Luzia arrumou as pedras, fez a trempe, colocou o caldeirão de feijão e acendeu o fogo. Eu e Luisinha enchemos a bacia de roupa e nos pusemos a ensaboar. Minha tia e as primas fizeram o mesmo e Benvinda foi procurar lenha e ajudar a fazer o almoço.

Ensaboamos as roupas e estendemos nas pedras para corar, tudo com pressa pois sempre temos muitos planos e já estávamos na hora do almoço.

Sentamo-nos na praia com nossos pratos feitos como para trabalhador; feijão de tropeiro com farinha, torresmos, ovos fritos e arroz; sobremesa, banana e queijo. Delicioso!

Depois do almoço mamãe não nos deixa meter os pés na água porque diz que faz mal. Sempre pergunto que mal faz mas nunca explica. Pergunto por que não faz mal aos mineiros que entram na água até os joelhos logo depois de comerem, e ficam na água o dia inteiro, e ela responde que é por estarem habituados. Mas não nos deixa habituar também. Fomos então descendo pela praia abaixo, apanhando cativos e caramujos. Que hei de fazer com tanto cativo e caramujo que já tenho junto? Será que umas coisas tão delicadas não tenham utilidade?

Não tardamos a cair na realidade; tínhamos de dar conta da roupa enxuta. Voltamos e já encontramos mamãe, de volta da lavadeira, enxaguando-a e cantando umas coisas tão ternas como só ela sabe cantar. Como é simpática a voz de mamãe! Às vezes gosto de vê-la triste para cantar. Não é por maldade, mas é que a tristeza dela são sempre saudades de meu pai, às vezes quando ele está a bem pouca distância de nós.

Pusemos a roupa a enxugar e estava terminada a tarefa, pois apanhar e dobrar é um instante.

Procurei então um poço atrás de uma pedra e, vestida de uma saia de algodão, meti-me nele para tomar banho e lavar os cabelos. Mal tinha entrado quando senti umas bicadinhas nas pernas e nos pés. Olhei, era uma imensidade de lambaris! Fui correndo buscar arroz e farinha. Sentava-me no poço, punha a comida na saia e logo depois ela se enchia de lambaris. Eu ia levantando e virando-os na bacia até apanhar uma porção. Não peguei mais pensando no trabalho que iriam dar para limpá-los. Mas trouxe lambaris que deram para todos com fartura.

Foi hoje um dia cheio. Cada dia nova descoberta e cada qual melhor!

Quinta-feira, 26 de dezembro

Tia Agostinha é das irmãs de mamãe a de que eu mais gosto. Ela é inteligente e foi casada com um homem ignorante, que a humilhava constantemente. Felizmente já morreu. Às vezes ela nos conta história da vida delas de solteiras na Lomba, e eu gosto sempre de ouvir. Hoje eu lhe pedi: "Tia Agostinha, conte história do tempo antigo". Ela respondeu: "Vou contar uma coisa, que parece coincidência, estava me passando agora pela cabeça. Histórias de Justino".

Ela contou:

— Como vocês sabem, ele nunca estudou e eu vivia pelejando com ele. Antes do dia do meu casamento eu não o conhecia e nunca o tinha ouvido conversar. Via-o de longe e o achava bonito e sempre bem montado em bonitos cavalos. No dia do nosso casamento ele veio todo bem-vestido e eu pensei que acabaria gostando dele. Mas quando entramos para o quarto e ele passou a mão na minha cintura e disse "Agostinha, eu 'tou muito satisfeito. 'Ocê tombém 'tá?" eu baixei a cabeça e vi naquela hora que nossa vida ia ser o que foi. Começou aí a minha vida de tristeza e vergonha constante. Ele trocava os *ll* pelos *rr* e falava tudo errado. Um dia ele chegou em casa e disse: "Sabe com quem eu 'tive agora? Com Zoroástico". Eu lhe expliquei: "Não é Zoroástico, Seu Justino, é Zoroastro que se fala". Ele guardou aquilo. Noutro dia veio: "Bem, agora vou sair, vou no farmaceutro". Eu disse: "Não é farmaceutro, é farmacêutico". Ele respondeu: "Eu acabo não te dirigindo mais palavra. Você já fala para me amolar. Se eu digo *tru* é *ticu*, se eu falo *ticu* é *tru*. Me deixa falar como quiser".

Minhas tias contam a história do casamento delas. As únicas que casaram por seu gosto, conhecendo os maridos, foram mamãe e tia Aurélia, porque casaram depois da morte de vovô. Para as outras vovô escolhia o marido que ele queria. Só Dindinha escapou de casar com um fazendeiro burro, por milagre. Elas ficavam espiando pelo buraco da fechadura e diziam uma à outra: "Eu penso que aquele assim assim é o meu".

Sempre vovô ajustava o casamento de duas ao mesmo tempo. Dava uma festa no Natal e contratava o casamento de duas. Elas levavam um ano fazendo o enxoval e casavam no outro Natal. Nesse ano já ficavam noivas outras duas.

Sábado, 28 de dezembro

Há poucos dias Renato veio dizer a mamãe que Salomão, um negro que mora em Bom Sucesso e tem oito filhos, o tinha contratado para dar escola aos meninos dele, nestas férias, a dez mil-réis por mês. Ele aceitou porque já tem muita bengala de três-folhas e muita vassoura sem vender e diz que é melhor ficar ganhando seus dez mil-réis do que ficar amontoando tanta coisa sem achar quem compre.

Salomão minera sozinho e tira sempre seus diamantinhos. A mulher dele chama-se Margarida. É uma família de negros limpos e bem-educados, que nos oferecem um jantar todas as férias e café com qualquer coisa todas as vezes que lá vamos. Eles têm uma casa limpa que faz gosto. A mesa da sala de jantar e os bancos são areados e claros como novos. O pote de água, coberto de uma toalha de crochê alva; a bandeja de xícaras também. Têm um quintal com frutas e uma hortinha muito bem tratada, com verduras de toda espécie, um galinheiro cheio de galinhas e colhem muitos ovos. Uma gente preta melhor e mais bem-educada do que muitos brancos que eu conheço. Só uma coisa na casa espanta a gente, é ver os meninos todos roídos de barata. Meu pai perguntou-lhe o que era aquilo e ele respondeu: "É o nosso castigo, Seu Alexandre. Vamos apagando a luz e já vem a barataria roer a meninada. A gente cobre eles bem cobertos, mas daí a pouco a coberta está prum lado. O senhor sabe como é difícil lidar com menino".

Renato ia dar a escola e voltava encantado com a bondade dos meninos. Margarida estava com um filho ainda no braço e a barriga muito grande esperando outro. Renato conta que quando chegava lá já encontrava Margarida à espera dele, com a vara de marmelo em cima da mesa, e a meninada olhando para os livros sem se mexer. Todos os dias a mesma coisa. Hoje ele chegou e a encontrou no mesmo lugar tomando conta dos meninos como na véspera, mas já sem barriga e com o pretinho novo nos braços.

Não é tudo tão diferente com essa gente? Se fosse mulher branca, tinha de ficar deitada na cama oito dias tomando caldo de galinha. Margarida trabalha desde o dia que tem o menino e diz que até é melhor porque se sente mais leve.

321

Domingo, 29 de dezembro

Hoje, domingo, com esta chuva de Boa Vista que não para mais, estou me lembrando, com saudades, da minha primeira comunhão.

Depois de um ano de estudo de Catecismo Padre Neves comunicou às meninas que estávamos preparadas para a primeira comunhão, que devia realizar-se dentro de um mês.

Recebi a notícia com alvoroço e avisei a mamãe que se pôs logo a fazer os preparativos: vestido branco comprido, véu, grinalda, vela de cera enfeitada.

Na véspera do grande dia Padre Neves reuniu as alunas na igreja, e postou-se por trás das grades do biombo para confessá-las. As meninas iam ajoelhando do lado de fora, confessando e retirando-se. Chegou a minha vez e ajoelhei, já com a lista de pecados decorada: gula, inveja, luxúria (desejo de ter bonitos vestidos), roubar frutas na Chácara da minha avó, falar da vida alheia. Contei tudo, rezei o ato de contrição, mas saí do confessionário com um preguinho na consciência.

Vovó tinha em casa muitas ex-escravas contadoras de histórias da carocha, histórias de almas do outro mundo e de pecados que levam ao Purgatório e ao Inferno. Furtar ovos, por exemplo, pois o ovo vira pinto, e quantas penas tem o pinto tantos são os anos de sofrimentos do Purgatório. Achar um padre feio, este então era um pecado sem perdão.

Eu ouvia tudo com atenção e não seria capaz de roubar um ovo em nenhuma hipótese. Mas o pecado de achar padre feio perseguia-me o ano inteiro. Todas as vezes que Padre Neves entrava na igreja eu pensava comigo: "Será mesmo que estou pecando? Mas eu o acho tão feio!". Eu procurava sempre tirar da cabeça este mau pensamento; mas ele voltava de novo e não me deixava até terminar a aula de Catecismo.

Quando fui me confessar naquele dia, raciocinei: "Não; eu não pequei pois nunca disse a ninguém que Padre Neves é feio. É melhor não pensar mais nisso".

Saí do confessionário contrita, mas não muito contente e

aliviada como devia estar. Fiz o retiro todo aquele dia com a maior contrição possível a uma menina de sete anos.

No dia seguinte, o grande dia, mamãe acordou-me cedo e foi me ajudando a vestir, ainda dando os últimos conselhos para uma boa comunhão. Chegando à igreja encontrei todas as companheiras já nos seus lugares, só à minha espera, para o padre começar a prática.

Padre Neves convidava para essa prática um padre italiano gorducho e vermelho que sabia gritar e impressionar as meninas. O Padre começou:

"Minhas meninas, este dia é o maior e mais feliz da vida de vocês. Vão receber dentro do peito o corpo, sangue e alma de Jesus. Esta é uma grande graça, minhas queridas, que Deus lhes concede! Mas para isso é necessário que estejam preparadas, contritas e não tenham ocultado nenhum pecado no confessionário. Se ocultarem algum pecado e receberem a comunhão é um horror! Conheço muitos casos horríveis, mas vou contar-lhes apenas um para exemplo.

"Uma vez uma porção de meninas fizeram a primeira comunhão como vocês vão fazer hoje. Receberam a sua hóstia e foram contritas para os seus lugares; nesse momento uma delas caiu para trás e morreu. O padre disse à mãe da menina: 'Foi Deus que a levou para a Sua glória!'. Todas as outras invejavam a companheira que morria na graça de Deus. Nisto, o que foi que elas viram? O capeta arrastando por detrás do altar o corpo da desgraçadinha. Sabem por quê? Porque a menina escondeu um pecado no confessionário".

Quando ouvi isso caí num pranto que espantou a todos. Padre Neves correu para mim para saber o motivo. Eu disse: "Escondi um pecado no confessionário". Padre Neves com meiguice consolou-me: "Não se aflija, minha filha; venha contar o pecado que Deus lhe perdoa e você poderá comungar". Respondi: "Quero contar o pecado a outro padre; ao senhor, não". Sempre com meiguice ele segurou-me as mãos dizendo: "Não pode ser, filhinha; você confessou comigo, será a mim que terá de contar o pecado. Não se acanhe, que padre é para ouvir tudo. Venha. Eu viro a cara, você conta num instante e sai".

Levou-me para um canto da sacristia e, acarinhando-me, ia me obrigando a confessar. Ainda soluçando e horrorizada do que ia dizer curvei a cabeça e disse baixinho: "Eu me acuso de achar um padre muito feio". Padre Neves respondeu: "Isso não é pecado, minha filha. Que mal há em achar um padre feio?". Aí tomei coragem e disse: "Mas o padre é o senhor mesmo!".

Padre Neves largou-me as mãos e levantou-se exclamando: "Sou feio mesmo, e que tem isso? Não posso com meninas tão tolas! Levo o ano inteiro pelejando em prepará-las para a comunhão e no fim vêm ao confessionário dizer-me que sou feio. É demais!".

Terça-feira, 31 de dezembro

Hoje estou me lembrando de vovó, porque a alma dela nos tem protegido desde que morreu.

Quantas vezes ela não me dizia: "Você é que vai valer à sua família, minha filha. Você é tão inteligente e boazinha". Lembro-me também dela sempre dizer a mamãe: "Carolina, minha filha, eu estou muito precisada de morrer para melhorar sua vida". Falava assim por não lhe poder dar dinheiro em vida, porque tio Geraldo, que tomava conta da fortuna dela, não deixava.

O dinheiro que vovó deixou para mamãe foi pouco e meu pai pagou todas as dívidas e continuou na mineração. Mas logo as coisas mudaram e nossa vida tem melhorado tanto, que eu só posso atribuir à proteção da alma de vovó. Meu pai entrou para a Companhia Boa Vista e tudo dos estrangeiros é só com ele, porque é o único que fala inglês e conhece bem as lavras. Agora não vamos sofrer mais faltas, graças a Deus.

Não é mesmo proteção de vovó lá do Céu?

HELENA MORLEY é o pseudônimo de Alice Dayrell Caldeira Brant, nascida em 1880 em Diamantina, Minas Gerais. Estudou na Escola Normal e casou-se, em 1900, com Augusto Mario Caldeira Brant, com quem teve seis filhos. Morreu em 1970, no Rio de Janeiro. Seu livro *Minha vida de menina* já teve traduções para o francês e o inglês, esta última feita pela poeta americana Elisabeth Bishop.

1ª edição Companhia das Letras [1998] 15 reimpressões
1ª edição Companhia de Bolso [2016] 14 reimpressões

Esta obra foi composta pela Verba Editorial em Janson Text e impressa pela Gráfica Bartira em ofsete sobre papel Pólen da Suzano S.A. para a Editora Schwarcz em fevereiro de 2025

A marca FSC® é a garantia de que a madeira utilizada na fabricação do papel deste livro provém de florestas que foram gerenciadas de maneira ambientalmente correta, socialmente justa e economicamente viável, além de outras fontes de origem controlada.